Knaur.

Im Knaur Taschenbuch Verlag sind bereits
folgende Bücher des Autors erschienen:
Das Koch-Buch
Die Stümper
Die Profitgeier
Die Dilettanten
Schwarzbuch Beamte
Die verblödete Republik
Die geplünderte Republik
Einigkeit und Recht und Doofheit
Euroland
Die rebellische Republik

Über den Autor:
Thomas Wieczorek, Jahrgang 1953, ist Journalist und Parteienforscher.
Nach dem Volkswirtschaftsstudium an der Freien Universität Berlin war
er bei der *dpa* Volontär, politischer Redakteur und Chef vom Dienst sowie
anschließend Leiter des Baden-Württemberg-Büros von *Reuters*. Als freier Autor arbeitete er u. a. für die *Frankfurter Rundschau,* den Deutschlandfunk und den Südwestfunk, seit 1989 auch für das Satiremagazin *Eulen-*
spiegel. Am Berliner Otto-Suhr-Institut promovierte er über »Die Normalität der politischen Korruption«. Das Spektrum seiner Radio- und
Fernsehauftritte reicht von RBB bis Sat.1. Thomas Wieczorek hat bereits
mehrere Bestseller geschrieben, u. a. *Die verblödete Republik* und *Die ge-*
plünderte Republik.

Thomas Wieczorek

Die geschmierte Republik

Wie Politiker, Beamte und Wirtschaftsbosse
sich kaufen lassen

Knaur Taschenbuch Verlag

Besuchen Sie uns im Internet:
www.knaur.de

Originalausgabe März 2012
Knaur Taschenbuch
© 2012 Knaur Taschenbuch
Ein Unternehmen der Droemerschen Verlagsanstalt
Th. Knaur Nachf. GmbH & Co. KG, München
Alle Rechte vorbehalten. Das Werk darf – auch teilweise –
nur mit Genehmigung des Verlags wiedergegeben werden.
Redaktion: Ulrike Strerath-Bolz
Umschlaggestaltung: ZERO Werbeagentur, München
Umschlagabbildung: N. Reitze de la Maza
Satz: Adobe InDesign im Verlag
Druck und Bindung: CPI – Clausen & Bosse, Leck
Printed in Germany
ISBN 978-3-426-78519-5

2   4   5   3   1

*Für Geld kann man
den Teufel tanzen lassen.*
DEUTSCHER VOLKSMUND

Inhalt

Teil III

Teil IV

Teil V

Vorab

Korruption ist die Bewässerung
vorhandener Sümpfe.
Wolfgang Gruner, Kabarettist (1926–2002)

Ob zwanzig Haare viel oder wenig sind, so weiß es der Volksmund, kommt ganz darauf an: Auf dem Kopf sind das relativ wenige, in der Suppe relativ viele. So ähnlich ist es mit der Korruption.

Japan ist das Land des Lächelns, Finnland das Land der tausend
Seen und Deutschland das Land der Korruption. Laut einer Studie
der Wirtschaftsprüfungsgesellschaft PricewaterhouseCoopers
(PwC) und der Martin-Luther-Universität Halle-Wittenberg gibt
es allein in deutschen Behörden gut zwanzigtausend Korruptionsfälle jährlich. »Gefährdet« sind demnach vor allem Mitarbeiter aus dem gehobenen Dienst (42 Prozent). Zudem werden circa
40 Prozent der aufgedeckten Straftaten von Beamten der unteren
Laufbahn wie auch in leitenden Positionen begangen. Die Studie
ergab auch, dass maximal 80 Prozent der Straftaten angezeigt
wurden.[1] Rechnet man die Routinebestechung in der Wirtschaft
und im Alltag der kleinen Leute dazu, so kommt man sicherlich
auf weit über hunderttausend Fälle: dreihundert Korruptions-
delikte pro Jahr wären relativ wenig, dreihundert pro Tag sind
relativ viel.

Und selbst dies ist nur ein Bruchteil. Die Dunkelziffer der Kor-
ruptionsdelikte schätzt »Deutschlands Korruptionsfahnder Nummer eins«[2], der frühere Frankfurter Oberstaatsanwalt Wolfgang
Schaupensteiner, auf 95 Prozent. Erschwerend für die Ermittlun-

gen ist ihm zufolge, dass die Opfer meist keine Einzelpersonen oder kleinere Gruppen sind, sondern dass es sich um die Steuerzahler, die Gemeinde oder den Staat handelt und dass es nur in Ausnahmefällen Zeugen gibt. Zudem handelt es sich um ein »Beziehungsgeflecht hochintelligenter Wirtschaftsstraftäter«, das »bis in die Spitzen der Behörden und großer Konzerne« reicht. Besonders beklagt Schaupensteiner den Mangel an politischer Unterstützung, weil »der Korruptionssumpf längst in die Ministerien geschwappt ist«.[3]

Glaubt man der erwähnten Studie, so halten 48 Prozent der Bundesbürger Korruption in Behörden für stark verbreitet. »In der Bevölkerung besteht die Wahrnehmung, dass Bestechung und Unterschlagung in öffentlichen Verwaltungen üblich sind«, sagte PwC-Experte Steffen Salvenmoser.[4]

Vorneweg in Sachen Korruption sind standesgemäß die Hauptstadtbehörden, wie ebenfalls PwC ermittelte. Demnach wurden bereits 68 Prozent (Bundesdurchschnitt: 52 Prozent) Opfer einschlägiger Kriminalität.[5]

»Deutschland verliert im Kampf gegen die Korruption«, unkte *Welt Online* am 26. Oktober 2011.[6] Nichts, aber auch gar nichts deutet darauf hin, dass die Mächtigen aus Politik, Wirtschaft und Finanzadel auch nur das Geringste an diesem fatalen Trend ändern könnten oder auch nur wollten. Ein paar schwarze Schafe sind wohl nie zu verhindern und auch nicht weiter schlimm. Wenn aber die ganze Herde aus schwarzen Schafen mit einer Handvoll weißen besteht und dies in unserer gegenwärtigen Wirtschaftsordnung bereits angelegt ist, dann herrscht Alarmstufe Rot – oder sollte es zumindest. In der aktuellen Weltrangliste der am wenigsten von Korruption betroffenen Staaten belegt Deutschland weit hinter dem Spitzentrio Dänemark, Neuseeland und Singapur nur knapp vor Barbados gemeinsam mit Österreich Platz 15/16 und wäre damit in der Fußballbundesliga in akuter Abstiegsgefahr.[7]

Eigentlich ist nicht der gebührenpflichtige Intimkontakt das älteste Gewerbe der Welt, sondern die Korruption: War das verführerische Lächeln, mit dem Eva ihren Paradiesmitbewohner Adam zum verbotenen Apfelverzehr bewegte, etwas anderes als Bestechung? Und bereits Gaius Iulius Caesar sagte mit der *Lex Iulia de repetundis* der ausufernden Korruption den Kampf an, indem er Beamten verbot, Geld von Dritten anzunehmen.[8] Der Religionswissenschaftler Karl Rennstich berichtet ausführlich über »Korruption in der Umwelt des Alten Testaments«[9] und »Korruption in der Umwelt des Neuen Testaments«.[10] Bestechung und Bestechlichkeit sind also alles andere als Modeerscheinungen. Allerdings zeigen sie sich in kapitalistisch regulierten Gesellschaften in einer ganz speziellen Variante.

1. Ist Korruption ein Problem unter vielen?

Korruption ist nicht irgendein Missstand. Umweltschutz, soziale Gerechtigkeit, Menschenwürde, Vollbeschäftigung, Solidarität, Stabilität, Gesundheitswesen, Bildung, Altersversorgung: Praktisch jedes Problem könnte - isoliert betrachtet - unter heutigen Bedingungen prinzipiell gelöst werden. Anders verhält es sich mit der Korruption: Sie ist nicht irgendein Problem, sondern Hauptangelpunkt und Sargnagel nicht nur unserer Form der Marktwirtschaft, sondern *jeder* denkbaren Gesellschaftsordnung. »Jeder hat seinen Preis«: Wenn das zutrifft und nahezu *alles* käuflich ist, dann werden Gesetze und Politik nicht nach den Interessen der Bevölkerung gemacht, sondern meistbietend versteigert; und selbst diese Gesetze und Projekte werden ihrerseits durch Korruption missachtet oder ausgehebelt. Der Korruptionsforscher Werner Rügemer betont, die Korruption gehöre »zum systemischen Instrumentarium der ›unsichtbaren Hand‹ der ›Marktwirtschaft‹ in den Kapitaldemokratien«. Der gegenwärtige neoliberale Globalismus beinhalte »die bisher weitestgehende, nachhaltige Entfesselung der Korruption in der Geschichte«. Korruption werde »hier ständig modernisiert und legalisiert« und entziehe sich »in den meisten Fällen der öffentlichen Wahrnehmung«.[11]

Kriminelle Spitzenpolitiker kommen ohne Gefängnisstrafe davon, weil ihre Inhaftierung angeblich dem »Ansehen der Republik« und dem »Vertrauen in die Politik« schaden würde. Schwarzarbeitgeber gehen nahezu straffrei aus, weil – wie es heißt – eine hohe Geldbuße und erst recht ein Gefängnisaufenthalt Arbeitsplätze gefährde. Die entsprechende Beeinflussung (Bestechung) des Behördenapparats und der Justiz reicht vom Karrieresprung bis zur Strafversetzung – eine Drohung oder deren Umsetzung ist schließlich nichts anderes als negative Korruption: Erpressung ist »Bestechung umgekehrt«. Ein Steuerprüfer fährt plötzlich Ferrari, ein Baudezernent legt sich eine Jacht zu, ein Umweltkontrolleur zieht ins Villenviertel – und der kritische Bürger, sofern er es überhaupt mitbekommt, denkt sich seinen Teil. Aber dies sind nur die Spitzen eines gigantischen Eisbergs.

Korruption, wohin man blickt: Ob Zustimmung von Betriebsräten zu Lohnkürzung und Stellenabbau, Sicherung von Staatsaufträgen, Genehmigung eigentlich verbotener Waffenexporte, Laufzeitverlängerung von Atomkraftwerken, geschönte Umweltgutachten oder Bestechung von Ärzten durch Pharmakonzerne und Steuergeschenke gegen »Parteispenden« – es gibt kaum einen Bereich, in dem nicht durch Bestechung nachgeholfen wird.

In diesen, aber auch bei anderen spektakulären Fällen wie etwa Steuerhinterziehung oder abnorm günstigen Angeboten an Privatleute werden ehrliche (oder auch nur naive) Firmenmitarbeiter oder Staatsbedienstete bestochen oder massiv bedroht, strafversetzt und sogar rausgeworfen bzw. zwangspensioniert. Die meist jährlich erscheinenden Fallsammlungen der Rechnungshöfe und des Bundes der Steuerzahler sind fast so umfangreich wie die Telefonbücher einer Großstadt – Konsequenzen gibt es aber in der Regel keine.

Zu den unermesslichen Schäden für Leib und Leben sowie für den Staatshaushalt kommen die ideellen. Die Kleinen nehmen sich ein Beispiel an den hochkriminellen »Eliten«. Für »kleine Aufmerksamkeiten« gibt's den früheren Termin beim Arzt, Friseur oder Anwalt, den besseren Tisch im Restaurant, das Zimmer mit Meerblick, und beim TÜV oder bei der Fahrprüfung lässt man schon mal fünf gerade sein. Auch Gebrauchtwagen gibt's zuweilen erheblich billiger, und den Gewinn zu Lasten des Autohausbesitzers teilen sich Verkäufer und Käufer. Und so weiter, und so fort.

2. Ist Korruption lebensgefährlich?

Nicht selten bedroht und kostet Korruption Menschenleben. Man spart aus Kostengründen an notwendigen Sicherheitstests, verwendet minderwertiges bzw. untaugliches Material oder exportiert illegal Waffen in Krisengebiete, frei nach der Devise: »Wird schon gutgehen, das merkt doch keiner.« Die Bayer AG bestach gemeinsam mit anderen Pharma-Riesen japanische Regierungsmitglieder, um anderswo verbotene HIV-infizierte Blutermedikamente verkaufen zu können. Ergebnis: Tausende HIV-Infizierte, über hundert Tote, 100 Millionen Euro Schadenersatz durch Bayer.[12] Das Bahnunglück von Eschede am 3. Juni 1998 mit einhunderteins Toten und achtundachtzig Schwerverletzten war auf Materialermüdung, schlampige Wartung und, laut Eisenbahn-Bundesamt, schwere Verletzungen der Organisations- und Verkehrssicherungspflicht zurückzuführen.[13] Hier hatte der Bahn-Vorstand offenbar direkt in das Prüfungsverfahren des Bundesbahn-Zentralamtes eingegriffen.[14] Ertappte Lieferanten und Verkäufer von Gammelfleisch treffen auf »zugedrückte Augen«. Und wenn's doch auffliegt, hält man die Namen der schuldigen Firmen möglichst geheim. Störanfällige AKWs werden am Netz gelassen, die Strompreise dem »guten Willen« der Konzerne überlassen. Genauso gut könnte man an einen Tiger appellieren, Vegetarier zu werden. Im Gegenzug für derlei Entgegenkommen winken den Willigen und Pflegeleichten »legale« Parteispenden, traumhafte Dankeschönjobs oder als Info-Veranstaltungen getarnte Traumreisen.

Kaum irgendwo wird die Vermutung, dass die Raffgier ohne alle

Skrupel und Grenzen zu unserer Marktwirtschaft gehört wie das Plagiat zu Guttenberg, so nachhaltig bestätigt wie bei ihrem legitimen Kind, der Korruption. Eines der Kennzeichen der Marktwirtschaft ist die Konkurrenz, und zwar auf buchstäblich allen Ebenen: Wenn irgendein Marktteilnehmer im Kampf gegen die anderen Marktteilnehmer unlautere Mittel einsetzt, sind die anderen gezwungen mitzumachen. Wenn daher überhaupt eingeräumt wird, dass man sich unsauberer Methoden bedient hat, dann fehlt niemals der Hinweis, der Konkurrent habe ja schließlich angefangen.[15]

In Deutschland war die Bestechung bei Auslandsgeschäften bis 1999 sogar steuerlich absetzbar[16] und bis August 2002 immer noch völlig legal.[17] Josef Wieland, Professor für Wirtschaftsethik in Konstanz, meint hierzu: »In der Republik galt eben die offizielle Doktrin, dass man in Ländern der Dritten Welt ohne Bestechung gar nicht arbeiten kann.«[18]

3. Richtet Korruption die Gesellschaft zugrunde?

Der durch Korruption verursachte materielle und ideelle Schaden für die Gesellschaft liegt auf der Hand. Wenn Verträge nichts mehr wert sind, wenn Politiker pauschal unter Korruptionsverdacht stehen und man letztlich niemandem mehr trauen kann, richtet sich die Gesellschaft selbst zugrunde. Schon nennt der Volksmund seine Eliten »Ritter der offenen Hand« oder »die besten Politiker, die man für Geld kaufen kann«.

Die Tragikomödie der Korruption besteht darin, dass sie einerseits zwar nicht in der Theorie,[19] wohl aber in der Praxis zwangsläufige Voraussetzung freier Märkte ist – ohne Bestechung läuft in verschiedenen Branchen oder Regionen nichts. Andererseits treibt die Korruptionskonkurrenz die Bestechungskosten ins Uferlose, so dass Korruption unterm Strich für alle Unternehmen teurer ist als ehrlicher Wettbewerb. Darüber hinaus verhindert Korruption systematisch den technischen Fortschritt, also die »Entwicklung der Produktivkräfte«. Noch bestens in Erinnerung ist der Maut-Skandal von 2003: Statt ein funktionstüchtiges System wie das der Schweiz zu übernehmen, schanzte das Bundesministerium für Verkehr, Bau und Stadtentwicklung Daimler und der Telekom den Auftrag zu. Schaden: 6,5 Mrd. Euro.[20]

Was also tun gegen die allgegenwärtige Korruptionsseuche? Zwar schreibt die US-amerikanische Korruptionsforscherin Susan Rose-Ackerman 1996 in einem Anflug von neoliberalem schwarzem Humor: »Wenn der Staat weder Exporte verbieten noch Geschäftslizenzen vergeben und Subventionen verteilen kann« – also letztlich keinerlei Befugnisse mehr hat –, »wäre Bestechung sinnlos.«[21] Aber selbst eine (bislang nur im neoliberalen Modell existierende) völlig freie und nur durch den Polizeistaat abgesicherte Marktwirtschaft wäre schnell am Ende, wenn die Schlüsselpositionen und Schalthebel der Macht mafiös unterwandert würden, denn, wie Susan Rose-Ackerman betont, auch der schlankeste Staat hat Bereitschaftspolizisten mit Ermessensspielraum – also mit Korruptionspotenzial.[22]. So beißt sich die Katze in den Schwanz.

Konsequent zu Ende gedacht, wäre dieser Teufelskreis der Korruption nicht nur die Götterdämmerung des Rechtsstaats und der Marktwirtschaft, sondern sogar jeglicher Zivilisation. Denn spätestens seit Thomas Hobbes wissen wir, dass »der Mensch dem Menschen ein Wolf«[23] und folglich das ungeregelte und gesetzlose Zusammenleben ein »Krieg jeder gegen jeden« sein kann. In seinem Hauptwerk *Leviathan* schreibt Hobbes, »dass, solange Menschen ohne eine gemeinsame Macht leben, die sie alle in Bann hält, sie sich in dem Zustand befinden, den man Krieg nennt; und dabei handelt es sich um einen Krieg aller Menschen gegen alle Menschen«.[24]

Auch Reichskanzler Otto von Bismarck sah dieses Problem, das sich als Krieg Arm gegen Reich anbahnte. Nur diese Angst, nicht etwa irgendein christlich-moralischer Gedanke, war das Motiv seiner Sozialreformen.[25]

> Mein Gedanke war, die arbeitenden Klassen zu gewinnen, oder soll ich sagen zu bestechen, den Staat als soziale Einrichtung anzusehen, die ihretwegen besteht und für ihr Wohl sorgen möchte.
> *Otto von Bismarck*[26]

Aufschlussreich, dass selbst der bedeutendste Politiker des Deutschen Reichs die Gesellschaft offenbar vorwiegend in Bestechende und Bestochene aufteilt und dies augenscheinlich für *normal* hielt. Dies entspricht der von Immanuel Kant angedachten[27] These des deutsch-österreichischen Staatsrechtlers Georg Jellinek (1851–1911) von der normativen Kraft des Faktischen:[28] Wenn zu viele Leute ständig Gesetze, Vorschriften oder gesellschaftliche Spielregeln missachten und meistens ohne Strafe oder Blamage davonkommen, gilt dieses Verhalten irgendwann als normal. Das gilt für Bierdosenberge nach Freilichtkonzerten, Spickzettel bei Examensklausuren und »Souvenirs« in Form von Kneipengläsern genauso wie für Versicherungsbetrug, Steuerschummelei und eben Korruption. Für einen Zwanziger ist plötzlich doch noch ein Hotelzimmer frei, und für eine Gratis-Flatrate in Papas Restaurant wird aus der Fünf in Mathe die versetzungsrettende Vier.

Dass Korruption überhaupt entsteht und zum Normalzustand wird,[29] ist freilich nur möglich durch den völlig tabulosen Eigennutz, den viele Neoliberale für genetisch bedingt halten, ähnlich wie Rassisten die Intelligenz ganzer Völker. Bestechung und Bestechlichkeit, also strafbare, vertragswidrige oder schlicht unmoralische und asoziale Handlungen im großen Maßstab setzen dieser kruden Theorie nach voraus, dass dem Menschen der skrupellose Egoismus quasi in die Wiege gelegt sei, dass also Regeln wie »Geld regiert die Welt« und »Jeder hat seinen Preis« Naturgesetze seien wie Schwerkraft und Thermodynamik. Die windige Hypothese vom *homo oeconomicus* – zu Deutsch etwa: Raffke oder Gierschlund – ist aber tatsächlich ein Kernstück der neoliberalen »Lehre« und ihrer Unterabteilung »Neue Politische Ökonomie«. Deren Begründer Antony Downs gibt zu Protokoll: »Wenn wir von rationalem Verhalten sprechen, meinen wir stets rationales Verhalten, dem primär eigennützige Absichten zugrunde liegen.«[30] Folglich erscheinen Solidarität, Rücksichtnahme und erst recht Altruismus als »irrational«, und wenn Wissenschaftler »irrational« sagen oder schreiben, dann meinen sie meist »nicht ganz dicht«, »Sprung in der Schüssel« oder »therapiebedürftig«: *Ehrlich währt am längsten* – diese Volksweisheit bedeutet entgegen einem verbreiteten Irrtum ja nicht, dass Ehrlichkeit sich langfristig auszahlt, sondern dass man damit am längsten braucht, es zu etwas zu bringen.

In gewisser Weise stimmt das sogar: Da bekanntlich jede Gemeinschaft ihre Menschen »erzieht«, setzt sich eben in einer ausschließlich auf Selbstbereicherung orientierten neoliberalen Gesellschaft der vor nichts zurückschreckende Profitjäger am besten durch, und »Der Ehrliche ist der Dumme«.[31]

Mit Vorsicht zu genießen ist allerdings auch das pauschale Jammern über eine »gefühlskalte Egoistengesellschaft«. Macht man den Leuten nämlich weis, sie hielten sich so ziemlich als Einzige an Recht und Gesetz, an die Regeln von Anstand und Moral, dann fühlen sie sich irgendwann tatsächlich als ausgenutzte »arme Irre« und beteiligen sich fortan lieber am Hauen und Stechen aller gegen alle: Jeder ist sich selbst der Nächste. Und diese Haltung kann leicht um sich greifen wie eine Seuche. Ein einziger Drängler an der Bushaltestelle kann eine geordnete Warteschlange in eine schubsende Horde verwandeln, und ein einziger hupender Autofahrer im Berufsverkehrsstau initiiert oft ein ganzes Hupkonzert. Aber sind wir als Kinder dieses Wirtschaftssystems nicht alle so? Der Herdentrieb funktioniert jedenfalls auch in die andere Richtung: »Oder-Hochwasser erzeugt eine Welle der Hilfsbereitschaft in ganz Deutschland«[32] – so oder ähnlich lauteten 1997 zahllose Schlagzeilen. Überhaupt ist die Spendenbereitschaft der Deutschen bei Katastrophen in aller Welt geradezu sprichwörtlich; und auch Gastfreundschaft, Nachbarschaftshilfe, ja sogar großzügige Trinkgelder[33] und die Freude am Schenken (auch wenn man nicht damit angeben kann) sind so gar nicht vereinbar mit dem Leitbild des *homo oeconomicus,* nach dessen Logik die Normalbürger samt und sonders Bekloppte und die schamlosen Raffzähne die »Rationalen« wären.

Denn tatsächlich sind die Raffgierigen nach wie vor in der Minderheit. Glaubt man einer Forsa-Studie, dann dreht sich bei den Deutschen keineswegs alles um den Mammon. Für 98 Prozent ist Gesundheit am wichtigsten, für 97 Prozent hat das Lebensumfeld die zweitgrößte Bedeutung. Danach folgen mit 88 Prozent das Einkommen, mit 78 Prozent die Partnerbeziehung und mit 67 Prozent der Beruf.[34]

Und schließlich: Selbst die übelsten Profitgeier vererben ihr wie auch immer angeeignetes Vermögen ihren Nachkommen. Müssten sie es nicht vielmehr in neoliberaler Egoistenmanier zum großen Teil verprassen nach dem Motto: »Nach mir die Sintflut«? Spätestens hier erweist sich das Modell des *homo oeconomicus* als reine Propagandaphrase. Insofern gleicht ein Neoliberaler einem katholischen Pfarrer, der die Keuschheit vor der Ehe predigt, es aber selbst mit der Haushälterin treibt. Wenn nun verbissene Verteidiger des *homo oeconomicus* nach dem Motto »War doch gar nicht so gemeint« zu retten versuchen, was nicht mehr zu retten ist, und sich darauf herausreden wollen, diese Karikatur sei ausschließlich als wirtschaftliches Verhaltensmodell gedacht,[35] dann erinnert das an die makabre Bemerkung, privat wäre Joseph Goebbels doch ein treusorgender Familienvater gewesen.[36]

Derlei kindischer Rechtfertigung erteilt der Greifswalder BWL-Professor und Ethikforscher Steffen Fleßa eine klare Absage: »Für die Unternehmen wird der homo oeconomicus noch weiter verkürzt auf die Gewinnmaximierung ... [er] ist nur noch ein Zerrbild seiner selbst. Das Verhalten des homo oeconomicus wird immer mehr zum Maßstab für alle Aspekte menschlicher Existenz ... Das Modell, das ursprünglich nur helfen sollte, das wirtschaftliche Handeln zu erklären, wird zum Maßstab aller Dinge. Aus der neutralen Beschreibung wird plötzlich eine Tugend, auf die sich alle Menschen verpflichten sollen. Das Modell wird zum Imperialisten und unterwirft alle anderen Dimensionen.«[37]

Der *homo oeconomicus* ist eine Karikatur auf den wirklichen
Menschen.
Norbert Blüm[38]

Ein typisches Beispiel für die perfide Strategie des *homo oeconomicus* sind die frei erfundenen und ausschließlich machtpolitisch
und am Profit orientierten Beurteilungen von Staaten durch die
»Ratingagentur« genannten neoliberalen Einpeitscher und Schar-
latane. So stufte Standard & Poor's (S&P) die Kreditwürdigkeit
Italiens im Mai 2011 von »stabil« auf »negativ«. Grund: »stagnie-
render Reformwille«.[39] Die Kreditwürdigkeit Griechenlands stuf-
ten die Propagandisten des globalen Großkapitals im Juni 2011 als
weltweit am schlechtesten ein, noch schlechter als die von Jamai-
ka, Ecuador und Pakistan.[40]
Die US-Banken, die 2008 Milliarden verzockt hatten und nur mit
Staatshilfe am Leben erhalten werden konnten, wurden dagegen
von den US-Ratingagenturen bis heute nicht abgestuft. Nicht so
verlogen und zimperlich ist da Chinas Ratingagentur Dagong, die
am 9. November 2010 gleich den ganzen Staat USA von der Best-
note AAA auf A+ heruntersetzte.[41] Aber die wird ja auch wohl
kaum von amerikanischen Konzernen geschmiert. Dennoch wag-
te es die US-Agentur Moody's am 13. Juli 2011 – vielleicht aus
Sorge um den letzten Rest Glaubwürdigkeit und weil Dagong erneut mit Abstufung drohte, vielleicht aber auch, weil die Republikaner besser zahlen als Obama – das AAA der USA offen in
Frage zu stellen.[42] Tief blicken lässt übrigens die Meldung im
Hamburger Abendblatt, Moody's wolle bei der Bewertung der
Bonität der USA »die Notbremse ziehen«.[43] Was ist diese Marktwirtschaft für ein System, wenn gekaufte, konspirative Kasper in
der vorgeblichen Weltmacht Number One »die Notbremse ziehen« können?
Dabei sind die Methoden und Kriterien der Ratingagenturen ge-
heimer als die Rezeptur eines Lagerfeld-Parfums. Verständlich,
denn sie haben mit »Analyse« oder »Wissenschaft« weniger zu

tun als ein Tretauto mit einem Formel-1-Boliden und drücken nur die Interessen des globalen Großkapitals aus. Auf gut Deutsch: Die Nachkommen Cäsars und Platons sind zu langsam bei der systematischen Umverteilung ihres Volksmögens – weg von der ehrlich arbeitenden oder unverschuldet verarmten Bevölkerung hin zu den nationalen und globalen Parasitenbanden, den Milliardären und Großbanken also, die ihr Geld ausschließlich durch den Besitz und Verleih von Kapital verdienen (also ohne einen einzigen produktiven Handschlag). *Ihnen* nämlich schulden Italien und Griechenland zu einem großen Teil die horrenden Zinsen für kriminelle Wucherkredite (»Staatsanleihen«), und *ihnen allein* nützt auch die »großzügige« EU-Hilfe. Die kleinen Leute zwischen Bozen und Kreta sehen keinen Cent davon.

Dieser Siegeszug des vor nichts zurückschreckenden *homo oeconomicus* aber befeuert die Korruption wie die Kohle die Dampflok. »Jeder dritte Angestellte würde schmieren«, ergab eine Umfrage in Europas Konzernen vom Mai 2011.[44] Und viele tun es auch, wie zum Beispiel jener Buchhalter eines sauerländischen Autoteile-Zulieferers, der wegen Beihilfe zur Bestechung eines BMW-Einkäufers vom Landgericht Bochum 18 000 Euro Geldstrafe (davon 8000 Euro auf Bewährung) bekam.[45]

Auch unser Nachwuchs soll zu fachidiotischen, eigensüchtigen Monstern erzogen werden. Pädagogikprofessor Armin Bernhard von der Uni Duisburg-Essen fasst zusammen: »Der Mensch ist ein Rohstofflager: Dies ist die Kernaussage des neoliberalen Menschenbildes.«[46] Besonders aufschlussreich ist das *Manifest zur Bildung*[47] des damaligen Deutschlandchefs der berüchtigten neoliberalen Demagogenhorde McKinsey, Jürgen Kluge, das Bernhard so zusammenfasst: »Die Ausschöpfung der Begabungsreserven soll durch eine möglichst frühe Investition in kindliche Bildung optimiert werden. Der gegenwärtige Boom der ›Frühpädagogik‹ ist in diesem Zusammenhang um die Ausbeutung geistiger Humanressourcen zu sehen … Bildung darf nicht mehr primär als ein Mittel der Persönlichkeitsentwicklung und des Erwerbs von Mündigkeit angesehen, sondern muss als wirtschaftliche Investition begriffen werden.«[48] Dass dies, ginge es nach den Fieberfantasien neoliberaler Triebtäter, über kurz oder lang zum moralfreien *homo corruptus* führen würde, wäre nur eine Zeitfrage.

4. Wer gibt, will auch etwas dafür haben

Für sich genommen, ist Korruption eigentlich ein ganz normales, mehr oder minder faires Geschäft – zumindest für die Beteiligten, denn »Korruption führt in jedem Fall zu gesamtwirtschaftlichen Verlusten, das heißt zu Wohlstandsminderung«.[49]

Der Ausdruck *Do ut des*, durch dessen Gebrauch mancher Prahlhans den Besuch eines »humanistischen« Gymnasiums vortäuscht, beschreibt ja im Grunde nur den Tausch als solchen, wird aber besonders im parteipolitischen Hickhack als anderer Begriff für Korruption verwendet.

So kritisierte SPD-Bundestagsfraktionsgeschäftsführer Thomas Oppermann im März 2010 die Begleiterauslese des damaligen Außenministers Guido Westerwelle. »Der Lateiner nennt dieses Prinzip ›do ut des‹ – ›Ich gebe, damit du gibst‹. So ist es: Geneigte Firmen unterstützen Herrn Westerwelles FDP mit satten Spenden vor der Wahl – nach der Wahl nimmt dann der Außenminister seine Freunde mit ins Ausland auf »Geschäftsreise«.[50] Mal abgesehen davon, dass es sich dabei – ähnlich wie ein Knastaufenthalt – um »Urlaub auf Staatskosten« handelt: Anrüchig wurde der Deal »nur« durch den simplen Umstand, dass nicht Westerwelle »der Laden gehört«, sondern dem *Deutschen Volke* und dass die beträchtlichen kleinen Aufmerksamkeiten der Industrie nicht in der Staatskasse, sondern auf den Konten seiner in diesen Dingen besonders liberalen FDP landeten.

Möglich ist Korruption immer dann, wenn jemand über (materielle oder immaterielle) Ressourcen verfügen kann, die ihm nicht gehören. Verkauft ein Bauer seine Eier zu billig, so ist das sein

Problem. Tut dies aber sein Angestellter (Prokurist) und erhält dafür – natürlich heimlich – eine Provision vom Käufer, so ist das Korruption und der Bauer der Geschädigte.

»Was kosten die Eier?«
»25 Cent, die angeknickten 12 Cent.«
»Dann knicken Sie mir bitte zehn Stück an.«

Ebenso treffend wie ironisch nennt der Exchef des früheren staatlichen französischen Ölkonzerns Elf Aquitaine, Loïk Le Floch-Prigent[51], als Grundproblem, »dass jemand, der im Monat nur 10 000 Mark verdient, die Möglichkeit hat, mit seiner Unterschrift Entscheidungen zu besiegeln, die Milliarden von Dollar bewegen«.[52]
Die Korruptionstheorie beschreibt den Vorgang so: Auftraggeber und Auftragnehmer (in der Politik das Volk und sein Interessenvertreter) schließen einen *legalen* Vertrag. Nun vereinbart aber der Auftragnehmer mit einem Dritten einen *illegalen* korrupten oder unmoralischen Deal zum beiderseitigen Vorteil und zu Lasten des legalen Auftraggebers.[53] Ist dabei Materielles und erst recht Geld im Spiel, so springt die Korruption meist direkt ins Auge. So verurteilte das Landgericht einen Projektmanager der Berliner Senatsverwaltung für Stadtentwicklung zu einundzwanzig Monaten Haft auf Bewährung wegen Vorteilsnahme und Bestechlichkeit, weil er einem Bauunternehmer Aufträge für 770 000 Euro zugeschanzt und im Gegenzug Handwerksleistungen für sein Eigenheim und ein zinsloses Darlehen im Wert von »einigen Tausend Euro« erhalte habe.[54]

Schwieriger wird's schon beim Erkennen der getarnten Korruption. Wenn der korrupte Lohn für eine »Gefälligkeit« zum Beispiel darin besteht, dem Bestochenen zu einem neuen Amt, einem Fernsehauftritt, einer Golfclub-Mitgliedschaft oder dessen Sohnemann zu einem Studienplatz in Yale zu verhelfen, bleibt selbst den Strafverfolgern oft nur ein hilfloses Naserümpfen. Oder man murrt über das »Gschmäckle« eines Skandals, wie etwa der super-peinlichen Kontaktverkaufsaktion des inzwischen vom Wähler in die Wüste geschickten NRW-Ministerpräsidenten Jürgen »Kinder statt Inder«[55] Rüttgers.

Privataudienzen beim Meister und bei seinen Ministern kosteten 20 000 Euro. Entsprechende Werbebriefe hatten Rüttgers laut *Spiegel* den Vorwurf der Käuflichkeit eingebracht. Der Ministerpräsident wies diese Kritik – selbstverständlich – »entschieden zurück«. Solche Unterstellungen seien »absurd und völlig unzutreffend«. Er habe von dem Angebot nichts gewusst.[56]

Erklärung eines Beschuldigten:
»1. Ich habe nie Geld von Meier genommen. 2. Es waren alles kleine Scheine. 3. Wer zum Teufel ist Meier?«

Für den Speyerer Korruptionsexperten und Verfassungsrechtler Hans Herbert von Arnim »hat das nicht nur ein Geschmäckle, sondern grenzt an Korruption«. Illegal sei dabei nicht die Spende, sagte er der Hannoverschen *Neuen Presse*, sondern »wenn als Gegenleistung der Zugang zur Regierung versprochen wird«. Ärgerlich nur, wie auch von Arnim befürchtet, dass man das Ganze kaum werde beweisen können.[57]

Noch problematischer ist es bei der immateriellen Korruption. »Beim Mord braucht man eine Leiche, bei der Bestechung muss kein Geld geflossen sein«, sagt die Stuttgarter Staatsanwältin Claudia Krauth.[58] Wenn zum Beispiel Volksvertreter wie weiland die Friedensapostel der Grünen abrupt und herdenweise ihre politische »Überzeugung« radikal ins Gegenteil verkehren, um ihre Regierungsbeteiligung inklusive der Ämter und Pöstchen zu retten, dann werden sie einem noch heute, vermutlich ohne rot zu werden, weismachen wollen, es habe sich um einen plötzlichen »politischen Lernprozess« oder ähnlichen grenzdebilen Kokolores gehandelt.

5. Tricks und Schliche

Die besten Schauspieler gehen in die Politik.
Die anderen zum Film.
Volksmund

Prinzipiell ist Korruption natürlich eindeutig zu beweisen. Diesen Beweis zu führen ist in der Praxis aber nicht ganz so einfach. Wäre es das, dann könnte man im Nu den gesamten korrupten Sumpf trockenlegen und die Akteure in Strafunterkünften und psychiatrischen Genesungsheimen unterbringen oder – mit Lebensmitteln für hundertfünfzig Jahre ausgestattet – auf unbewohnte Trauminseln oder in arktische Idylle verfrachten. Den Staaten, »wo der Pfeffer wächst«, wären diese Leute nicht zuzumuten. Was eigentlich ein bisschen schade ist.

Das Beweisproblem hängt damit zusammen, dass die Führer von Politik und Wirtschaft ganze Horden von Experten ausschließlich dafür bezahlen – also in Wahrheit der Bürger über die Steuern oder den Aufschlag auf Waren und Dienstleistungen –, dass sie korrupte Aktionen und ihre Verschleierung bis ins letzte Detail exakt planen. Fliegen größere Korruptionsgeflechte wie Parteispendenskandale, Klüngel- und Amigoaffären oder Bestechungssysteme von Großkonzernen einmal tatsächlich auf, dann hängt das oft mit der giergetriebenen Dusseligkeit der Akteure zusammen. Schmiergeld im Aktenkoffer oder auf Schweizer Konten – Mann, wo kommen Sie denn her? Die Regel ist aber das Tarnen, Herausreden und Abstreiten – im Ernstfall kennen Korruptis nicht einmal ihren eigenen Namen.

Die wunderbare Welt der seltsamen Zufälle

Korruptionsverdächtige versuchen häufig, eine Art »Katz-und-Maus-Spiel« zu veranstalten, indem sie, wie wir noch an Beispielen sehen werden, einfach behaupten, sie hätten die Entscheidungen auch ohne Gegenleistung genauso getroffen, von der Gegenleistung erst nachträglich erfahren oder die Gegenleistung sei gar keine, sondern ihr Zusammentreffen mit der erbrachten Leistung sei rein zufällig.

Selbstverständlich kann sich weder der geduldige Bürger noch die Korruptionsanalyse auf diese Verhöhnung ihrer Intelligenz einlassen, zumal es hier auch gar nicht um Schuldnachweise im juristischen Sinne geht.

Man stelle sich einmal vor: Ein Handwerker behauptet, er habe einem wildfremden »Bekannten« aus purer Nachbarschaftshilfe die Wohnung tapeziert und sei ganz überrascht gewesen, anschließend Geld zu erhalten, bzw. das Geld habe mit dem Tapezieren nichts zu tun, sondern sei eine Spende für ihn als notleidenden Familienvater gewesen. Obwohl so etwas im Einzelfall natürlich stimmen kann, dürfte kaum ein Finanzamt diese Version akzeptieren. Überhaupt geht es ja bei der allgemeinen ebenso wie bei der politischen Korruption um zwei Leistungen und deren objektiven inneren Zusammenhang. Ist der Zusammenhang gegeben, wird die Leistung des einen als korrupte Aktion und die Leistung des anderen als korrupte Bezahlung gewertet.

Wann ist Zeitnähe noch zeitnah?

Natürlich wird ein korrupter Tausch nicht immer so offensichtlich durchgeführt, dass die beiden zusammenhängenden Leistungen zeitnah erfolgen. Nun kann man aber verständlicherweise keine Obergrenze für den Zeitraum benennen, in dem die Leistungen erfolgen müssen, um einen Zusammenhang zu beweisen. Wie viel später darf eine »Dankeschön-Spende« kommen, um als solche identifiziert zu werden? Eine Woche, einen Monat, ein Jahr, fünf Jahre nach der »Gefälligkeit«? Da der zeitliche Abstand also keine Obergrenze hat, kann er auch nicht als Beweis gegen Korruption herhalten. Und die Tatsache, dass einem Agenten der Erhalt eines konkreten, projektbezogenen korrupten Lohns nicht nachgewiesen werden kann, zeigt bestenfalls die Grenzen der Analyse des isolierten Korruptionsfalls. Damit ist *nicht* der Verdacht widerlegt, dass etwa ein Politiker insgesamt davon profitiert, dass er Konzernen zu Vorteilen auf Kosten der Bürger verhilft. Es ist nämlich dem Wesen nach kein Unterschied, ob jemand z. B. alle zwei Jahre eine Million Euro überweist und dafür bei zehn Grundstücksvergaben bevorzugt wird oder ob er jede Bevorzugung mit 100 000 Euro bezahlt. Der Schluss, dass Bestechung nicht zeitnah erfolgen müsse, ist besonders wichtig, wenn wir später die Parteispenden behandeln, insbesondere die Unterschiede zwischen verbotenen projektbezogenen und zulässigen allgemeinen Spenden.

Neuer Name für das Kind

Wenn jemand im Supermarkt ein Brühwürfeletikett mit der Aufschrift »0,99« auf eine Whiskyflasche klebt, dann fällt das natürlich auf. Ganz so simpel ist es mit dem Umdeklarieren korrupter Leistungen natürlich nicht: Die Schmiergeld-Connection will und muss vertuschen, welche korrupte Leistung tatsächlich erbracht und belohnt wird.

Genauso wie kein Auftragskiller seinen Lohn als »Mörderentgelt« verbuchen wird, sondern z. B. als »Entsorgungsentgelt« – so tarnen meist auch Bestechender und Bestochener den wirklichen Grund für einen Geldfluss, etwa als Honorar für »Beratung«, »Studien« oder »Vorträge«.

Gewissenhafte und im positiven Sinne verbissene Korruptionsfahnder versuchen dann nachzuweisen, dass es sich wirklich nur um Scheinleistungen handelt: dass die »Beratung« nur aus einem Fünfminutentelefonat über das Wetter, die »Studie« aus einer Handvoll Zeitungsausschnitten, der Vortrag aus dem Verlesen der vorletzten Regierungserklärung bestand.

Allerdings ist diese Art von Beweisführung problematisch und zudem überflüssig. Problematisch ist sie, weil Begriffe wie *Beratung*, *Studie* und *Vortrag* ähnlich dehnbar sind wie der Begriff *Kunst*. Und ähnlich wie die Auffassung »Alles ist Kunst« spätestens seit dem segensreichen Schaffen von Ben Vautier,[59] Andy Warhol und Joseph Beuys durchaus gängig ist, so ist es nach dem Motto »Alles ist Beratung, Studie, Vortrag« bei halbwegs sorgfältiger Tarnung meist so gut wie unmöglich, beispielsweise eine Studie als Scheinleistung zu entlarven. Zumal selbst im Erfolgsfall bestenfalls die mangelnde Qualifikation des Autors bewiesen wäre.

Alles ist Kunst.
Joseph Beuys, Aktionskünstler (1921–1986)

Gute Geschäfte sind die beste Kunst.
Andy Warhol, Multikünstler (1927–1987)

Überflüssig ist die Beweisführung über das Thema Scheinleistung, weil die Qualität einer (vorgetäuschten) Leistung völlig unerheblich ist. Denn der korrupte Charakter eines Geschäfts besteht in diesem selbst: Was zählt, ist der *Zusammenhang* zwischen Leistung und Gegenleistung. Selbst wenn der von einem Unternehmerverband mit 10 000 Euro dotierte Vortrag eines Spitzenpolitikers ein dreistündiges nobelpreiswürdiges Werk wäre, dann änderte dies nicht das Geringste am korrupten Wesen dieses Engagements als solchem.

Der »subjektive Faktor« als Ausrede

Der »subjektive Faktor« ist für die Korruptionsanalyse deshalb besonders wichtig, weil Verdächtige gelegentlich mögliche korrupte Leistungen allein dadurch der näheren Untersuchung entziehen wollen, dass sie z. B. behaupten, sie seien »wegen Überlastung nicht zu einer Überprüfung gekommen«, »zu unerfahren und gutgläubig gewesen« oder »der Komplexität der Sache nicht gewachsen gewesen«. Zugegebenermaßen ist im Einzelfall die subjektive Schuldzumessung – die Unterscheidung von Absicht, Fahrlässigkeit und Unfähigkeit – recht schwierig; schließlich wimmelt es in Politik, Verwaltung und Wirtschaft nur so von aufrechten, waschechten Deppen.

Aber gerade deshalb sind diese »subjektiven Faktoren« auszuklammern und ausschließlich die nackten Zahlen zu betrachten. Ein Beispiel: Es ist nicht nur unbefriedigend, sondern unzulässig, dem Chef einer DGB-Gewerkschaft zuzugestehen, er habe sich bei den Tarifverhandlungen mit dem Arbeitgeber »aus Unerfahrenheit über den Tisch ziehen lassen«, anstatt dies mit der Tatsache in Verbindung zu bringen, dass er sofort nach Vertragsabschluss in den Vorstand des Verhandlungsgegners wechselte.[60]

Dieses Buch ist keine strafrechtliche Untersuchung; deshalb interessiert vor allem die Frage, ob ein Handlungsbevollmächtigter zum Nachteil seines Unternehmens einem Dritten einen Vorteil verschafft und selbst davon profitiert hat. Ob er dies tatsächlich aus »Gutgläubigkeit« getan hat und sich folglich das Glück des korrupten Lohns gar nicht erklären kann, ist nicht unser Thema, sondern eher eines für ein Märchenbuch über »Tausendundeine Ausrede zur Korruption«.

Psst! Das Problem der Geheimhaltung

Geheimhaltung wird in der gängigen Theorie als wichtiges Kriterium für Bestechung angesehen. Natürlich ist Geheimniskrämerei typisch für Korruption. Wenn aber damit gemeint ist, dass das Opfer »von den Vorgängen grundsätzlich nichts wissen darf«,[61] so ist das in dieser Allgemeingültigkeit falsch.

Der Trend scheint eher dahin zu gehen, offenkundige Fälle von korruptem Tausch insofern zu leugnen, als selbst die zeitliche Nähe von Leistung (z. B. Verkauf von Staatseigentum, Kreditvergabe, Mietgarantie) und Gegenleistung (z. B. Parteispende) als »Zufall« hingestellt wird. Besonders forsch und beleidigt abgestritten wird der Korruptionscharakter von Sachwerten. Selbst Kreuzfahrten von fünfstelligem Wert werden nicht etwa heimlich unternommen, sondern als »viel zu geringfügig« dargestellt, als dass sie den integren Politiker in seinem Handeln beeinflussen könnten.

Am vehementesten und generell geleugnet wird jedoch der Bestechungscharakter von Parteispenden, obwohl, wie wir noch sehen werden, Spender natürlich eine Gegenleistung erwarten.
Die trotzdem noch relativ große Zurückhaltung bei der Offenlegung von Spenden hat eher zwei andere Gründe als die der Kriminalisierung: zum einen die Befürchtung von Imageverlust und im Gefolge davon auch ökonomischen Nachteilen, zum anderen die Verquickung mit anderen Delikten wie Steuerhinterziehung.
Es lohnt sich also allemal, das Thema *Korruption* in ihren zahlreichen Spielarten und Aktionsfeldern einmal ausführlich und grundsätzlich unter die Lupe zu nehmen, ja es ist für das Gemeinwesen sogar existenziell notwendig: Die Korruption ist ein, wenn nicht sogar *das* »Schmiermittel für die Wirtschaft«.[62]

Teil I Stets zu Diensten –
die korrupte Leistung

Nicht anders als im normalen Geschäftsleben erwartet auch im korrupten Handel der Kunde etwas für sein Geld. Da also der Schmiergeldzahler nicht die Caritas ist, muss sich der käufliche Privatmann oder Politiker sein Bestechungshonorar durch Leistungen verdienen.

1. Wir ham's ja – der Kauf über Wert

Zunächst sollten wir uns daran erinnern, dass Korruption bei Staatsdienern durchaus Bestandteil der marktradikalen Theorie ist. Ihr Vordenker Jacob van Klaveren erläuterte logisch und verständlich, »dass ein Beamter sein Amt als Betrieb betrachtet, dessen Einnahmen er im Extremfall zu maximieren versucht. ... Die Höhe der Einnahmen hängt dann also nicht ab von einer ethischen Einschätzung seiner Nützlichkeit für das Gemeinwohl, sondern eben von der Marktlage und von seiner Geschicklichkeit, den Maximumgewinnpunkt auf der Nachfragekurve des Publikums herauszufinden.«[63] Da dürfte so mancher ehrliche oder verlogene Minnesänger mit seinem Hohelied auf die unermüdlich und fernab jedes Bestechungsgedankens für das Volk schuftenden Staatsdiener und Volksvertreter in beträchtliche Dissonanzen geraten.

Offenbar gibt es unter unseren privaten und vor allem öffentlichen Bediensteten nicht wenige, die auf jede erdenkliche Weise alles ihnen Anvertraute zum eigenen Nutzen verscherbeln, sofern es nicht unter integrer Beobachtung steht. Und wie bei allen maßlosen Menschen fragt sich der besorgte Bürger tunlichst, ob es sich nicht um gemeingefährliche, unberechenbare Psychopathen handele; und er schwört sich, in ihrer Anwesenheit niemals seine Brieftasche, Geldbörse oder Wertsachen aus den Augen zu lassen. Werfen wir also zunächst einen Blick auf die wichtigsten Spielarten der korrupten Leistung.

Der klassische neoliberal vernebelte Staatsdiener – innerhalb der öffentlich Bediensteten sicher nur eine kleine Minderheit – tut buchstäblich *alles* zur Mehrung seines Reichtums, Ruhms und Machtwahns. Wie sagt der Volksmund: »Genug ist nicht genug.« Womöglich würde er sogar – nur gebremst durch die Angst vor Auffliegen, Bestrafung und Verlust von Job und Altersversorgung – seine Tochter als Kinderprostituierte vermieten und den Erbonkel »entsorgen«.

Verglichen damit, ist die Veruntreuung von Firmen- oder Staatseigentum doch eine Kleinigkeit, bei dem er weniger Unrechtsbewusstsein entwickelt als ein Vordrängler an der Supermarktkasse.

»Wer bietet mehr?« – Vergabe öffentlicher Aufträge

Das Buhlen vor allem von kleinen und mittleren Unternehmen[64] um Staatsaufträge gleicht dem massenhysterischen Ansturm auf ein längst überfülltes Fußballstadion. Es wird geschubst, getreten, geprügelt – letztlich ist alles erlaubt. Derzeit gibt es lediglich in Berlin[65] und NRW[66] Register für die Vergabe öffentlicher Aufträge mit den Namen der Sünder in puncto Unzuverlässigkeit, Korruption oder anderer Kriminalität. Auf Bundesebene ist daran gegenwärtig nicht zu denken. Der letzte Versuch, ein von der rotgrünen Bundestagsmehrheit bereits verabschiedetes *Gesetz zur Einrichtung eines Registers über unzuverlässige Unternehmen (»Korruptionsregister«)*, wurde aus verständlichen Gründen von den unionsregierten Ländern abgelehnt.[67] Die wohlweislich unausgesprochenen mutmaßlichen Merksätze in diesem Zusammenhang lauten: »Beiße nie die Hand, die dich füttert!«, und: »Antikorruptionskampf schadet dem Standort Deutschland.« Wer investiert schon gern in einem Land, in dem er nicht sämtliche Gesetze und Bestimmungen durch Schmieren aushebeln kann?

Den üblichen Ablauf der korrupten Vergabe öffentlicher Aufträge schildert beispielhaft Susan Rose-Ackerman: »Wenn der Staat Käufer oder Auftraggeber ist, gibt es mehrere Gründe, Beamte zu bestechen. Erstens kann eine Firma zahlen, um in die Liste der zugelassenen Anbieter aufgenommen zu werden und um den Umfang der Liste zu beschränken.«[68] Der Idealfall wäre ein Konzern und seine beiden Töchter als einzige Anbieter.

»Zweitens kann sie für Insider-Informationen zahlen.«[69] Dann kann man im Extremfall das beste Angebot um genau einen Cent unterbieten.

»Drittens können Bestechungsgelder Beamte motivieren, die Spezifikation einer Ausschreibung so zu strukturieren, dass die korrupte Firma der einzig qualifizierte Anbieter ist.«[70] Dies wäre der Fall, würde der Bund die Ausschreibung für seine Dienstfahrzeuge auf Untertürkheimer Autohersteller beschränken. Derlei Gebaren aber ist – entgegen der landläufigen Meinung – nicht nur »unfein« oder ein Dienstvergehen, sondern strafbar und kann einen für fünf Jahre in den Bau bringen.

§ 298 StGB

(1) Wer bei einer Ausschreibung über Waren oder gewerbliche Leistungen ein Angebot abgibt, das auf einer rechtswidrigen Absprache beruht, die darauf abzielt, den Veranstalter zur Annahme eines bestimmten Angebots zu veranlassen, wird mit Freiheitsstrafe bis zu fünf Jahren oder mit Geldstrafe bestraft.
(2) Der Ausschreibung im Sinne des Absatzes 1 steht die freihändige Vergabe eines Auftrages nach vorausgegangenem Teilnahmewettbewerb gleich.

In Gemeinden und Landkreisen läuft laut Insiderberichten die Korruption dagegen über den »Planer«, der den Ausschreibungstext so formuliere, dass nur der Bestechende übrig bleibe. Der zahle »Planungshonorar«, und das Finanzamt prüfe bei einer solchen »nützlichen Abgabe« nur, »ob der Empfänger den Betrag auch als Einnahme verbucht bzw. versteuert hat. Die Frage, warum z.B. die Ehefrau eines Bürgermeisters einen Scheck von einem Lüftungsgeräte-Hersteller oder einer Tiefbaufirma einlöst, wird in unserem System wohlweislich nicht gestellt.«[71]

»Viertens kann eine Firma zahlen, um als Auftragsnehmer ausgewählt zu werden.« Das ist am sichersten, kann allerdings je nach Zahl der Mitentscheider ziemlich ins Geld gehen. Aber der große Vorteil: »Nachdem eine Firma als Auftragsnehmer ausgewählt wurde, kann sie schließlich zahlen, um überhöhte Preise festsetzen zu können oder mit schlechter Qualität durchzukommen.«[72] Das hat wohl fast jeder Bürger schon mal erlebt: Ob Renovierung, Hausbau, Internetanbieter oder Haftpflichtversicherung – *vor* Vertragsabschluss wird einem das Blaue vom Himmel versprochen, *danach* hat man häufig nichts als Ärger.

Ein Schelm, wer da an Stuttgart 21 denkt: Am 7. November 1995 unterzeichnen Bahn, Bund, Land und Stadt eine Rahmenvereinbarung, in der auch die Finanzierung des mit umgerechnet 2,56 Milliarden Euro veranschlagten Projekts festgelegt wird.[73] Am 11. August 2011 errechnet ein Gutachten für das Umweltbundesamt Gesamtkosten von »bis zu 11 Mrd. Euro« und stellt fest: »Dieser sehr hohe Aufwand steht … in keinem Verhältnis zum geringen verkehrlichen Nutzen.«[74]

So weit, so alltäglich – zumindest bei unseren Regierungen.

Aber hinzu kommt, als Sahnehäubchen oder als »Butter bei die Fische«, das »Geschmäckle«: Die Landesregierung habe im Jahr 2001 der Bahn »einen fragwürdigen Auftrag über mehrere hundert Millionen Euro zugeschanzt, um das umstrittene Verkehrsprojekt Stuttgart 21 zu retten«, berichtete *Spiegel Online* am 14. August. Und, man konnte es sich eigentlich denken: »Beteiligt war auch Ministerpräsident Stefan Mappus, damals politischer Staatssekretär im Verkehrsministerium und zuständig für den Regionalverkehr.«[75]

Albrecht Müller, von 1973 bis 1982 Leiter der Planungsabteilung im Bundeskanzleramt unter Willy Brandt und Helmut Schmidt, wird in seinen *NachDenkSeiten* noch deutlicher. Dem Argument der S21-Befürworter, die Verträge seien nun mal da und seien wegen der »Rechtsicherheit« einzuhalten, schreibt er rhetorisch fragend ins Stammbuch: »Muss es Rechtssicherheit und Rechtsschutz für politische Entscheidungen geben, die mit Betrug und Korruption, mit Manipulation und massiver Lobby zu Stande gekommen sind?«[76]

Einen weiteren Trick der Korruptionsprofis unter den Staatsdienern verrät Hans-Jörg Bartsch, Antikorruptionsbeauftragter von Bad Homburg: »Der durch Schmiergeld motivierte Planer baut Fehler in die Ausschreibung ein, die nur sein Korruptionspartner kennt. Der zieht daraus seinen Angebotsvorteil. Alle anderen Bieter, die diese Information nicht kennen, haben weder bei einer freihändigen Vergabe noch bei einer förmlichen Ausschreibung im Wettbewerb eine Chance.« Eine Schlüsselrolle sieht er in den zu kurzen Fristen: »So wie eine verkürzte Planungszeit mehr Planungsfehler verursacht, führen verkürzte Ausschreibungsfristen zu mangelhaft kalkulierten Angeboten. Beides rächt sich, verursacht regelmäßig Mehrkosten.«[77]

Ein geradezu skurriles Beispiel – in diesem Fall sogar mit Happy End – liefert – welch Zufall! – die Baubranche.

Gegen Ende einer Veranstaltung, auf der über die Vergabe eines EU-weit ausgeschriebenen Auftrags unter fünfunddreißig Bietern entschieden wurde, »kam der deutliche Hinweis eines Bieters«, dass er ja wohl der einzige sei, der ein vollständiges Angebot abgegeben hat. An der Dicke der anderen Angebote sei leicht zu erkennen, dass die anderen Angebote unvollständig und somit auszuschließen seien.

Sehr richtig hatte dieser Bieter erkannt, dass sein Angebot mit allen geforderten Unterlagen ein stattliches Paket von etwa fünf Zentimeter Dicke ausmachte, das aller anderen aber nur einen Zentimeter dick war. Die Folge: »Von den insgesamt 35 abgegebenen Angeboten waren wegen fehlender Unterlagen 34 Angebote in der ersten Wertungsstufe auszuschließen. Nur ein Angebot war vollständig und somit zu werten.«[78]

Nicht zu unterschätzen ist auch der Aspekt der Folgeaufträge. Hat ein Bewerber erst einmal einen Auftrag an Land gezogen – ob mittels Bestechung, »Parteispenden« oder ohne, ist hier unwichtig –, führt er ihn so aus, dass allen anderen die Details wie böhmische Dörfer erscheinen. Er verwendet quasi einen Geheimcode und erhält zwangsläufig auch die Folgeaufträge. Alternativ kann der Auftraggeber auch mit »guten Erfahrungen« mit diesem Anbieter argumentieren.

Ein bis heute unerreichtes Beispiel war der vom damaligen Verteidigungsminister Rudolf »Bin Baden« Scharping im Jahre 1999 ohne Ausschreibung der Unternehmensberatung Roland Berger zugeschanzte Auftrag »Integriertes Reformmanagement« (IRM) für die Privatisierung möglichst vieler nichtmilitärischer Bundeswehrbereiche. Kosten für sechshundert Beratertage à 3500 Euro pro Mann und Tag: insgesamt schlappe 2,1 Millionen Euro für halbgewalkte Denglisch-Worthülsen.

Dieser »Pfadfindervertrag« (Branchenjargon) als Einstieg brachte in den nächsten neun Monaten neunzehn weitere Verträge, und am Ende blechte der Steuerzahler 10,73 Millionen Euro. Vier Folgeaufträge für die Beratung der »Gesellschaft für Entwicklung, Beschaffung und Betrieb« (GEBB) spülten noch einmal 9,9 Millionen Euro in die Beraterkasse. Scharpings Nachfolger Peter »Hindukusch« Struck stoppte die Gelddruckmaschine IRM. Sein Staatssekretär Eickenboom attestierte den Beratern, »keine Ahnung von den Gegebenheiten im öffentlichen Dienst« zu haben. Außerdem seien eine »Monopolstellung einzelner Firmen« und die Gefahr entstanden, »dass Firmen sich zum Nachteil der Bundeswehr Aufträge selbst generieren«[79].

Übrigens gilt natürlich auch im Korruptionsgeschäft das Preis-Leistungs-Verhältnis, demzufolge sich der Bestechungslohn nach dem Auftragsvolumen richtet, so dass manche gefälligen Staatsdiener eben mit Präsenten unterhalb von Ferrari und Jacht zufrieden sein müssen. »Ein Behördenmitarbeiter wird mit Eintrittskarten für Fußballspiele belohnt«, weiß Sabine Deckwerth von

der *Berliner Zeitung*, »andere bekommen ein Essen im Restaurant oder Einladungen ins Bordell geschenkt. Manche Firmen sind erfinderisch, wenn sie bei öffentlichen Ausschreibungen den Zuschlag erhalten wollen.«[80]
Allgemein gilt: Nimmt der Entscheidende für diesen Zuschlag eine Gegenleistung an, dann handelt es sich *immer* um Korruption, auch wenn der Bestochene (vielleicht sogar wahrheitsgemäß) behauptet, er hätte diese Entscheidung »sowieso« getroffen.

Wie einst in der DDR – Aufträge ohne Ausschreibung

Die Überschrift ist natürlich ein wenig irreführend; selbstverständlich besteht im Hinblick auf die ausschreibungslose Auftragsvergabe ein riesiger Unterschied zwischen den Systemen. Während in der staatskapitalistischen Diktatur die Aufträge automatisch an volkseigene Betriebe gingen, landen sie in unserer Demokratie rein zufällig bei den Parteikumpels und Mäzenen der Regierenden.

»Aufträge in Millionenhöhe an SPD-Parteifreunde vergeben – ohne Ausschreibung«, berichtete die Berliner *BZ* am 21. Mai 2011 zu Recht etwas atemlos. »Ex-Finanzsenator Thilo Sarrazin (66, SPD) wusste von dieser umstrittenen Vergabepraxis des Vorstands der landeseigenen Wohnungsbaugesellschaft Howoge.« Ihm sei es »immer um die wirtschaftlichste Vorgehensweise bei den vielen Wohnungssanierungen der Howoge gegangen«, wand sich der neue Held der NPD[81] vor dem Untersuchungsausschuss des Abgeordnetenhauses. Jahrelang wurden laut *BZ* »freihändig Millionenaufträge an die Bauplanungsfirma des damaligen SPD-Abgeordneten Ralf Hillenberg vergeben«. Und Sarrazin gibt – ist der Ruf erst ruiniert … – auch ungeniert zu: »Diese Praxis habe ich ausdrücklich gebilligt.« Seine enge Parteifreundin, die Bausenatorin Ingeborg Junge-Reyer, wusste nach eigenen Angaben – natürlich! – von nichts, obwohl die Baunebenkosten mit rund

1,3 Millionen Euro haushoch über dem Wert von 200 000 Euro lagen, ab dem ein Auftrag ausgeschrieben werden *muss*.[82] Und die Moral aus der haarsträubenden Geschichte? »Wirtschaftskriminelle und Korruptionsbetrüger: Rein in die SPD und Steuergelder abgreifen«?

Für den völkischen Finanzsenator Sarrazin allerdings gehörte Vetternwirtschaft, gepaart mit bodenloser Unverschämtheit und abgrundtiefer Verachtung der Steuerzahler, schon immer zum guten Ton. So schusterte er im Februar 2002 der mit ihm befreundeten Beratungsklitsche *Hay Group* »aufgrund früherer guter Zusammenarbeit« einen Auftrag für ein »Gutachten« zu, dessen Preis mit 198 750 Euro haarscharf unter erwähntem Limit von 200 000 Euro lag.[83] Für den Landesrechnungshof verstieß Sarrazin damit nicht nur gegen die Landeshaushaltsordnung, sondern auch gegen die Verfassung.[84]

Der Politologe Jürgen Bellers sieht in derartigen »unbürokratischen Machenschaften« eine Spielart des Bestechungsgewerbes: »Unter ›Korruption‹ wird hier ebenfalls die ›Protektion‹ subsumiert, d.h. die Ausführung einer Amtshandlung unter Einfluss und zur Wahrung von persönlichen Beziehungen bei Verletzung des Prinzips der Neutralität und Unparteilichkeit.«[85]

In Sachen *Auftragsvergabe ohne Ausschreibung* ganz vorne mit dabei ist natürlich auch Europas Korruptionsmekka: die EU-Kommission.[86] So vergab man im März 2011 einen millionenschweren Auftrag zur Aktualisierung von 36 000 Behördencomputern der Bakschischzentrale ohne Ausschreibung an *Microsoft*. Damit, so Paul Meller vom *Open Forum Europe*,[87] verpflichte sich die Kommission weiter gegenüber einem einzelnen Anbieter eines geschlossenen Systems.[88]

Online-Jobbörse: teuer und weitgehend nutzlos

Dem kritischen Bürger noch immer in lebhafter Erinnerung ist der frühere Chef der Bundesagentur für Arbeit (BA) Roland Gerster. Unmittelbar nach dessen Ablösung räumte sein Nachfolger Frank-Jürgen Weise im Februar 2004 kleinlaut ein, dass die Kosten für den »virtuellen Arbeitsmarkt« – die neue Internet-Jobbörse der BA – von ursprünglich 65 Millionen Euro auf bis zu 165 Millionen Euro steigen könnten. Projektleiter Jürgen Koch wurde unverzüglich in das Landesarbeitsamt Essen versetzt. Die Staatsanwaltschaft Nürnberg ermittelte gegen BA-Mitarbeiter wegen des Verdachts der Veruntreuung öffentlicher Gelder.[89]

»Innenrevision wittert Korruption«,[90] titelte der *Spiegel:* Eine IT-Firma habe angeblich Aufträge an der Vergabestelle vorbei erhalten. Weise stoppte das Projekt, da die Website mit dem Stellenmarkt für Arbeitslose »einige Mängel« aufweise. Die *Spiegel*-Rechercheure fanden anderes heraus: »Arbeitsagentur.de: Teuer und weitgehend nutzlos ... Tatsächlich kann von einzelnen Mängeln kaum die Rede sein ... Fachleute bezeichnen Aufbau und Design als vorsintflutlich. Arbeitsmarktpolitiker der Regierung versuchen zurzeit noch, das Problem zu ignorieren.«[91] Dass die Sache mehr oder weniger im politischen Sande verlief, bedarf eigentlich keiner Erwähnung.

Im Jahre 2005 vergab die rot-grüne Bundesregierung den Auftrag für den Betrieb eines neuen digitalen Behördennetzes im Wert von 1,5 Milliarden Euro an die Bahn-Tochter *DB Telematik*. Ausrede für den Verzicht auf eine Ausschreibung: »Sicherheitsrelevanz«.[92]

Der Gesetzgeber – dein Komplize und Helfer

Manchmal hilft der Gesetzgeber sogar regelrecht nach: »Bundesregierung öffnet der Korruption Tür und Tor!«, stellte der Hauptgeschäftsführer des Zentralverbandes des Deutschen Baugewerbes, Karl Robl, nüchtern fest.[93]

Gerade der Vorrang der öffentlichen Ausschreibung garantiere die Auswahl des wirtschaftlichsten Angebots in einem fairen und für alle Bieter transparenten Verfahren. »Manipulation und Korruption blühen dort, wo Aufträge im Verborgenen vergeben werden.« Die Bundesregierung müsse sich fragen lassen, warum sie

erst im Sommer 2004 in einer Richtlinie zur Korruptionsprävention die besondere Bedeutung des Vorrangs der öffentlichen Ausschreibung herausstelle, »nur um diesen Vorrang dann wenige
Monate später sang- und klanglos aufzugeben«.

Die nunmehr zulässige »freie« Vergabe von Liefer- und Dienstleistungen unterhalb eines Geringfügigkeitswertes von 10000
Euro führe einen der wesentlichen Grundsätze des Vergaberechts,
nämlich die Korruptionsprävention, »vollständig ad absurdum«,
da unterhalb dieser Grenze keinerlei Vorgaben bei der Vergabe
solcher Aufträge zu beachten wären. »Für Hunderttausende von
Lieferaufträgen in Milliardenhöhe würde ein rechtsfreier Raum
geschaffen. Die Bundesregierung nimmt billigend in Kauf, dass
Manipulation und Korruption eine Renaissance erleben«, und
stelle einen Freibrief für das Wiederaufleben eines vergessen ge-
glaubten Hoflieferantentums aus. »Kein offener und transparenter Wettbewerb fände mehr statt!«, so Robl.

Tatsächlich sieht man im Geiste förmlich vor sich, wie die Baulö-
wen wutschnaubend zum Telefon greifen und die von ihnen »be-
spendeten« Politiker ergebenst eine schnelle Regelung geloben.

Operation »Hand auf beim Einkauf«

Geklotzt statt gekleckert haben soll laut Staatsanwaltschaft Hannover ein Einkäufer der Drogeriekette Rossmann. 1,5 Millionen
Euro Bestechungsgeld soll er von einem Lieferanten kassiert und
das Schmiergeld auf die Preisforderung an Rossmann aufgeschlagen haben.[94]

Ebenfalls nicht kleinlich zeigten sich zwei Autoteile-Zulieferer
aus NRW. Sie schmierten laut Urteil des Landgerichts Bochum
vom März 2011 zwecks Erlangung von Millionenaufträgen jahrelang einen BMW-Mitarbeiter und bekamen dafür fünfzehn und
zweiundzwanzig Monate Haft auf Bewährung sowie insgesamt
3,8 Millionen Euro Geldstrafe – den Wert der erschmierten Auf-

träge. Als strafmildernd wertete Richter Markus van den Hövel offenbar die »Zwickmühle« der Firmen: »Ohne Bestechung keine Aufträge, ohne Aufträge keine blühende Firma.« Die Angeklagten beteuerten, sie hätten schon allein fünf- bis zehntausend Euro »Eintrittsgeld« an den BMW-Einkäufer zahlen müssen, um überhaupt in den Bieterkreis aufgenommen zu werden. Der habe den Spitznamen »Kostnix« gehabt, denn sein Luxus habe ihn ja nichts gekostet. Die Zulieferer hätten alles zahlen müssen: mehrere hunderttausend Euro, teure Reisen zu den Formel-1-Rennen in Barcelona, Budapest und am Hockenheimring sowie einen nagelneuen BMW Z4. Ans Tageslicht kam die Sache übrigens bei Ermittlungen gegen einen Ex-Mitarbeiter von Audi, der wegen Bestechlichkeit bereits fast fünf Jahre Haft abbrummen muss.[95] Der BMW-Einkäufer bekam wegen Bestechlichkeit im Mai 2011 vier Jahre und drei Monate Haft.[96]

Es war schon immer etwas teurer ...

Wir bitten unseren Nachbarn, uns aus dem Supermarkt ein bestimmtes Waschmittel mitzubringen. Das tut er auch, hat allerdings dafür acht statt der üblichen vier Euro bezahlt. Er sei nur in einem einzigen Supermarkt gewesen, dort koste das Pulver sechs Euro, und mit Preisen kenne er sich nicht aus. Zwei Euro Beraterhonorar habe der Filialleiter erhalten, der ihm den Weg zum Regal gezeigt habe.

Was würden wir in einer solchen Situation denken? Würden wir unseren Nachbarn für einen bekloppten Verschwender halten oder für einen Betrüger, der mit dem Filialleiter unter einer Decke steckt?

Nach einer heute noch aktuellen Studie des *Deutschen Instituts für Interne Revision* vom Sommer 2006 gehört der Einkauf mit 37 Prozent zu den anfälligsten *Geschäftsbereichen*, die Beschaffung mit 45 Prozent zu den gefährdetsten *Geschäftsarten*. 64 Prozent der Korruptionsfälle seien systematisch geplant, 37 Prozent Wiederholungsfälle. Täter seien meist Männer zwischen einundvierzig und sechzig Jahren, vorzugsweise mit hohem Bildungsabschluss (48 Prozent haben Hochschul- oder Fachhochschulabschluss), die sich seit sechs bis zehn Jahren auf der relevanten Stelle befänden.[97]

Der von moralisch-juristischen Skrupeln und der Angst des Auffliegens freie Einkäufer hat das große Los gezogen. Ob medizinische Geräte oder Büromöbel, Kantinenrohstoffe oder Dienstwagen – einen Großauftrag lässt sich ein ähnlich gestrickter Anbieter nur ungern entgehen und greift dafür gern in die Korruptionskasse. Und da beide Partner des illegalen Deals dichthalten müssen und sich in der Regel außer ihnen kaum jemand über die Marktpreise auf dem Laufenden hält – qualifizierte Kontrolleure kosten schließlich auch Geld –, ist das Risiko der Entdeckung relativ gering.

Die Düsseldorfer *Detektive Kocks* haben einen »Einkäufer-Loyalitätstest« entwickelt. Als »Verdachtsmomente« werden genannt:
- Sie hören von Branchenkollegen, dass Sie verschiedene Produkte oder Dienstleistungen zu teuer einkaufen.
- Kein Einkaufspoker? Dadurch gehen Ihnen mögliche Vorteile durch günstigen Einkauf verloren …
- Ihr Einkäufer führt einen Lebensstil, der über die Vergütung hinausgeht.

Entsprechend gehen die Detektive vor:
- Lebensstilanalyse
- Prüfung der Einkommensquellen bzw. der Vermögensherkunft
- Ermittlung verwandtschaftlicher und freundschaftlicher Verbindungen zu den bevorzugten Lieferanten.[98]

Wann immer jemand also im Namen und auf Kosten eines anderen deutlich überhöhte Preise zahlt, ist äußerstes Misstrauen geboten. Dies gilt erst recht für die Riesenorder – von der Wirtschaft ebenso wie vom Staat.

Der Steuerzahler hat's ja

Eine ebenso dreiste wie simple Methode flog ausgerechnet in der Gesundheitsbranche auf. So erhielten der Technische Leiter des Klinikums Minden im Juli 2010 vom Landgericht Bielefeld zwei Jahre und neun Monate Haft wegen Bestechlichkeit und Untreue in einem besonders schweren Fall, der Geschäftsführer einer Steinhagener Krankenhaus-Servicefirma als sein Komplize zwei Jahre wegen Bestechung, jeweils ohne Bewährung. Die Angeklagten hatten jahrelang durch überhöhte und fingierte Rechnungen das Mindener Klinikum um etwa 360 000 Euro geschädigt.

Der Lieferant reparierte elektrische Geräte, lieferte Elektronik und beseitigte Fehler in der Haustechnik. Der Klinik-Mitarbeiter zeichnete die Aufträge nachträglich ab und leitete die Rechnungen mit seinem Prüfvermerk an die Finanzbuchhaltung weiter, die dann offenbar nur noch die zahlenmäßige Richtigkeit der überhöhten Rechnungen prüfte.

Auf die Schliche kam man den beiden erst, als sie beim Entrümpeln der alten Klinikgebäude vor lauter Gier die Finanzklemme des Krankenhausverbundes unterschätzten. Der Lieferant stückelte Rechnungen über 770 000 Euro, so dass sein Komplize sie ohne Kontrolle abzeichnen und einreichen durfte. Dies aber überstieg das Budget; und so wies ein Gutachter nach, dass die Arbeiten höchstens 225 000 hätten kosten dürfen. Nun prüfte man auch alte Belege und entdeckte einen Betrug nach dem anderen, so dass der Klinikvorstand M. den Landrat, den Verwaltungsrat und schließlich den Staatsanwalt einschaltete.[99]

In der Marktwirtschaft angekommen –
Thüringer Streifenwagen-Deals

Als besonders hartnäckig in Sachen illegaler Aufträge erwies sich Thüringens Innenministerium, das laut MDR im Frühjahr 2009 an ein Autohaus rund dreihundert alte Polizeiautos ohne Ausschreibung verschleuderte. Obwohl die zuständige Beamtin der Bereitschaftspolizei darauf verwies, ein Verschleudern alter Fahrzeuge ohne Ausschreibung sei illegal, und die Zustimmung verweigerte, soll das Ministerium die Polizei trotzdem aufgefordert haben, Gesetz Gesetz sein zu lassen und den Vertrag mit dem Autohaus abzuschließen. Erst als im Sommer 2009 interne Ermittler im Innenministerium Alarm schlugen, ordnete man notgedrungen eine förmliche Ausschreibung an, die im Herbst rein zufällig besagtes Autohaus gewann. Den Preis für die Autos wollte das Innenministerium aber nicht mitteilen; es beruft sich dabei auf Geheimhaltung und Datenschutz. Kann es wirklich möglich sein, dass das Ausmaß des hemmungslosen Verschleuderns unserer Steuergelder dem Datenschutz unterliegt? Das Fehlen des Straftatbestandes »Verstandesbeleidigung« im Strafgesetzbuch scheint jedenfalls eine empfindliche Gesetzeslücke zu sein. Ob und in welcher Höhe Schmiergelder flossen und Staatsdiener sie zurückzahlen mussten, wurde bislang nicht bekannt.[100]
Inzwischen ermittelt die Staatsanwaltschaft Erfurt gegen Beamte der Innenbehörde wegen Untreue. Dabei geht es laut MDR auch um den Kauf von dreihundertdreiundzwanzig Neuwagen beim selben Autohaus. Diese Autos wiederum seien »praxisuntauglich ...«, da in den Streifenwagen eine Maschinenpistole hinter der Rücksitzbank untergebracht ist. Zwei Polizisten müssten erst die Rückbank umlegen, um an die Waffe zu kommen.«[101] Wieso, ist man versucht zu fragen, hat man nicht gleich *Matchbox* oder *Lego* gekauft?

Korruption mit Zwischenhändlern?

Wegen des Verdachts auf Korruption und Untreue durchsuchten die Staatsanwaltschaft Wuppertal, Polizei und Steuerfahnder im Februar 2011 insgesamt sechsundfünfzig Wohn- und Firmenräume in Nordrhein-Westfalen und vier weiteren Bundesländern. Der Verdacht: Das Land habe Grundstücke zu überhöhten Preisen aufgekauft. In mehreren Fällen hätten Privatinvestoren die Objekte dem landeseigenen *Bau- und Liegenschaftsbetrieb* (BLB) »vor der Nase weggeschnappt« und dann mit kräftigem Aufschlag an den BLB weiterverkauft. Die Ermittler gehen davon aus, dass dabei Verrat (der Angebote der Konkurrenz) und Korruption im Spiel waren. Allein im Fall des Landesarchivs waren die Erwerbskosten für die Flächen von zwei auf 30 Millionen explodiert.[102]

Besonders der Kauf der Schlossruine Kellenberg in Jülich riecht für den Landesrechnungshof verflixt nach Korruption. Die Prüfer stießen auf »verdächtige Vorgänge bei der Anbahnung des Geschäfts« und erstatteten bereits im Juli 2010 Strafanzeige gegen die BLB, weil sie mehr als drei Millionen Euro Steuergeld für den Kauf einer wertlosen Immobilie verschleudert haben soll.

So sei die ausgebrannte Schlossruine für zwei Millionen Euro gekauft worden, obwohl allein die Kosten für Sanierung und Ausbau schon damals auf 15 Millionen Euro taxiert wurden. Zudem habe man Immobilien für 1,1 Millionen Euro als angebliches Bauland erworben, obwohl es sich »nicht einmal um Bauerwartungsland, sondern um ein Landschaftsschutzgebiet handelt, für das allenfalls 100 000 Euro hätten fließen dürfen«.[103]

Goldgrube Schweinegrippe

Die schäbigsten unter den korrupten Schaben aus Politik und Wirtschaft sind diejenigen, die mit der Angst der Menschen um Leib und Leben schmutzige Geschäfte machen. Einer der ekligsten Fälle der letzten Jahre war die Panikmache mit der Schweinegrippe. »Schweinegrippe – und wer impft gegen Korruption?«, fragte *Tagesspiegel*-Autor Rainer Woratschka im September 2009. Bereits vierzehn Tage vor Beginn der Schweinegrippe-Impfung in Deutschland zweifelte Transparency International (TI) die Unabhängigkeit der Ständigen Impfkommission (STIKO) beim Robert Koch-Institut offen an. Besonders deutlich wurde die Epidemiologin Angela Spelsberg vom Vorstand von TI Deutschland: »Intransparenz und potenzielle Interessenkonflikte unterminieren die Glaubwürdigkeit und nähren im aktuellen Fall den Verdacht, dass die H1N1-Grippewelle als Schweinegrippe-Pandemie von der Pharmaindustrie zur Vermarktung genutzt wird.« Zur Vermeidung jeglichen Eindrucks einer Einflussnahme verlangte sie eine »uneingeschränkte Offenlegung der Entscheidungsprozesse«. Sogar die Selbstauskünfte der STIKO-Mitglieder belegten, dass »die Mehrzahl der derzeit sechzehn Mitglieder mehr oder minder intensive Kontakte, darunter auch bezahlte Tätigkeiten, zu den wichtigsten Herstellern von Impfstoffen« hätten. So säßen die Professoren Wolfgang Jilg, Christel Hülße, Ursel Lindlbauer-Eisenach und Friedrich Hofmann im Fachbeirat »Forum Impfen«, der von den Konzernen Sanofi Pasteur MSD und Wyeth unterstützt werde. In der von GlaxoSmithKline und Sanofi finanzierten »Arbeitsgemeinschaft Masern und Varizellen« säßen die STIKO-Mitglieder Rüdiger von Kries und Klaus Wahle. Jan Leidel arbeite in der von Baxter und Novartis gesponserten »Arbeitsgemeinschaft Meningokokken«. Darüber hinaus kassierten STIKO-Mitglieder von nahezu allen großen Pharmaherstellern Honorare für »Studien«.

Ähnliche Probleme sieht Transparency International bei der zu fast zwei Dritteln von der Pharmaindustrie finanzierten und für die Absegnung der Impfstoffe zuständigen europäischen Zulassungsbehörde EMEA, weil die externe Überprüfung der Zulassungsunterlagen erst nach erfolgter Zulassung möglich sei.[104]

Wie der Steuerzahler die Finanzparasiten saniert

Der Kauf eines Wertpapiers gleicht dem eines Lottoscheins. Wenn man Glück hat, steht man als strahlender Gewinner da, bei Pech ist der Einsatz futsch – es sei denn, man ist ein Großer im weltweit und national bedeutendsten Schmarotzergewerbe, der Finanzbranche. Dann nämlich verkauft man den nunmehr völlig wertlosen Spielschein an der Steuerzahler, sprich: die griechischen Schrottpapiere an die Europäische Zentralbank (EZB).

Laut Bundesbank besaßen die Banken noch Ende April 2010 für 16 Milliarden Euro Griechenland-Anleihen, im Januar und Februar 2011 aber nur noch für 10,3 Milliarden Euro.[105]

Mit dabei ist außerdem die FMS, die berüchtigte »Bad Bank« der noch berüchtigteren und inzwischen verstaatlichten Skandalbank Hypo Real Estate. Mit einem Wort: Für ihre Verluste muss – wer sonst? – auch wieder der ehrliche Steuerzahler geradestehen.[106]

Die deutschen Versicherungsdrückerkonzerne hielten nach einem Bericht der *Welt* im Juni 2010 noch für 5,8 Milliarden Euro hellenische Kamikaze-Coupons, ein Jahre später lediglich noch für 2,8 Milliarden Euro.[107]

Und wohin ist all dieser Dreck »verschwunden«? Die EZB kaufte nach *Spiegel*-Recherchen seit Mai 2010 Müllpapiere europäischer Krisenländer auf – darunter für 40 bis 50 Milliarden Euro auch griechische.[108]

»Wen die Griechen-Rettung reich macht«, verrät Stefan Kaiser in *Spiegel Online*. Auf lumpige 3,2 Milliarden Euro Beteiligung des Abzocker-Gewerbes am nächsten Griechenland-Hilfspaket einigte sich Finanzminister Wolfgang Schäuble (CDU) mit deutschen Bankenvertretern. Von seinen CDU-Bundestagskumpanen wurde dies nach der Methode *Frechheit siegt* frenetisch gefeiert. Ein »wichtiger, verantwortungsvoller Schritt«, tönte Hinterbänkler Hans Michelbach, und Fraktions-Vize Michael Meister faselte etwas von einer »substanziellen Beteiligung«. »Doch bei genauem Hinsehen«, so Stefan Kaiser, sei die Summe »verschwindend gering. Einen großen Teil der Last trägt der Steuerzahler, Grund zum Jubel haben nur die Banken.« Die 3,2 Milliarden seien »eher eine symbolische als eine substanzielle Beteiligung« und überdies eine »schöngerechnete Summe … Von wirklich privaten Gläubigern, die man eigentlich rannehmen wollte, kommt davon höchstens die Hälfte. Den Rest steuert der Staat bei.« Kaisers Fazit: »Null Risiko, hohe Gewinnchancen« – denn den Banken winkt für ihre abgesicherten Papiere »sogar eine lohnende Verzinsung von jährlich mindestens 5,5 Prozent, die noch auf acht Prozent steigen kann, wenn die griechische Wirtschaft gut läuft … das klingt nach einem guten Geschäft für die Banken und Versicherer. Deren Aktionäre haben das auch schon begriffen.« Die Aktien von Deutscher Bank, Commerzbank, Allianz und Munich Re hätten sofort kräftig zugelegt.[109]

In einem zivilisierten demokratischen Rechtsstaat würde eine derartig unverfrorene Umverteilungsaktion weg von der Bevölkerung hin zu den zumeist kriminellen Finanzzockerbanden als Untreue verfolgt. Die Verantwortlichen verschwänden für Jahre, wenn nicht für Jahrzehnte im Gefängnis – zumal sich ja der Verdacht auf ein weiteres Delikt geradezu aufdrängt: Obwohl es ja nicht das eigene Geld der Verantwortlichen in der EZB und den sie lenkenden Regierungen ist, erwarten die Täter erfahrungsgemäß dennoch eine Gegenleistung, zum Beispiel in Form von »legalen« Parteispenden, zu denen wir noch kommen werden. Das Gesamtkunstwerk nennt sich *Korruption* – wie auch sonst?

Die barmherzige katholische Korruption

Wie man im Namen Jesu Christi, Sohn des Allmächtigen, so richtig zulangt, demonstrierte ein Spitzenmanager der Speerspitze amtskatholischer Nächstenliebe, der Chef der Caritas-Trägergesellschaft Trier (CTT), Hans-Joachim Doerfert.

Zehneinhalb irdische Jahre Haft wegen Untreue und Bestechlichkeit brummte ihm das Landgericht München im Juli 2001 auf, weil er nach eigenem Geständnis bei der Vermittlung von Mietangeboten für vier Klinik- und Hotelprojekte an die Immobilien-Fonds GmbH der Bayerischen Beamtenversicherung (BBVI) rund 20 Millionen Mark Bestechungsgeld kassiert hatte. Dass die Angebote überhöht waren und dadurch ein Schaden entstand, bestritt er allerdings entschieden, und in der Laudatio seines Verteidigers hieß es gar, er habe der Caritas »mehr genützt als jemals geschadet«.

Niemand wird dem Anwaltswort widersprechen, dass Doerfert eine »ganz beachtliche Lebensleistung« vollbracht habe. Vielleicht sollte die Caritas den Abertausenden spendenbereiten Bürgern künftig gleich die Schweizer Kontonummern ihrer Vorstände angeben, um überflüssige Korruptionskosten zu sparen. Umbuchungen auf Scheinkonten kosten schließlich auch Geld, das für die Weltreisen, Luxusvillen und Hochseejachten der Funktionäre Gottes auf Erden besser angelegt wäre.[110]

Eines gestandenen Mannsbildes in Sachen gemeinnütziger Korruption kann sich auch das Bayerische Rote Kreuz (BRK) rühmen. Der damalige Chef des Blutspendedienstes, Adolf Vogt, bekam im April 2000 fünf Jahre und zehn Monate Haft, Ex-Geschäftsführer Heinrich Hiedl vier Jahre und zehn Monate. Vogt hatte 2,5 Millionen Mark Schmiergelder erhalten, Hiedl rund 1,5 Millionen. Als Gegenleistung hatten sie Zulieferfirmen überteuerte Blutspendematerialien abgekauft. Der Schaden für das Rote Kreuz lag bei 18 Millionen Mark.[111]

Aber zum Glück handelt es sich ja um absolute Einzelfälle. Bekanntlich ist Deutschland einer der wenigen, wenn nicht sogar der einzige Staat auf der Welt, in dem die eingangs erwähnte Korruptionsdunkelziffer von 95 Prozent nicht gilt.

Können Staatsbanken Korruption genauso gut?

Als Formel-1-Monarch Bernie Ecclestone am 25. Juli 2011 endlich gestand, dem früheren Risikovorstand der BayernLB, Gerhard Gribkowsky, rund 44 Millionen US-Dollar auf Konten auf

Mauritius und den Jungferninseln überwiesen zu haben, erreichte die Krise der 94-prozentigen Staatsbank einen neuen Höhepunkt. Seit Silvester 2010 saß Gribkowsky schon in München in U-Haft. Nun erhob die Staatsanwaltschaft auf hundertsechzig Seiten offiziell Anklage wegen Korruption, Untreue und Steuerhinterziehung.

Im *Daily Telegraph* beschuldigte Ecclestone Gribkowsky, ihn mit Anschwärzen bei den Steuerbehörden bedroht und damit erpresst zu haben. Dies entspricht auch den Bestechungsgelder-Erkenntnissen der Münchner Strafverfolger. Konkret sollen Ecclestone und seine Familienholding Bambino dem Ex-Banker die Millionen ab 2006 über Schein-Beraterverträge gezahlt haben, damit Gribkowsky Formel-1-Anteile der BayernLB an den Ecclestone »sehr nahestehenden« Finanzinvestor CVC Capital Partners verkaufte, womit er dem Formel-1-Chef und Bambino über Nebenabsprachen 66,5 Millionen Dollar verschaffte.

Die wirre Räuberpistole begann 2002 mit der Pleite des Medienzaren Leo Kirch. Da ihm die Landesbank zwei Milliarden Euro unter anderem für den Kauf von Formel-1-Anteilen geliehen hatte, blieben dem Geldinstitut diese Anteile als Sicherheit. »Die BayernLB wurde auf diesem Weg eine wichtige Größe im Motorsport.«[112] Anfang 2006 verscherbelte der frühere Bayern-LB-Vorstand Gerhard Gribkowsky diese Anteile für 839 Millionen Dollar an den britischen Finanzinvestor CVC. Weil nach Ansicht der Münchener Staatsanwaltschaft dieser Preis zu Lasten der Steuerzahler deutlich zu niedrig war und man Gribkowsky beschuldigte, dafür 32 Millionen Schmiergeld kassiert zu haben, fand sich der geldbewusste Banker 2011 wegen Untreue, Bestechlichkeit und Steuerhinterziehung auf der Anklagebank des Münchener Landgerichts wieder.[113]

Aber Bayern wäre nicht Bayern und die CSU nicht die CSU, wenn ihre Staatsbank nicht noch einen zweiten Skandal zu bieten hätte. Im Jahr 2007 hatte sich das Geldinstitut die zu diesem Zeitpunkt schon heruntergewirtschaftete österreichische Hypo Group Alpe

Adria (HGAA) andrehen lassen. Obwohl der desaströse Zustand des Kärntner Kreditinstituts allgemein bekannt war, zahlte die Landesbank dafür noch 1,625 Milliarden Euro. Anfang 2011 konnte die CSU nicht mehr vertuschen, dass ihre Ikonen Erwin Huber und Günther Beckstein als Mitglieder des Verwaltungsrats durch Vernachlässigung ihrer Aufsichtspflicht in die Affäre verstrickt waren.

Nun muss aber nach der aktuellen Satzung der BayernLB den Kontrolleuren grundsätzlich Vorsatz oder grobe Fahrlässigkeit nachgewiesen werden, um Schadensersatz zu verlangen. Nur bei Ex-Finanzminister Kurt Faltlhauser (CSU) und Ex-Sparkassenpräsident Siegfried Naser sah die Bank grobe Fahrlässigkeit und damit Schadensersatzansprüche für das Debakel, das die bayerischen Steuerzahler mehr als 3,7 Milliarden Euro gekostet hat.[114]

Hier aber beginnt der Skandal im Skandal: Die CSU nämlich lehnt die Forderung der Opposition, dass die Kontrolleure im Verwaltungsrat der Bank künftig bei jedem Fehler Schadensersatz leisten müssten, kategorisch ab.

Für grobe Fahrlässigkeit mit dem eigenen Vermögen haften, wo es doch die gutgläubigen Steuerzahler gibt? Im Amigo-Mekka Bayern geradezu eine Zumutung. Halb zu Tode erschrocken, halb Oscar-reif empört, quiekte die Landtagsfraktion der Epigonen von Strauß & Streibl wie eine angestochene Schweinshaxe. Florian Herrmann wehrte sich mit Händen und Füßen dagegen, dass jemand, der als Beamter des Finanzministeriums im Verwaltungsrat sitze, mit seinem Privat- und Familienvermögen für die Entscheidungen des Gesamtgremiums voll haften müsse.

Bevor er wegen dieser Affäre im November 2011 zurückgetreten wurde und ebenso passend wie lauthals den Präsidentenjob des Deutschen Sparkassen- und Giroverbandes (DSGV) anstrebte, wollte der bayerische Finanzminister Fahrenschon sogar die »Entpolitisierung« der BayernLB weiter vorantreiben, so dass bald gar keine Politiker mehr im Verwaltungsrat der Bank säßen. »Strohmänner gibt's schließlich genug«, sagte er natürlich nicht.

Ende Juni 2010 hatte der Verwaltungsrat der Bank Schadensersatzklagen von insgesamt 200 Millionen Euro gegen den kompletten Ex-Vorstand beschlossen. Dabei geht es laut *BR-Online* in erster Linie um den HGAA-Komplex, aber auch um die Fehlspekulationen mit verbrieften US-Immobilienkrediten.

Aber dann kam es zunächst so wie immer, wenn das Amigo-Gesetz über Grundgesetz und StGB gestellt wird: »Freibrief für Huber und Faltlhauser«, titelte *sueddeutsche.de* am 20. Dezember 2010. Die BayernLB wolle wegen des Kaufs der Skandalbank HGAA offenbar keine Schadensersatzklagen gegen frühere Verwaltungsräte erheben, weil zu denen auch die früheren Minister Erwin Huber und Kurt Faltlhauser gehören.[115]

Doch unter dem massiven Druck der entrüsteten Öffentlichkeit – und nicht nur der veröffentlichten Meinung – reichte die BayernLB doch noch Klage wenigstens gegen ihren ehemaligen Vorstand ein. Rund ein Drittel des von den Managern angerichteten Schadens von rund 550 Millionen Euro fordert man von ihnen zurück. Nun drohen den acht Betroffenen auch Strafprozesse. Laut der 474-seitigen Anklageschrift der Staatsanwaltschaft München haben die ehemaligen Manager beim HGAA-Kauf ihre Befugnisse missbraucht und Vermögen veruntreut. Zudem wird vier Ex-Vorständen Korruption vorgeworfen: Sie sollen den inzwischen verstorbenen Kärnter Landeshauptmann Jörg Haider mit Millionenzahlungen zugunsten des Klagenfurter Fußballstadions bestochen haben. Bereits im Januar war Amigo Gerhard Gribkowsky wegen des HGAA-Fehlkaufs auf Schadensersatz verklagt worden.[116]

Fazit: Dass Huber und Beckstein verschont blieben, wird niemanden mehr freuen als die Fundamentalkritiker und Feinde unseres Gesellschaftssystems. Wann immer in der Schule, an der Uni, am Arbeitsplatz oder im Lokal irgendjemand die Vorzüge unseres Rechtsstaats hervorheben will, hat man jetzt mit »Huber« und »Beckstein« zwei Begriffe mehr, um die Mehrheit der Anwesenden zu hämischem Gelächter und wissendem Nicken zu veranlassen.

»Graduierte Idioten« als Steuergroschengrab –
die Berater

Ein Kapitel für sich ist die hemmungslose Geldverschwendung der Bundesregierung für angebliche »Experten« von wer weiß, woher. Immer wieder kritisiert der Bundesrechnungshof die laxe Auftragsvergabe vieler Bundesministerien an externe Berater, so auch Ende März 2011.

So würden viele Aufträge an Anwaltskanzleien und Beratungsunternehmen nicht ordentlich ausgeschrieben und nicht ausreichend begründet. Die Ausrede vieler Ministerien, der Beratungsbedarf bei der Arbeit an Gesetzentwürfen sei dringend und im eigenen Haus sei zu wenig Sachverstand vorhanden, ließen die Prüfer nicht gelten. Sieht man sich die Aufträge im Einzelnen an, fühlt man sich auf den Arm genommen:

So spendierte ein Ministerium 5900 Euro für die erfahrungsgemäß nichtssagende Beantwortung einer Parlamentsanfrage. Kabarettist Urban Priol persifliert so etwas aus dem Stegreif und wahrscheinlich geistreicher. In einem anderen Fall hätten sich die Nebenkosten für Reisen und Unterkunft auf über 100000 Euro summiert. Und die Krönung: Ein Berater habe für das Protokoll einer einzigen Sitzung des Verkehrsausschusses 45 Stunden Arbeit für 17200 Euro abgerechnet.[117] »Berater« für Protokolle? Wann kommen die »Berater« fürs Händewaschen und den Gang zum WC? 15,5 Millionen Deutsche sind arm oder stehen unmittelbar davor[118] – und unsere Regierung wirft einem Protokollkritzler für ein paar Zeilen, die ein durchschnittlicher siebzehnjähriger Gymnasiast parallel zu den Matheaufgaben erledigt, 17200 Euro hinterher, von denen manch eine Mutter mit zwei Kindern zwei Jahre lang leben muss.

Ein weiteres Beispiel: »Berater kassieren bei Bankenrettung ab«, titelte der *Stern* im April 2011. Ausgerechnet die Einrichtung zum Umschaufeln von zig Milliarden ehrlich und hart erarbeiteter Steuergelder in die Taschen verbrecherischer Spekulationsschuldner, also der staatliche Bankenrettungsfonds SoFFin, geriet wegen des an ein illegales Beschäftigungsprogramm für überbezahlte Stümper grenzenden massiven Einsatzes von Beratern ins Visier des Bundesrechnungshofs. Dem *Stern* zufolge kritisierten die Verschwendungskontrolleure den Banken-Charityclub SoFFin bereits Ende Dezember in einem vertraulichen Bericht,»die Vertragsgestaltung« habe man »oft im Wesentlichen« den Absahnern selbst überlassen. »Berater durften offenbar Verträge selber schreiben«, formuliert *Focus Money Online* in einer Schlagzeile.[119] Den Unterlagen lasse sich teilweise »nicht entnehmen«, warum man für manche Aufgaben überhaupt »einen externen Berater benötigte«.[120]

Überdies habe der SoFFin bei vielen Aufträgen »vergaberechtlich fragwürdig« gehandelt, zum Beispiel auf Ausschreibungen verzichtet. Zudem habe man »den Anschein von Interessenkonflikten … nicht immer« vermeiden können. Laut *Stern* kassierten nach einer internen Liste des SoFFin vom 28. Februar 2011 externe »Dienstleister« vom Rettungsfonds und von den von ihm so großzügig unterstützten Banken seit Ende 2008 insgesamt über 70 Millionen Euro. Der laut Liste mit fast elf Millionen Euro zweitgrößte Batzen ging an die Anwaltskanzlei Mayer Brown, zu deren Partnern bezeichnenderweise der frühere CDU-Politiker Friedrich Merz gehört, für die Beratung der WestLB seit August 2009. Nicht enthalten in der astronomischen Summe sind die Traumgagen von – laut *Spiegel Online* – 5000 Euro pro Tag,[121] die Merz selbst seit Sommer 2010 als »Veräußerungsbeauftragter« der WestLB abrechnet. Die WestLB gehört zu mehr als der Hälfte dem Land NRW.

Damit nicht genug. Zwei »Beratungs«-Jobs für insgesamt 200000 Euro schanzte der von Ex-Landesbanker Hannes Rehm geführte SoFFin laut Rechnungshof ohne Ausschreibung seinem früheren Kumpel und Kollegen Dietrich Rümker zu. Beide Verträge seien für den SoFFin eine »ungünstigere Regelung« als eine von Rümker vorgeschlagene. So hatte er für seine Honorare Obergrenzen angeboten, die unter Rehm aber nicht in die Verträge übernommen wurden.

Überdies bemängelte der Rechnungshof, dass Rümker bis heute im Aufsichtsrat der niederländischen Bank NIBC des US-Investors Christopher Flowers hockt. Der aber war auch Großaktionär der Geldvernichtungsmaschine Hypo Real Estate, bis der SoFFin sie »verstaatlichte« und Flowers deshalb die Bundesregierung verklagte. Rümker redete sich damit heraus, er sei weder bei NIBC noch beim SoFFin mit der HRE befasst gewesen und sehe daher keine Interessenkollision.

Kein Wunder, dass der SoFFin dem *Stern* nichts zu den einzelnen Beratungsaufträgen und der entlarvenden Bundesprüferkritik sagen wollte. Man habe eben in der Krise »sehr schnell mit zunächst sehr wenigen Mitarbeitern Entscheidungen über extrem hohe Risiken« vorbereiten müssen – natürlich nur für ehrliche Bürger, nicht für Wirtschaftsgangster. Und dabei sei der Aufwand für externe Berater »notgedrungen hoch« gewesen.[122]

Derlei großzügiger Umgang mit öffentlichen Geldern durch die Bundesregierung hat Tradition. Schon den schwarz-roten Ministerien der großen Koalition saß das Steuersäckel für externe »Berater« locker. Laut *Frankfurter Allgemeine Zeitung* verpulverte allein Peer Steinbrücks Finanzressort über 14,28 Millionen Euro – 9,2 Millionen mehr als angesetzt. Beruhigende »Erklärung« eines Behördensprechers: Das Geld sei nicht allein zur externen Unterstützung bei der Arbeit an Gesetzestexten ausgegeben worden, sondern für »Beratung« bei Privatisierungsprojekten des Bundes.

Ebenfalls die Spendierhosen an hatten Frank-Walter Steinmeiers Außenamt mit fast 1,3 Millionen Euro und Wolfgang Schäubles Innenministerium mit 1,26 Millionen Euro. Das CSU-Wirtschaftsministerium unter Michael Glos bzw. Ex-Doktor Karl Theodor zu Guttenberg gab 620 000 Euro aus, fast das Doppelte des Geplanten. Dagegen muteten die 137 000 Euro von Justizministerin Brigitte Zypries fast wie ein Taschengeld an.[123]

Noch dreister ging es allerdings unter Rot-Grün zu: Von 1998 bis 2003 ließ die Bundesregierung allen möglichen »Beratern« und

»Sachverständigen« nahezu 190 Millionen Euro zukommen, davon 128 Millionen Euro für über siebzehnhundert »Analysen« und »Studien«, 48 Millionen für dreihunderteinundsechzig »Experten« der einzelnen Ministerien und zwölf Millionen Euro für »Expertenkommissionen«. Allein das Wirtschaftsressort beauftragte zweiundsechzig »Beratungsfirmen«, die teilweise gleich mehrere Aufträge abwickelten. 16,3 Millionen Euro für »Berater« verschlang das bis heute umstrittene Mautsystem.[124]

Diese Beratergrotesken, die sich wie ein Running Gag durch die letzten Jahre ziehen, sind allerdings nicht unbedingt Ausdruck der – freilich im Übermaß vorhandenen – persönlichen Unfähigkeit einzelner Politheroen, sondern systembedingt und damit typisch, denn das Beraterunwesen gehört zur Marktwirtschaft wie die Made zum Speck. »Wer einen Unternehmensberater hat, braucht keine Saboteure mehr«, lautet ein Lästerspruch. Und tatsächlich drängt sich in kaum einer anderen Branche die Frage nach dem »Preis-Leistungs-Verhältnis« dermaßen auf. Immerhin kostet ein einziger Berater laut Bundesverband Deutscher Unternehmensberater bis zu 5800 Euro. Nein, nicht pro Jahr – pro Tag! Und auch der Schnitt von 1100 bis 1380 Euro[125] ist noch atemberaubend, vor allem angesichts der Tatsache, dass sich vom Taschendieb bis zum Steuerbetrüger buchstäblich *jeder* »Unternehmensberater« nennen darf.

Allein in Deutschland zählt der Bundesverband Deutscher Unternehmensberater (BDU) 13 850 Firmen mit fast 19 Milliarden Euro Umsatz. Branchenführer hierzulande ist McKinsey & Company mit geschätzten 2300 Mitarbeitern und über 500 Millionen Euro Umsatz.[126] Auch weltweit war McKinsey im Jahr 2010 Marktführer mit ca. siebzehntausend Mitarbeitern und gut 6 Milliarden US-Dollar Umsatz.[127]

Wenn wir uns also zunächst die Leistung ansehen, die logischerweise nicht unwesentlich von der Qualifikation der »Berater« abhängt, eignet sich kaum ein Beispiel besser als das von McKinsey, das nach eigenen Angaben sechsundzwanzig der dreißig DAX-

Unternehmen berät.[128] Auf seiner Internetseite sucht der Konzern unter anderem »Absolventen eines Bachelor-Studiengangs ... Hochschulabsolventen mit einem Diplom oder Masterabschluss ... (junge Akademiker) mit MBA«.[129]

Wissenschaftler, die sich professionell mit der Qualität von Studiengängen und akademischen Titeln beschäftigen, urteilen so:

- »Der Bachelor ist der Studienabschluss für Studienabbrecher«,[130] lästert der Wiener Philosophieprofessor Konrad Paul Liessmann.
- Der MBA gilt für den St. Gallener Weiterbildungsexperten Michael Schade als ein »äußerst unterqualifiziertes Hochschulstudium«. Der Bremer BWL-Professor Karlheinz Schwuchow setzt noch einen drauf: »Mit dem MBA ist es wie mit dem Kaufmann. Das kann einer sein, der ohne jede Lehre eine Würstchenbude betreibt, oder ein promovierter Vollakademiker.«[131] Und der US-Ökonom Robert Kuttner sieht in den Absolventen mit MBA gar »eine Generation von graduierten Idioten heranwachsen, die über eine Reihe von Techniken verfügen, aber nichts von Ökonomie verstehen«.[132]
- Heutige BWL-Absolventen wertet der Bremer Wirtschaftsprofessor Rudolf Hickel als »Fuzzis und Systemzwerge« ab; der Göttinger Politprofessor Franz Walter beklagt, dass gerade in der Politik die meisten und wichtigsten Entscheidungen von Beraterfirmen in Gestalt »29-jähriger Bubis aus dem BWL-Bereich«[133] getroffen werden.
- Verwaltungsrechtsprofessor Ulrich Battis, langjähriger Rektor der Fernuniversität Hagen, bilanziert: »Viele der Unternehmensberater sind ganz teuer bezahlte Lehrlinge.«[134]

Auch die deutsche Wirtschaft hat laut einer DIHK-Umfrage von 2008 unter 2135 Unternehmen verschiedener Branchen und Größen von den Jungakademikern die Nase voll. 40 Prozent der Unternehmen ließen freie Stellen aufgrund mangelnder fachlicher Qualifikation unbesetzt. 38 Prozent ließen nicht einmal die Probezeit verstreichen. Häufigste Ursachen waren die Unfähigkeit, das Uniwissen praktisch anzuwenden, Selbstüberschätzung und mangelhaftes Sozialverhalten.[135]

»Wozu braucht man noch Berater?«, fragt am 27. Juli 2011 auch *Spiegel Online*. »Die Unzufriedenheit mit den Leistungen großer Unternehmensberater in Deutschland wächst«, hatte eine Studie des Wirtschaftsprofessors Dietmar Fink ergeben. Das »Umschalten von Krise auf Wachstum« sei nur den wenigsten Beratern geglückt. Nur McKinsey sei bei den Klienten beliebter geworden.[136]

Die Preisfrage lautet nun: Warum stopft die Politik den Unfähigsten der Unfähigen dermaßen die Taschen voll? Gesunder Menschenverstand und Korruptionstheorie sagen, dass dies nicht ohne Gegenleistungen geschieht. Worin die im Einzelnen bestehen, werden wir im Verlauf des Buches noch ergründen.

2. Für 'n Appel und 'n Ei – der Staat in Spendierhosen

Für den korrupt veranlagten Mitbürger ähnlich verlockend wie der überteuerte Einkauf auf fremde Rechnung ist das Verschleudern fremden Eigentums unter Wert, vor allem bei der Privatisierung. »Seit Jahren wird die Privatisierung öffentlichen Eigentums als eine Möglichkeit propagiert, Geld in öffentliche Kassen fließen zu lassen und das öffentliche Leben effektiver zu organisieren«, sagt Werner Rügemer. »Privatisierung bedeutet aber auch einen Verzicht auf Handlungsmöglichkeiten durch die gewählten Gremien.«[137]

Und: »Der (Teil-)Verkauf großer staatlicher Einrichtungen – etwa Banken, Flughäfen u. Ä. – stellt ein neues Potenzial von Korruption dar, die damit zugleich neue Formen annimmt und schlechter kontrolliert werden kann.«[138]

Bestätigt wird diese These durch die naheliegende Frage, wieso um alles in der Welt irgendein halbwegs rational denkender profitversessener Investor auch nur einen müden Cent in ein Unternehmen stecken sollte, das angeblich auch noch in tausend Jahren eine Geldvernichtungs- statt -druckmaschine sein würde. Denn sonst würde man es ja nicht verkaufen.

Denkbar sind eigentlich nur drei plausible Motive und Strategien:

- Er ergattert das fragliche Unternehmen dermaßen unter Wert, dass es sich schon wieder lohnt. Dazu motiviert er auf seine Weise die Politik, Staatseigentum zu verschleudern …

- Er will rationalisieren, in der Regel durch Massenentlassungen und mehr Arbeitshetze sowie weniger Rechte für das verbliebene »Humankapital«. Die Gegenspieler – Betriebsrat und Gewerkschaft – »überredet« er zur Zustimmung ähnlich wie vorher die Politik.

- Er will die Waren oder Dienstleistungen billiger, meist in schlechterer Qualität, produzieren und teurer verkaufen. Dafür trifft er häufig Absprachen mit der Konkurrenz, während das Kartellamt zuschaut.

Musterbeispiel für die Paarung von miserablem Service mit Preiswucher ist die Energiebranche. Im November 2006 fabrizierte E.ON einen Stromausfall in halb Europa. Der Energieriese musste die Schuld eingestehen, schob sie allerdings in gewohnt nassforscher Managermanier auf »menschliches Versagen«.[139] Im Juli 2009 verhängte die EU-Kommission gegen den E.ON-Konzern eine Kartellstrafe von 553 Millionen Euro, und zwar wegen Absprachen mit dem französischen Gasmonopolisten GDF Suez über die Aufteilung der Märkte, also über die Gaspreise. Die Gesamtstrafe war mit 1,1 Milliarden Euro eine der höchsten jemals verhängten Geldbußen.[140] Für den Bund der Energieverbraucher ist das Verhalten der Konzerne E.ON und RWE schlicht »Ausplünderung«. Auch in Deutschland könne von einem echten Wettbewerb nicht die Rede sein. Der angebliche Konkurrenzkampf diene lediglich als »Fassade« und stärke einzig die Machtposition der beiden Strom- und Gasriesen. Während die nämlich im Vergleich mit anderen Branchen deutlich höhere Gewinne einheimsten, würden die deutschen Verbraucher jährlich Milliarden Euro zu viel für Strom und Gas bezahlen.[141]

Wie werden diese unerträglichen Zustände und haarsträubenden Skandale überhaupt möglich? Konnten sich die Entscheidungseliten nicht vorher denken, welche Folgen die Privatisierung von Kernbereichen der Gesellschaft zwangsläufig haben musste? »In aller Regel ist ... bei Privatisierung und Kommerzialisierung öffentlicher Einrichtungen und Güter auch Korruption im Spiel«, sagt der Berliner Politikprofessor Elmar Altvater. »Die Schädigung der Allgemeinheit zu Gunsten privater Vermögen ist das Prinzip.«[142]

Diese Ideen sind allerdings keinesfalls das brillante Geisteswerk scharfsinniger Topmanager und genialer Unternehmensberater. Was die Rationalisierung durch Arbeitsverdichtung angeht, so versuchten schon vor über viertausend Jahren die Ägypter beim Pyramidenbau, einen Sklaven möglichst für zwei oder drei arbeiten zu lassen. Und was die Qualität der gelieferten Waren angeht, so wurde nicht ohne Grund mehrere tausend Jahre später, am 23. April 1516, das Deutsche Reinheitsgebot für Bier erlassen. Damals allerdings war dessen Befolgung noch – Stichwort »Handwerkerehre« – eine Frage der Selbstachtung und der Angst vor der »Strafe Gottes«, während *Foodwatch* heute allein im Nahrungsmittelbereich mit dem Entlarven von Panschern, Werbelügnern und Betrügern kaum noch nachkommt.

Aber diese Methoden könnten auch Staatsbetriebe anwenden und den gleichen Profit wie jetzt die Privaten erzielen. Dies wäre zwar auch nicht die feine Art, aber der schmutzige Reibach – Geld stinkt nicht – würde wenigstens in die Staatskasse fließen statt auf die Schweizer Nummernkonten von Heuschrecken, Spekulanten, Milliardären und Wirtschaftsgangstern.

»Die verkaufen noch den Grunewald.«
Vorahnung eines Berliner Strafverfolgers von 1986[143]

Eines der populärsten Märchen seit »Hans im Glück« ist die Behauptung, private Firmen arbeiteten preiswerter und unbürokratischer als staatliche. Werfen wir also einen Blick auf das klassische Beispiel, nämlich die Rentenversicherung: Sind Betrieb und Vertrieb des privaten Kapitaldeckungsverfahrens wirklich billiger als die des staatlichen Umlageverfahrens?

Das Gegenteil ist der Fall: So gehen bei der Riester-Rente, im Volksmund auch Allianz-Rente genannt, rund zehn Prozent für Verwaltung und Vertrieb drauf, was allein beim Blick auf die opulente Ausstattung mancher von Beitragszahlergeld finanzierter sündhaft teurer Prunkhochhäuser der Konzernfilialen, auf die opulenten Vertriebsleiterbüros und die Provisionen für die teilweise ebenso schmierigen wie aufdringlichen und rosstäuschenden Vertreterhorden leicht nachvollziehbar ist.

Dagegen kommen die »überbürokratisierten« Gesetzlichen für die Verwaltung mit maximal vier Prozent der eingezahlten Beiträge aus.[144]

Überhaupt sollten uns die – zumeist bezahlten – Marktschreier der Privatisierung eine ihrer Behauptungen genauer erklären. Bei der Privatisierung von Bundespost, Bundesbahn, Energieunternehmen oder Wasserversorgern wird in der Regel das gesamte Personal inklusive der Chefetage fast vollständig übernommen – einige werden natürlich als »Wohlstandsmüll« (Managerjargon[145]) in die Hartz-Armut geschickt.

Wie, so lautet die Eine-Millionen-Euro-Frage, ist es möglich, dass quasi über Nacht aus stinkend faulen, schlampigen, komplett unfähigen Staatsdienern bundesverdienstkreuzwürdig fleißige, zuverlässige und geniale Mitarbeiter sowie nobelpreisverdächtige

Weltklassemanager und Führungskoryphäen werden? Liegt's vielleicht an der Motivation? Legen sich die Leute, die im Staatsbetrieb für das Gemeinwohl keinen Finger krumm machten, plötzlich für die weitere Mehrung des Reichtums der milliardenschweren Eigentümer oder Großaktionäre bis zur Erschöpfung ins Zeug? Welche Veränderung ging nach der Privatisierung in ihnen vor, zu der sie vorher geistig-moralisch nicht in der Lage waren? Einfacher gefragt: Für wie blöd halten uns die Privatisierungstrommler eigentlich? Und mal spaßeshalber angenommen, die Mehraktionäre eines erfolgreichen Global Players hätten aus einem Anfall sozialen Gewissens heraus ihre Wertpapiere unter strikter Geheimhaltung dem Staat übereignet und das käme nach einem Jahr heraus: Würden dann schlagartig sämtliche Führungskräfte und Mitarbeiter wieder in Faulheit, Lethargie und Einfallsarmut verfallen?

Sehen wir uns an einigen Beispielen an, ob bzw. wie Privatisierung und Korruption miteinander zusammenhängen.

Kliniken – der Profit ist der Star, der Mensch der Statist

Ist Ihnen das auch schon mal passiert: Sie wollen jemanden im Krankenhaus besuchen, und auf dem Gang begegnet Ihnen ein halbgewalktes, gehetztes und weggetreten wirkendes Würstchen. Sie halten den Herumirrenden für einen bemitleidenswerten Psychiatriepatienten, aber es ist der Verwaltungsdirektor. Denn diese Mischung aus Kuriositätenkabinett, Versicherungszentrale und Flüchtlingslager ist eine privatisierte Klinik, noch gerade so eben in Betrieb gehalten von unterbezahltem, übernächtigtem, hoffnungslos überlastetem medizinischem Personal, geleitet von größenwahnsinnigen, weitgehend inkompetenten und geldsüchtigen Soziopathen, die sich im Unterschied zu gewöhnlichen Komödienirren nicht für Napoleon von Nazareth oder Old Schlotterhand halten, sondern für Manager.

Und entsprechend ist auch das Klinikkonzept der Privaten, wie sie der Gründer und Großaktionär der Röhn-Klinikum AG, Eugen Münch, dem *Stern* erläutert: »Was er sagt, ist knochenharter Klinikkapitalismus: Patienten sind bei ihm ›Fälle‹, Operationen ›Stückkosten‹: ›Wenn ich ein teures Großgerät kaufe, dann muss da alle zehn Minuten ein Fall durchgeschleust werden. Auch der Arzt muss sich, wie in der Industrie, einem Takt einfügen.‹«[146] Die Patienten sind für ihn Kunden, für die er nur Hohn und Spott übrig hat. »Für manche Leute ist heute eine Herz-OP doch interessanter als ein Mallorca-Urlaub.« Und Münchs geradezu zwanghafte Menschenverachtung ist Gesetz in der Klinikbranche: Der börsennotierte Konzern betreibt immerhin fünfundvierzig Krankenhäuser mit fünfzehntausend Betten, beschäftigt über zweiunddreißigtausend Mitarbeiter, hat 2010 einen Umsatz von 2,55 Mrd. Euro erwirtschaftet und dabei ein Ergebnis vor Steuern von 173,8 (2009: 158,7) Mio. Euro erzielt.

Der Berliner Soziologe Hagen Kühn hält den Vergleich der Patienten mit Kunden hingegen für völlig abseitig. »Ein Kunde ist ein potenzieller Käufer: Er hat die Wahl, kann abwägen, kann gehen, wenn es ihm nicht passt, und er kann warten. Ein Patient ist dagegen leidend, braucht Hilfe, hat oft keine Wahl, kann oft nicht abwägen und auch nicht warten.«

Dirk Völpel-Haus, Krankenhausexperte der Gewerkschaft Ver.di, erläutert die Folgen für die Beschäftigten: »Heute müssen Schwestern und Pfleger bei einer Privatisierung schlechtere Arbeitsbedingungen akzeptieren.« So sei es normal, die Arbeitszeit auf vierzig Stunden anzuheben sowie Weihnachts- und Urlaubsgeld und die betriebliche Altersversorgung zu streichen. »Bei einer Privatisierung können Sie die ganze Facette (sic!) des Lohnraubs studieren«, sagt er dem *Stern*. Die Privatisierungswelle bei Kliniken sieht er »mehr als kritisch«. Die Konzerne erwarteten jedes Jahr mindestens zehn Prozent Gewinn. »Ich kenne Häuser, da ist die Pflege mittlerweile so ausgedünnt worden, dass es bereits gefährlich ist.«[147]

Dass scheinbar geistig und moralisch noch ansatzweise intakte Politiker bei allen Mängeln noch relativ gut funktionierende Kliniken an profitfixierte Konzerne verscherbeln können – und das häufig auch noch weit unter Wert –, hat im Wesentlichen zwei Ursachen:

Die erste Ursache: Sie sind Opfer der wirtschaftsliberalen Gehirnwäsche und glauben an die Behauptung, alle Bereiche des Sozialstaats, von der Bildung über die Altenfürsorge bis hin zum Gesundheitswesen, müssten sich selbst tragen, möglichst sogar im Stile eines vor nichts zurückschreckenden Großkonzerns Gewinne erwirtschaften. Dies trifft aber nur für die Privaten zu: Kinder, Jugendliche, Senioren und Kranke sind hier nichts als bloße Zahlen und möglichst gering zu haltende Kostenfaktoren bei der Jagd nach dem Maximalgewinn. Für staatliche Einrichtungen ist dies eine gefährliche, die Würde und zuweilen sogar das Leben der Menschen gefährdende Idiotie.

Nach dieser Logik nämlich, alles in der Gesellschaft müsse »sich selbst tragen«, hätte eine Familie ihre drei Wochen Mallorca-Reise dadurch zu finanzieren, dass der Vater vor Ort als Kellner, die Mutter als Barfrau, der Sohn als Surflehrer und die Tochter als Rettungsschwimmerin arbeitet. Dem neoliberalen Schwachsinn zum Trotz aber muss sich der Urlaub natürlich ebenso wenig »selbst tragen« wie eine Klinik. Vielmehr wird beides von dem bezahlt, was sich die Familie bzw. die Gesellschaft erarbeitet hat. Gerade Deutschland als noch immer eines der reichsten Länder der Erde könnte und müsste das gesamte Gesundheitswesen quasi aus der Portokasse bezahlen. Der »verarmte Staat« ist ausschließlich – gewolltes – Resultat einer denkbar asozialen Vermögensverteilung.

»Die Vermögensverteilung in Deutschland: Die untere Hälfte der Haushalte verfügt über weniger als vier Prozent des Gesamtvermögens. Die obere Hälfte der Haushalte verfügt über mehr als 96 Prozent des Gesamtvermögens.
Das untere Drittel verfügt über weniger als ein Prozent des Gesamtvermögens. Das mittlere Drittel über knapp zwanzig Prozent

des Gesamtvermögens. Das obere Drittel über ca. achtzig Prozent des Gesamtvermögens.
Das unterste Fünftel verfügt über keinerlei Vermögen, sondern ist per Saldo verschuldet. Das oberste Fünftel verfügt über mehr als zwei Drittel des Gesamtvermögens.
Das unterste Zehntel verfügt über keinerlei Vermögen, sondern ist verschuldet. Das oberste Zehntel verfügt über fast die Hälfte des Gesamtvermögens.«[148]

Nur vor diesem Hintergrund ist erklärbar, dass selbst integre, wenn auch simpel gestrickte Volksvertreter in Panik geraten, wenn zum Beispiel ein Krankenhaus rote Zahlen schreibt. Sie sagen sich, wie der Chef der Pinneberger FDP-Kreistagsfraktion Klaus Bremer im Mai 2011 angesichts des Finanzdesasters knapp zwei Jahre nach dem Verkauf der Pinneberger Regio-Kliniken an die Profitmaximierungsmaschine Sana Kliniken AG: »Lieber 25 Prozent vom Gewinn als 100 Prozent der Verluste.« Bremer musste aber zugeben: »Es gab Interessenten, die haben mehr Geld geboten als Sana.« Schau an!
Ans Tageslicht kam der Skandal erst im Dezember 2010 durch die Kritik des Landesrechnungshofs Schleswig-Holstein, der Kreis habe die 74,9 Prozent seiner Anteile an den Kliniken zu billig abgegeben, nach SPD-Schätzung um 20 Millionen. Zudem, so der Rechnungshof, sei der Verkauf nicht europaweit ausgeschrieben und der Vertrag unter Zeitdruck gemacht worden, und an der Veräußerung seien Rechtsanwälte, Bankvertreter und ehemalige Chefärzte maßgeblich beteiligt gewesen[149] – also alles Vertreter von Gruppen, denen die Karikaturisten Eurozeichen als Augen verpassen.
Darüber hinaus warfen die Prüfer der ehemaligen Unternehmensleitung unter anderem »gravierende Fehlentscheidungen, Vetternwirtschaft und bewusstes Ausschalten der Aufsichtsgremien« vor.[150]
Bremers alberne Ausrede für den anrüchigen Deal: Kein Konkur-

rent habe »so weitreichende Zusagen in Standort- und Arbeits-
platzsicherung« gemacht wie die Münchener Schnäppchenjäger.[151] Womit wir bei der zweiten Ursache für derartige Verkäufe
wären – und wieder bei den Rhön-Kliniken.

Die zweite Ursache hat nämlich etwas mit dem »Gschmäckle« zu
tun. Wer am 27. Juni 2011 bei Google die Begriffe »Röhn-Klini-
ken« und »Korruption« eintippte, erzielte 8330 Treffer. Selbst in
der Affäre »Doktor plag. zu Guttenberg« kamen die Gesundheits-
absahner ins Gerede. Wie laut *Tagesspiegel* die Rhön-Klinikum
AG bestätigte, habe sie »zwischen 1999 und 2006 für einen neuen
Lehrstuhl an der Rechts- und Wirtschaftswissenschaftlichen Fakultät der Universität Bayreuth insgesamt 747 764,36 Euro überwiesen«. Guttenberg habe von 1996 bis 2002 im Aufsichtsrat der
Rhön-Klinikum AG gesessen, »seine Familie dort bis 2002 ein
dickes Aktienpaket« gehalten. Karl Theodor zu Guttenberg stu-
dierte von 1992 bis 1999 in Bayreuth Rechtswissenschaften und
hat nach eigenen Angaben im Jahr 2000 mit der »Dissertation«
begonnen, für die er 2007 die Note »summa cum laude« erhielt.[152]
Das Kerngeschäft der Rhön-Klinikum AG ist aber nicht das Kaufen von Universitäten und Professoren für die Doktorarbeiten
arischer Herrenmenschen, sondern das Geldmachen mit der Re-
paratur der Ware Mensch.
Womit wir wieder beim Thema wären. Wo gehobelt wird, da fallen Späne, sagt man, und wo privatisiert wird, da fließen Schmiergelder.
Genaueres darüber und über die Hintergründe der ominösen
»Sachzwänge der Globalisierung« erfahren die Bürger angele-
gentlich durch einen »handfesten personellen Skandal« *(Hamburger Abendblatt)*. Ausgerechnet Ernst Bruckenberger, Chef der
Krankenhausplanung in Niedersachsens Sozialministerium unter
Ursula von der Leyen, war regelmäßiger Gast der Beiratssitzun-
gen der Privatklinik-Giganten Rhön-Klinikum AG und Mediclin
AG und sahnte dafür »Aufwandsentschädigungen« von 1500 Euro
ab – nicht pro Jahr: pro Sitzung.[153] Wer wird denn bei so viel

Gastfreundschaft und Großzügigkeit den Gastgebern bei ihren weiteren Aufkaufplänen Knüppel zwischen den Shareholder Value werfen?

Die Regierungskollegen in Hessen taten es auch nicht, und die Rhön-Kliniker dankten es – nein, nicht dem Bürger, sondern vielleicht der regierenden Schwarzgeld-Partei CDU unter Roland Koch und ganz sicher den Aktionären.

»Privatisiertes Uni-Klinikum verdoppelt Gewinn«, jubilierte die *FAZ* im Februar 2009 über die Bilanz des drei Jahre zuvor unter der Koch-Alleinherrschaft privatisierten Uni-Klinikums Gießen.[154]

Wie die Profitgeier den Jahresüberschuss von 2,2 Millionen Euro erwirtschaftet haben, wird beim Blick hinter die Kulissen deutlich. »Klinik der Angst«, titelte die *Frankfurter Rundschau* bereits am 8. Oktober 2008. »Die Uniklinik soll ›Flaggschiff des Rhön-Klinikums‹ sein, hieß es bei der Übernahme im Frühjahr 2006.« Inzwischen kursiere der Spruch: »Wenn das so weitergeht, sind wir bald eine kleine marode Dschunke.«[155]

Kern des Vorwurfs: massiver Abbau und Überlastung des Personals auf Kosten der Kranken. Seit der Privatisierung vor fünf Jahren breche die Qualität der Behandlung und Versorgung dramatisch ein. »Ärzte-Fehler häufen sich«, berichtet das Blatt Ende Juli 2010.[156]

»Der Patient ist eine Ware«, beschreibt die Initiative *NotRuf 113* vor über fünfhundert Ärzten, Mitarbeitern und Juristen sowie Patienten und Angehörigen die Haltung der Klinikleitung.[157]

Man muss also weder Marxist noch Mitglied der Tupamaros Ratzeburg sein, um zu erkennen, dass im Mittelpunkt der Marktwirtschaft Made in Germany der Maximalprofit der »Marktteilnehmer«, nicht aber der Mensch und dessen grundgesetzlich verbrieftes Recht auf »Streben nach Glück« steht. Dass Letzteres für einige Psychokrüppel (»mein Ferrari, meine Villa, meine Jacht, mein Nummernkonto) identisch mit Profitjagd ist, steht auf einem anderen Blatt.

Tango Korrupti und Kölle Alaaf

Gleich drei Fliegen mit einer Klappe – Auftrag ohne Ausschreibung, überhöhte Preise zu Lasten des Steuerzahlers und die heißersehnte Privatisierung – schlugen Wirtschaft und Politik beim von 2003 bis heute andauernden Skandal um die Kölner Messehallen.

Der Großraum Köln gilt seit je als eine der Weltmetropolen der Korruption. Den Ausdruck *Kölscher Klüngel* lernt jeder Wirtschafts- oder Jurastudent zwischen Albanien und Zaïre schon in ersten Semester: Mit der Kölner Politik und Bürokratie ohne Schmiergeld ins Geschäft kommen zu wollen hieße, eine Autofahrt ohne Treibstoff zu probieren. »Es kann zur Vermischung von gesellschaftlichen, politischen und industriellen Interessen führen«, heißt es bei *Wikipedia* vornehm zurückhaltend, und »somit zur Korruption mutieren. Im Alltagsgebrauch ist *Klüngel* im Kölner Raum allerdings auch positiv besetzt, im Sinne von ›eine Hand wäscht die andere‹«.[158]

Mal ein Parteispendenskandal[159], mal eine Müllverbrennungsaffäre wie die um den »Müllpaten«[160] Hellmut Trienekens[161] und erst vor kurzem der Skandal um die Kölner Messehallen. »Imageschaden für Köln ist enorm«, titelte der *Kölner Stadtanzeiger* am 29. Oktober 2009.[162]

Begonnen hatte alles im Sommer 2003: Damals wollte die Stadt Köln dem *Dschungelcamp*-Sender RTL die bisherigen Messehallen anbieten, damit das Flaggschiff der Volksverblödung nicht wegzog. Nun musste schnell ein neuer Messestandort her. Schon im Dezember 2003 wurde der Auftrag für den Neubau der vier Nordhallen an die Oppenheim-Esch-Fonds beschlossen – ohne Ausschreibung, versteht sich.

Das Projekt ist ein Dreiecksgeschäft, das Bau und Miete verbindet. Zunächst verkauft die stadteigene Kölnmesse GmbH den Investoren ein Grundstück. Die bauen dort die neuen Hallen und vermieten sie an die Stadt, die sie wiederum an die Kölnmesse untervermietet.[163]

Die Oppenheim-Esch-Immobilienfonds sind etwas für die wenn schon nicht Schönen, so doch wenigstens Reichen und Mächtigen. Zu den Zeichnern zählen Manager- und Unternehmer-Figuren wie Thomas Middelhoff, Madeleine Schickedanz, der Kölner Verleger Alfred Neven DuMont, der Bofrost-Eigentümer Josef Boquoi und Ex-Rewe-Chef Hans Reischl.[164]

Der Clou: Die – wohlgemerkt stadteigene – Kölnmesse GmbH verpflichtet sich, für insgesamt 600 Millionen die Hallen dreißig Jahre zu mieten. Kann die nicht zahlen, springt die Stadt selbst ein.

Hätte diese Story ein *Tatort*-Regisseur auf den Bildschirm gebracht, man hätte ihn wegen antikapitalistischer Paranoia nicht einmal das Testbild drehen lassen.

Logbuch des alltäglichen Unglaublichen[165]

17. September 2004: Grundsteinlegung der Messe-Nordhallen.

7. Juli 2005: Die WDR-Reportage *Milliarden-Monopoly* enthüllt, dass eine Finanzierung der Messeerweiterung durch Kommunalkredite statt durch den windigen Miet-Deal der Stadt Köln 360 Millionen Euro erspart hätte.

12. August 2005: Die Staatsanwaltschaft Köln verkündet die Einleitung eines Ermittlungsverfahrens wegen Untreue gegen den Kölner Oberbürgermeister Fritz Schramma und »weitere Personen«.

1. September 2005: Der WDR berichtet über ein Angebot der Münchener Investmentfirma Babcock & Brown, das rund 30 Millionen Euro günstiger war als das von Oppenheim-Esch.

19. Oktober 2005: *Manager Magazin* und *WDR Lokalzeit Köln* melden, Oppenheim-Esch habe rund 83 Millionen Euro auf die Baukosten aufgeschlagen: 56 Millionen Euro für »Projektentwicklung«, 20 Millionen für Kapitalbeschaffung und sieben Millionen für die »Mietervermittlung« – obwohl die Kölner Messe als »Mieter« von vornherein feststand.

Der honorige Heuschreckenverschnitt namens Oppenheim Esch ist bei den Strafverfolgungsbehörden kein Unbekannter. So war er am 8. Oktober 2010 Gastgeber für eine »groß angelegte Durchsuchungsaktion der Staatsanwaltschaften Köln und Bochum zur Aufklärung mutmaßlicher Korruptions- und Wirtschaftsdelikte«. Die Oppenheim-Esch-Holding konnte natürlich »diesen Vorgang in keiner Weise nachvollziehen und auch nicht verstehen«.[166]

12. Oktober 2006: Die EU-Kommission kündigt eine Klage beim Europäischen Gerichtshof wegen Verstoß gegen das europäische Vergaberecht an. Die Stadt Köln hätte das Messeprojekt europaweit ausschreiben müssen.

5. April 2007: Wie von Kennern der Kölner Szene nicht anders erwartet, stellt die Staatsanwaltschaft Köln das Verfahren gegen Schramma wegen des Verdachts der Untreue ein. Weder seien Vermögensbetreuungspflichten verletzt worden, noch sei der Stadt ein Schaden entstanden.

29. Oktober 2009: Der Europäische Gerichtshof in Luxemburg entscheidet, die Stadt habe gegen das europäische Vergaberecht verstoßen.[167] Das Geschäft sei in Wahrheit ein als »Mietvertrag« getarnter öffentlicher Bauauftrag und damit europaweit ausschreibungspflichtig gewesen. Werde der Vertrag nicht aufgelöst, drohe ein Zwangsgeld in dreistelliger Millionenhöhe.

27. Januar 2010: Die Stadt Köln und die Abzocker verhandeln wegen Vertragskosmetik. Die Gespräche gestalten sich schwierig, sind doch gleich mehrere Probleme zu lösen: Wie kann man sowohl EU als auch Steuerzahler weiter an der Nase herumführen, ohne dass die »Investoren« ihre Profite und die Politiker ihre Schmiergelder einbüßen?

3. Juni 2010: Die EU-Kommission fordert von Deutschland nun auch förmlich die Umsetzung des Urteils von 2009 binnen zweier Monate und droht mit Zwangsgeldern. Zugleich beschließt das Gremium eine Klage vor dem EuGH gegen die Bundesrepublik Deutschland wegen der Direktvergabe der Abwasserentsorgung in Hamm, da man bislang trotz Aufforderung keine ausreichende Antwort erhalten habe.[168]

11. Januar 2011: Beginn des Prozesses um die Frage, ob die Stadt Köln 3,5 Millionen Euro ausstehende Miete für die Messehallen zahlen muss.

7. Mai 2011: Der Kölner Stadtrat stimmt einem befristeten »Waffenstillstand« mit den Oppenheim-Esch-Fonds zu. Die Stadt zahlt bis Ende 2014 monatlich etwa 1,25 Millionen Euro Miete für die Kölner Messehallen. Seitdem die Stadt im Juli 2011 auf Druck der empörten Bürger den Mietvertrag gekündigt hatte, zahlte sie aus Steuergroschen statt der vereinbarten Wuchermiete »nur« noch etwa die Hälfte. Im Gegenzug für das »Entgegenkommen« der Kölschen Magistratsjecken – Motto: »Is ja nit ming Jeld« – klagen die Miethaie nicht auf Räumung. Der Rest bleibt offen, also im Dunkel des rheinischen Wirtschaftsmorasts.

Fest steht nur, dass die Raffzähne um jeden Cent kämpfen wollen. »Grundsätzlich ändert sich nichts daran, dass die Fondsgesellschaft weiter auf Mietfortzahlung klagen wird«, tönte der Sprecher der Oppenheim-Esch-Gruppe im Mai 2011 gegenüber *wdr.de*.[169]

An der Kölner Kommunalwahl im Herbst 2009 beteiligten sich gerade noch 48,5 Prozent der 764 876 Wahlberechtigten. 13,5 Prozent wählten CDU, 13,6 SPD.[170] Das heißt: fast drei Viertel der Domstädter haben von den Hauptakteuren des Klüngels die Nase voll. Und sicher hätte das Abschneiden der »Volksparteien« noch peinlicher ausgesehen, wären vor der Stimmabgabe Alkoholkontrollen durchgeführt worden.

Hat der Kölner Müllskandal Appetit gemacht?

Noch ein Wort zum Kölner Müllskandal, der beileibe nicht nur den SPD-Filz betraf:

- 1993 wechselte der umweltpolitische Sprecher der CDU-Ratsfraktion, Egbert Bischoff, als Prokurist zu Trienekens.
- Fraktionschef Rolf Bietmanns Anwaltskanzlei arbeitete für

Trienekens, und Bietmann durfte zum Dank dafür von 2002 bis 2005 im Bundestag sitzen, auch wenn zwischendurch im Jahre 2004 die Staatsanwaltschaft ein Verfahren gegen ihn nur gegen eine Zahlung von 45 000 Euro einstellte.[171]

• Der Pulheimer CDU-Fraktionschef Werner Theisen war gleichzeitig Geschäftsführer der Krefelder Trienekens-Tochter Schmitz.[172]

Wenn moralisch eher unverbissene Kommunalpolitiker mitbekommen haben, wie viel Geld sich offenbar ohne jedes Risiko der Strafe mit Müllprivatisierung verdienen lässt, dann ist es kaum ein Wunder, dass sie sich daran ein Beispiel nehmen:

Inzwischen ist die deutsche Müllentsorgung in allen Bundesländern außer Hamburg und Berlin zu mehr als fünfzig Prozent privatisiert.[173] Vorteile davon haben aber nur zwei Gruppen: hemmungslose Abzockerbanden und korrupte Politiker im Gefolge des Kölner Müllskandals – die Bürger jedenfalls nicht.

Denn dass seinerzeit durch den mit Schmiergeldmillionen[174] initiierten Bau einer viel zu großen Kölner Müllverbrennungsanlage die Gebühren pro 120-Liter-Tonne Müll von 242 Mark (123,73 Euro) im Jahre 1992[175] auf 413 Euro im Jahre 2004[176] explodierten, war kein Zufall: Private Müllentsorgung ist trotz niedriger Lohnkosten oft bedeutend teurer als staatliche[177], auch wenn es keine Einstandspräsente wie im Freiburger Umland gibt. Dort stiegen kurz nach der Privatisierung die Gebühren um sechzig Prozent.[178] Und sollte es doch einmal billiger sein, dann nur deshalb, weil die Müllwerker dort meist unter schlechteren Bedingungen (zum Beispiel Schichtdienst) arbeiten und Neueingestellte statt 1400 nur 1100 Euro netto verdienen oder statt zehn nur 5,70 Euro Stundenlohn erhalten. In Sachsen und Baden-Württemberg will man bereits polnische Leiharbeiter gesichtet haben.[179] Ein weiteres Erfolgsgeheimnis privater Unternehmen stößt allerdings auf die Intoleranz humorloser Nachbarstaaten: Im Februar 2006 kritisierte der Prager Umweltminister Libor Ambrozek rechtswidrige Mülltransporte aus Deutschland nach Tschechien. »Die reichen Länder entsorgen ihren Müll auf dem Gebiet der armen Länder, ob legal oder illegal.« Nicht zufällig erwischten die tschechischen Grenzer vor allem illegale Abfallexporte aus Bayern und Sachsen.[180]

Wie lautete doch im Jahr 2004 ein Vortragsthema des Geschäftsführers der Niedersächsischen Gesellschaft für Sonderabfall, Jörg Rüdiger: »Teilprivatisierung der Sonderabfallentsorgung – ein erfolgreiches Geschäftsmodell«.[181]

Wie das aussieht, beschreibt »Nervensäge« Werner Rügemer sechs Jahre später. Nach seinen Recherchen »werden Korruptions-Ermittlungen gegenwärtig in mehreren Städten quer durch Deutschland geführt, allein beim Bau von Müllverbrennungsanlagen in Fürstenfeldbruck und Oberhausen, in Bonn und Pirmasens, in Böblingen und Hamburg und so weiter«. Und die »erfolgreichen Geschäftsmodelle« gleichen sich wie ein Schmiergeldeuro dem anderen. »Überall werden die Müllöfen privat betrieben und sind zu groß geraten. Überall haben dieselben fünf Firmen gebaut wie in Köln, Steinmüller, Babcock, ABB, Hochtief, Holzmann, und vielfach war auch Trienekens / RWE als Anlagenbetreiber dabei, quer durch die Bananenrepublik.«[182]

Und noch ein Kölscher Skandal

»Et hätt noch immer jot jejange«, sagte sich wohl die ehrenwerte Klüngelgesellschaft, nachdem Gras über die Sache gewachsen war, und legte mit der korrupten Ausplünderung von Land und Leuten erst richtig los.

Doch dann stürzte am 3. März 2009 das Kölner Stadtarchiv ein. Dabei wurden nicht nur zahlreiche unersetzliche Archivschätze verschüttet – es gab zwei Tote, und vor aller Welt wurde offenbar: Der Kölsche Klüngel geht über Leichen.[183]

Im Februar 2010 wurde von der *Süddeutschen* vornehm zurückhaltend »vermutet, dass das Unglück und Fehler beim U-Bahn-Bau in Zusammenhang stehen«, gleichwohl aber unter dem Titel

Hinweis auf organisierten Betrug unverblümt gefragt: »Wurde beim Kölner U-Bahn-Bau systematisch betrogen? Bei den Ermittlungen rund um den Einsturz des Stadtarchivs sind jetzt falsche Vermessungsprotokolle aufgetaucht.«[184]

Welt Online geht sogar noch weiter: »Der U-Bahn-Bau in der Rheinmetropole erweist sich als gigantisches Desaster. Die Bürger haben es nicht mehr mit dem sprichwörtlichen ›Kölschen Klüngel‹ zu tun, sondern mit gut organisierten Verbrechern.« Und so was kostet nicht »nur« Menschenleben: »Aus der knapp vier Kilometer langen Baustrecke der geplanten Nord-Süd-Verbindung ist ein Milliardengrab geworden.«[185]

Wie systematisch bezahlte Baumaterialien »eingespart« und Menschenleben gefährdet wurden, zeigt ein kleines Detail: Im Februar 2011 musste die Stadtverwaltung Köln endlich zugeben, dass in der innerstädtischen Baugrube Heumarkt zum Teil nur 17 Prozent der vorgesehenen Stahlbügel eingebaut worden waren. Eilfertigst wurde daraufhin versichert, der Rosenmontagszug könne »ohne Beeinträchtigung« stattfinden.[186] Aber wie sagt doch ein Sprichwort: »Wer sich verteidigt, klagt sich an …«

Dresdner Wohnungen: Wieso nicht gleich auf die Parkbank?

Am 9. März 2006 winkte der Dresdner Stadtrat den Verkauf sämtlicher 48 000 Wohnungen der städtischen Wohnungsbaugesellschaft *WOBA* für 1,7 Milliarden Euro an den US-»Investor« *Fortress* durch. Die Mehrheit von vierzig zu neunundzwanzig Stimmen bei einer Enthaltung wurde nur möglich, weil neun von siebzehn PDS-Leuten ebenfalls zugestimmt hatten.[187]

Für *ver.di* wurden mit dem Verkauf »… die wohnungspolitischen und stadtplanerischen Steuerungsinstrumente aus der Hand gegeben«. Auch sei er »keine nachhaltige Lösung zur Behebung der kommunalen Finanzprobleme … die Auswirkungen werden … in einigen Jahren spürbar werden. Sicher ist, dass die Zusagen von Fortress … eines Tages auslaufen«. Fazit: »Statt kommunaler, sozialpolitisch orientierter Wohnungspolitik« stehe »künftig die private Renditesteigerung im Vordergrund der WOBA«.[188]

Schön und gut, könnte man sagen, aber was hat das mit Korruption zu tun? Eine ganze Menge, denn wie schon angedeutet und später noch ausführlich gezeigt werden wird, hat Korruption weitaus mehr Varianten als Geldkoffer auf dem Bahnhofsklo. Die Dresdner Volksvertreter zum Beispiel handelten schon deshalb korrupt, weil das Motiv für die Privatisierung nicht das Wohl der Bürger, sondern ihr eigenes war. Bei den PDS-Jasagern war es die auch in ihrer eigenen Partei umstrittene Linie, einem guten Verhältnis zur SPD im Hinblick auf ein landes- oder sogar bundesweites rot-rotes Bündnis buchstäblich *alles* unterzuordnen.

So erklärte auch der damalige Bundesgeschäftsführer Dietmar Bartsch im Juni 2009: »Wir müssen alles tun, um mit der SPD auf Landesebene Bündnisse hinzukriegen.«[189]

Und so kam es in Dresden, wie es jeder außer den moral- und kompetenzfreien Marktradikalen hatte kommen sehen: Ende März 2011 kritisierte sogar der gewiss nicht als linksradikal verschriene Verband der Wohnungs- und Immobilienwirtschaft Sachsen die Privatisierung der WOBA als »Fehlentscheidung« sowie »Verkauf der sozialen Verantwortung« und forderte einen Rückkauf. Und die Verantwortlichen der Stadt? In dem ihnen eigenen Sinn für unfreiwilligen Humor kündigten sie eine Klage gegen den Eigentümer an, weil er »gegen Mieterschutzregeln in der Sozialcharta verstoßen« habe.[190] Die Klage sollte am besten bei Richter Alexander Hold vom Sat.1-Gericht eingereicht werden; und für eine eventuelle Revision käme Senderkollegin Richterin Barbara Salesch vom Bundesverdummungsgerichtshof in Frage.

Neue Risikosportart: Bahnfahren

Wozu Privatisierungswahn und hemmungslose Profitgier führen, zeigt beispielhaft der Dauerskandal um die Berliner S-Bahn, der bereits im Sommer 2009 unter anderem zur Auswechslung des gesamten Vorstands führte. Nach einem Radbruch am 1. Mai hatte man sich zu bestimmten Fristen bei der Überprüfung der Züge verpflichtet, sich aber nicht daran gehalten. Daraufhin hatte das Eisenbahn-Bundesamt einen großen Teil der Fahrzeuge stillgelegt, was zu Verspätungen führte und zur Folge hatte, dass zeitweilig aus Sicherheitsgründen nur noch jeder vierte Zug fahren konnte.[191] Dass sich dasselbe Chaos im Spätsommer wiederholte – diesmal wegen defekter Bremsen –, ließ das Ganze fast zur tragikomischen Klamotte mutieren.

Der Hintergrund: Um dem Mutterkonzern Deutsche Bahn einen Gewinn melden zu können, hatte man Werkstätten geschlossen, fahrfähige Züge verschrottet sowie Mitarbeiter versetzt oder nach Hause geschickt.[192] Und wie das Gescherr, so der Herr: »Pünktlich wie die Bundesbahn« war gestern; heute ist Profitwahn – bei der Deutschen Bahn selbst sind bekanntlich Klagen über Unpünktlichkeit, ständige Preiserhöhungen, unübersichtliche Tarife und miserablen Service seit Jahren ein Dauerbrenner. »Der ›Schlanke Staat‹ wird magersüchtig«, schreibt Sebastian Christ im *Stern*. »Wenn sich ein Unternehmen wie die Deutsche Bahn kaputt spart, betrifft das nicht nur einzelne Menschen, sondern einen großen Teil der Bevölkerung.«[193]

Und im Winter 2010 / 11 ging's erst richtig los. »Berlin versinkt im S-Bahn-Chaos« meldete das *Handelsblatt* am 3. Januar 2011. »Die Verkehrsbetriebe der Hauptstadt mussten aufgrund fehlender Kapazitäten vier S-Bahn-Linien komplett stilllegen. Die Berliner überrascht das nicht mehr wirklich, für die BVG kommt die Maßnahme einer Bankrotterklärung gleich.«[194]

»Die toten Gleise vom Berlin«, lästerte der *Tagesspiegel* nur einen Tag später,[195] und am 5. Januar sprach auch Volkes Stimme ein Machtwort: »Berlin hat die Schnauze voll«, titelte *Bild.* »+++ Nur noch 247 Züge von 562 sind im Einsatz +++ Tausende Pendler kommen nicht weg +++«[196]

Und für diese kaum noch in Worte zu fassende Zumutung erhält die Bahn – wie die meisten privatisierten Infrastrukturbereiche – noch immer reichlich Steuergelder, in diesem Fall 2,5 Milliarden jährlich. Sie legt 1700 Kilometer Schienen still, also fünf Prozent des gesamten Schienennetzes, und sahnt trotzdem ab wie besessen. Auch der Bahnexperte Professor Christian Böttger von der Berliner Fachhochschule für Technik und Wirtschaft ist fassungslos: »Da bekommt jemand Geld für eine genau beschriebene Leistung. Aber wenn er die Leistung nicht erbringt, bekommt er das Geld trotzdem.«[197]

Zum Ärger gesellt sich auch noch das finanzielle Desaster. Die beispiellose Schlamperei hat nach Angaben von Bahn-Chef Rüdiger Grube am 10. Januar 2011 schon in den Jahren 2009 und 2010 den Mutterkonzern – also letztlich den Steuerzahler – zusammen 370 Millionen Euro gekostet; bis 2014 sollen die Gesamtkosten auf 700 Millionen Euro hochschnellen.[198]

Die Bahn selbst war keinen Deut besser. So musste Verkehrsminister Peter Ramsauer in seinem Bericht zur Verkehrslage im Winter kleinlaut zugeben, die Pünktlichkeit sei im Dezember zeitweise unter 70 Prozent gesunken, bei der Ankunft der Güterzüge sogar unter 49,1 Prozent – nebenbei eine erstklassige kostenlose Werbung für den Lkw-Fernverkehr.[199]

Aber der Geldsack wird so lange vollgestopft, bis er reißt. Und am 19. Januar 2011 war's dann so weit.

Klagelied eines sparsamen Pferdezüchters:
Gerade wo ich dem Gaul das Fressen abgewöhnt habe,
stirbt er mir weg.

»Börsengang am Sankt-Nimmerleins-Tag«, meldete N24. »Nach dem Winter-Chaos hält Bundeskanzlerin Angela Merkel den Schritt für nicht mehr vermittelbar.«[200]

»Tausche Parteispende gegen DDR-Vermögen« – die Treuhand

Kommen wir zum mit Abstand größten Skandal von Verschleuderung der Steuergelder und politischer Korruption in der bundesdeutschen Geschichte – zur »Abwicklung« der DDR. Dieser Vorgang zeichnet sich nämlich durch eine im In- und Ausland bestaunte Pointe aus: Nicht gegen einen einzigen Politiker gibt oder gab es wenigstens Ermittlungen wegen Bestechlichkeit oder Untreue.

Am 17. Juni 1990 verabschiedet die Volkskammer – also noch das letzte DDR-Parlament! – das sogenannte Treuhandgesetz; zu Silvester 1994 beendet die Treuhandanstalt (kurz: *Treuhand*) ihre Arbeit. In dieser Zeit werden etwa 3600 Betriebe dichtgemacht und nahezu 90 000 Objekte an private Käufer verschleudert (»Schnäppchen«, »Filetstücke«), davon allein 50 000 Immobilien und knapp fünfzehntausend Unternehmen oder Teile davon. Die neuen Eigentümer versprechen 211 Milliarden DM Investitionen und den Erhalt von 1,5 Millionen Jobs.[201]

Unterm Strich bleiben der Treuhand 256,4 Milliarden DM Schulden. Dies ist umso bemerkenswerter, weil der erste Treuhand-Chef, Detlev Karsten Rohwedder (SPD), der im April 1991 ermordet wurde, am 22. Oktober 1990 über die der Treuhand anvertraute DDR-Volkswirtschaft geurteilt hatte: »Der ganze Salat ist etwa 600 Milliarden Mark wert«[202].

Dies bedeutet rein rechnerisch einen Gesamtfehlbetrag von weit über 850 Milliarden DM. Nicht auszudenken – auch wenn Neoliberale bei diesem Argument im Pawlowschen Reflex an die Decke gehen –, was von diesem Geld für Schulen, Kindergärten, Krankenhäuser und Infrastruktur hätte ausgegeben werden können. Noch aufschlussreicher aber ist, dass allein die Schäden durch halbseidene »Investoren«, »kriminelle Mitarbeiter« und andere Wirtschaftsgangster nach Schätzungen von Experten bis zu 10 Milliarden Mark betragen.[203]

Der Mord am früheren Hoesch-Chef Rohwedder vom 1. April 1991 wurde zunächst wie damals fast jede Straftat der RAF zugeschrieben, gilt aber selbst für das BKA bis heute als ungeklärt. Nun fragen die Ermittler nicht nur im *Tatort* vor allem nach dem Motiv. Wem nützte sein Tod und die Treuhand-Machtübernahme durch die abgebrochene Studentin der Politikwissenschaft, gelernte Einzelhandelskauffrau[204] und niedersächsische Finanzministerin Birgit Breuel (CDU)? Die Differenz von Rohwedders Prognose und Breuels Ergebnis beträgt fast eine Billion Euro zu Lasten der Steuerzahler und zugunsten der erfolgreichsten Schnäppchenjäger – also logischerweise nicht hauptsächlich der unbescholtenen Durchschnittsbürger, sondern der Konzerne, Spekulanten und Geldadligen. Damit drängt sich eine Vermutung geradezu auf, die aber hier nicht weiterverfolgt wird, sondern dem kritischen Leser Anlass für eigene Schlüsse geben soll.

Im Januar 1994 musste die Regierung Kohl auf eine Kleine Anfrage der PDS / Die Linke im Bundestag kleinlaut zugeben, dass die Treuhand ein einziger Sumpf und ein wahres Eldorado der Korruption war:
Die Stabsstelle »Besondere Aufgaben« der Treuhandanstalt war seit ihrem Bestehen ab Februar 1991 bis September 1993 in über 1400 Fällen dem Vorwurf strafrechtlich relevanten Verhaltens nachgegangen. In diesem Zeitraum wurden 586 Ermittlungsverfahren der staatlichen Strafverfolgungsbehörden registriert; 188 dieser Ermittlungsverfahren wurden aufgrund von Strafanzeigen der Treuhandanstalt eingeleitet. Von diesen 586 Ermittlungsverfahren betrafen 292 Verfahren Privatisierungsvorgänge; 56 dieser Ermittlungsverfahren sind eingestellt worden, in 64 Fällen liegen Urteile vor, und in sieben weiteren Fällen ist Anklage erhoben worden.[205]
Bis Ende 1996 mussten sich hundertachtzig Personen wegen Untreue verantworten, sechs wurden verurteilt. Insgesamt verzeichneten die Strafverfolgungsbehörden eintausendachthundertundeins Fälle von Wirtschaftskriminalität sowie dreihun-

dertsiebenundfünfzig Verfahren zwischen 1991 und 1994 wegen »Aushöhlung« von Recht und Gesetz.[206]

»Neben dem eindeutig kriminellen Bereich der Aushöhlung, des Betrugs und der Bilanzfälschung gibt es noch eine riesige Grauzone«, schreibt Michael Jürgs im *Spiegel* unter dem treffenden Titel »Ein Land im Sonderangebot«. »In der räumen jene sauberen Herren ab, die normalerweise nie als Beklagte vor Gericht erscheinen müssen – jene fünftklassigen Unternehmensberater, viertklassigen Liquidatoren, drittklassigen Anwälte und zweitklassigen Wirtschaftsprüfer, die alle eines gemeinsam haben: Auch für schlechten Rat und miese Arbeit kassieren sie erstklassige Honorare.« Und das Schönste: »Diese Absahnierer, die sich selbst Patrioten nennen, haben sich strafrechtlich meist nichts zuschulden kommen lassen. Skrupellos nutzen sie nur die Ahnungslosigkeit ihrer Opfer oder die Kooperationsbereitschaft großzügiger Treuhändler aus. Gegen diese Art von Unmoral gibt es keine Paragraphen.«[207]

Zwei von ihnen stellt Jürgs dem staunenden Publikum persönlich vor: »Die beiden jungen Treuhand-Mitarbeiter Hans-Peter Rechel und Gregor Zinsmeister beispielsweise merken rasch, dass ein selbständiger Liquidator von todgeweihten Treuhand-Firmen sehr viel mehr Geld verdient als die lächerlichen 150 000 Mark Gehalt und 30 000 Mark Bonus, die ein Treuhändler ihres Ranges im Jahr verdient. Der junge Jurist Rechel und der ehemalige Sparkassenangestellte Zinsmeister wechseln daher im Herbst 1992 mit Genehmigung ihrer Treuhand-Chefs ins Lager der freiberuflichen Abwickler von Treuhand-Firmen über.«

Dass dieser Jobwechsel richtig Kohle brachte, kam im Sommer 1994 im Bonner Treuhand-Untersuchungsausschuss ans Tageslicht. Dort stellte man nämlich fest, »dass der frühere kleine Sparkassenmann Zinsmeister von November 1992 bis Mai 1994 insgesamt 10 579 533 Mark Liquidationshonorar einstrich. Rechel brachte es in dieser Zeit auf 8 441 022 Mark«.[208]

Bereits unmittelbar nach der Einheit garantiert Theo Waigel in einem Schreiben vom 26. Oktober 1990 der gesamten Treuhand-

Führung die »Freistellung von der Haftung für grobe Fahrlässigkeit« im Umgang mit dem Staatseigentum der Ex-DDR: »Hiermit ermächtige ich den Vorstand, namens der Treuhand die Mitglieder des Verwaltungsrates von der Haftung für grobe Fahrlässigkeit bis zum 30. Juni 1991 freizustellen. Ferner werden Sie ermächtigt, für die zweijährige Laufzeit der Bestellung der Verwaltungsratsmitglieder eine Freistellung von der Haftung für leichte Fahrlässigkeit vorzusehen.«[209]

§ 266 StGB Untreue

(1) Wer die ihm durch Gesetz, behördlichen Auftrag oder Rechtsgeschäft eingeräumte Befugnis, über fremdes Vermögen zu verfügen oder einen anderen zu verpflichten, missbraucht oder die ihm kraft Gesetzes, behördlichen Auftrags, Rechtsgeschäfts oder eines Treueverhältnisses obliegende Pflicht, fremde Vermögensinteressen wahrzunehmen, verletzt und dadurch dem, dessen Vermögensinteressen er zu betreuen hat, Nachteil zufügt, wird mit Freiheitsstrafe bis zu fünf Jahren oder mit Geldstrafe bestraft.

Die hier enthaltene Befristung bis zum 30. Juni 1990 verlängert Waigel für »leichte Fahrlässigkeit« per Brief vom 6. Juli 1992 an Birgit Breuel bis zum 31. Dezember 1993.[210]
Bekannt wurde das Schreiben erst 1994 in einer Sitzung des Treuhandausschusses des Bundestages, von der verständlicherweise die Öffentlichkeit ausgesperrt worden war. Und das hieß, wie die Regensburger Amtsrichterin und SPD-Bundestagsabgeordnete Erika Simm dem Ausschuss erläuterte, dass die Treuhandspitze beim Umgang mit dem Staatseigentum der Ex-DDR zur »gröblichen Außerachtlassung der im Geschäftsverkehr üblichen Sorgfalt« ermächtigt war.[211]
Sie meint hier offenbar § 93 des Aktiengesetzes, der eine scharfe Haftung des Vorstandes vorschreibt.[212] In einem Brief an Theo Waigel vom 24. Juni 1991 erklärt Birgit Breuel »die Haftungsfreistellung in Fällen grober Fahrlässigkeit für erforderlich«. Denn,

so schreibt sie Waigel am 13. August 1991, »schon die Sorge vor einer bloßen Drohung mit Schadensansprüchen in der Öffentlichkeit muss ... bei den hiervon Betroffenen Vorsorgemaßnahmen auslösen, die persönlich und finanziell belastend sind«.[213] Damit nicht genug: Das SPD-Minderheitsvotum des Untersuchungsausschusses »Treuhandanstalt« hält unter Hinweis auf die Kritik des Bundesrechnungshofs und des Rechnungsprüfungsausschusses des Bundestages fest, dass die Treuhand sogar diesen Freibrief entgegen Waigels »Auffassungen« auf »sonstige MitarbeiterInnen ausdehnte«[214]. Dies habe sie vor allem getan, »als sie unter der Verantwortung des damaligen Vorstandsmitglieds Rexrodt eigenmächtig auch mit externen Beratern, denen ein Tageshonorar von 2500 DM zustand, Vereinbarungen über deren Haftungsfreistellung einging«.[215]

Letztlich trieb den Treuhandvorstand bzw. Frau Breuel vor allem eines um: die Angst »im Hinblick auf staatsanwaltliche Ermittlungen gegen Mitarbeiter und Organmitglieder der Treuhand wegen des Verdachts der Untreue im Zusammenhang mit dem Verkauf von Unternehmen«.[216]

Diese Befürchtung der Treuhand-Chefin greift Waigel in einem Brief vom 8. Dezember 1992 auf: »Der in der Präambel des Treuhandgesetzes verankerte Beschleunigungsgrundsatz bei der Privatisierung kann es daher unter Berücksichtigung der gesamtwirtschaftlichen Belange gegebenenfalls auch rechtfertigen, Unternehmensverkäufe zu akzeptieren, die für die Treuhand zu einem schlechteren finanziellen Ergebnis führen als die Eigensanierung, die Liquidation oder die Gesamtvollstreckung.«[217]

Auf Deutsch: grünes Licht für hemmungslose Schnäppchenverkäufe. Jedes noch so schlechte Geschäft lässt sich rechtfertigen. Fast möchte man hinzufügen: »Man darf sich nur nicht bei der Schmiergeldübergabe erwischen lassen.«

Waigel wird aber noch deutlicher: »Wenn die Zielerreichung in dieser Weise abgesichert ist und die im Einzelfall maßgeblichen gesamtwirtschaftlichen Eckdaten ausreichend dokumentiert sind, dürften sich keine Anhaltspunkte für einen Ermessenfehlge-

brauch oder eine Überschreitung des Ermessensspielraum ergeben. Da der Treuhand ein Ermessensspielraum durch den Gesetzgeber eingeräumt worden ist, wird sich bei Privatisierungen der
Verdacht der Untreue im Regelfall kaum begründen[218] lassen,
insbesondere wenn im Rahmen einer ordnungsgemäßen Ausschreibung der Bestbieter den Zuschlag erhält ...«[219]

Waigel befasst sich also weniger mit dem eigentlichen Thema Untreue als mit der Frage, ob man sie nachweisen kann. Damit nä-
hert er sich der Argumentationsweise eines gerissenen Strafver-
teidigers an. Der letzte Halbsatz ist übrigens nur scheinbar eine
Einschränkung des »Freibriefs«; in Wahrheit unterstreicht er ihn:
Das Wort »insbesondere« steht hier im Gegensatz zu »ausschließlich«. Es bedeutet lediglich »besser wär's«, und das heißt wiederum: »Unbedingt erforderlich sind Ausschreibung und Zuschlag
für den Bestbieter nicht.« Der *Konkret*-Kolumnist Otto Köhler
folgert: »Die Waigel-Ermächtigung war ein vollkommener Ablass
für jeden Unterschleif,[220] jeden Betrug, wenn er nur zur eiligen
Desindustrialisierung Ostdeutschlands führte.«[221]

Es verdient festgehalten zu werden, dass Birgit Breuel und auch
Theo Waigel offenbar eine »vernünftige« Abwicklung ohne unzählige Rechtsbrüche für unmöglich hielten. Und da kann man
sich nun aussuchen, ob das ein Armutszeugnis für das Rechtssys-
tem ist oder ob es sich schlicht um »Kriminalität mit Ankündi-
gung« handelt. Da die massenhafte Kriminalität ja aktenkundig
wurde und da niemand mehr später versucht hat, diesen juristischen »Mangel« durch Gesetzesänderung zu beheben, spricht
mehr für die zweite Variante.

Dass bei derlei Blankovollmachten ein zumindest sorgloses Verhalten geradezu vorprogrammiert war, belegt auch die Äußerung
des für die Leuna-Privatisierung verantwortlichen Treuhand-
Vorstands Klaus Schucht,[222] ihn hätten weder die Kostenkalkula-
tion für den Raffineriebau noch die Details der Auftragsvergabe
an ein Dreierkonsortium unter Führung der Thyssen-Tochter
Rheinstahl-Technik interessiert: »Wir haben nur gesagt: Ihr
müsst bauen, was Ihr benötigt. Das Geld, das Ihr dafür als Unter-

stützung braucht, das holt Ihr Euch aus Sachsen-Anhalt.«[223] Auf
Deutsch: »Geld spielt keine Rolle. Der Steuerzahler hat's ja.«
Vor diesem Hintergrund kann die Korruptionsfraktion der Treu-
hand-Belegschaft über alle einschlägigen Verdächtigungen und
sogar Beweise natürlich nur müde lächeln. Sie hatte es ja sogar
vom Minister persönlich und schriftlich, dass sie – aus echter oder
vorgeschobener Schlampigkeit, ja selbst aus »Jux und Tollerei« –
Milliarden unserer Steuergelder veruntreuen und alle möglichen
fremden und eigenen Taschen damit vollstopfen durfte.
Kurzum: Würde man Waigels und Breuels Coup mit den Praktiken
einer Bananenrepublik vergleichen, so käme dies einer Beleidigung dieser Staaten gleich. Und wendete man diese Praktiken gegen die Angst von Polizisten vor Anzeigen wegen Körperverlet-
zung an, dann hieße der Rat nicht, »behandelt die Bürger den Gesetzen entsprechend«, sondern »knallt ab, was euch vor die Knarre
kommt; ihr könnt alle eure Handlungen als Notwehr hinstellen«.
Statt der *Lizenz zum Töten* für James Bond 007 nun die *Lizenz
zum Plündern der Staatskasse* für Treuhand-Mitarbeiter 0815.
Vor diesem Hintergrund überrascht es nicht, dass es quasi zum
»Ehrenkodex« der Treuhand-Führung gehört, wenn irgend möglich Dritten den Einblick in Privatisierungsverträge zu verwehren,[224] was der Untersuchungsausschuss »Treuhand« in bemerkenswerter Schärfe kritisiert.

> »Die Weigerung der Treuhand, dem Untersuchungsausschuss
> den Blick in die Protokolle der Vorstands- und Verwaltungsrats-
> sitzungen zu gewähren, ist *ein* Stein in dem von ihr mit Billigung
> der Bundesregierung konzipierten System, mit dem sie sich
> gegen jegliche externe Kontrolle zu immunisieren versucht. Die
> rechtsstaatlichen Regeln, nach denen jede Behörde des Bundes
> einer umfassenden Rechts- und Fachaufsicht durch den jeweils
> zuständigen, dem Parlament verantwortlichen Bundesminister
> unterliegt, waren für die Treuhand de facto außer Kraft gesetzt.
> Die Treuhand war und ist ein Fremdkörper im Rechtsstaat.«[225]

Dies alles konnte nur funktionieren, weil Minister Waigel sich allem Anschein nach tunlichst »heraushalten« wollte. So kritisiert das SPD-Votum, »dass dem Bundesminister für Finanzen von den ca. sechstausend Unternehmensverkäufen nur hundertfünfzig (also 2,5 v. H.) zur vorherigen Genehmigung vorgelegt, von ihm also die meisten Unternehmensverkäufe (ca. 5850 oder 97,5 v. H.) gar nicht zur Kenntnis genommen und nicht geprüft worden sind. Diese Einengung der Einwilligungspflicht auf die ›bedeutendsten Unternehmensverkäufe‹ war rechtswidrig.«[226]

Die vernichtende Schlussfolgerung lautet: »Aufgrund der Erhebungen des Bundesrechnungshofes … steht fest, dass der Bundesminister für Finanzen auch die Fachaufsicht nur mangelhaft wahrgenommen hat.«[227]

Wer übrigens gedacht hat, die altbundesdeutschen Eliten meinten es auch nur im Geringsten ernst mit der »Abrechnung« mit den Machthabern und Seilschaften der DDR-Diktatur, der sei anhand eines skurrilen Beispiels eines Besseren belehrt:

Kurz nach der Vereinigung gründete der frühere HO-Direktor[228] Alfred Pfennig in Artern (Kreis Thüringen) die Handelsgesellschaft *Multi 90*. Laut *Spiegel* waren »gute Freunde bei der Treuhand in Halle … behilflich«.

Zur Multi 90 gehörten sämtliche HO-Läden und -Gaststätten des Kreises. Geschäftsführer Pfennig herrschte in seinem neuen »marktwirtschaftlichen« Unternehmen »ungestörter als in alten Tagen. ›Früher wurde der alte SED-Mann wenigstens von seiner Partei kontrolliert‹, sagt ein Mitarbeiter, ›heute macht er wirklich, was er will.‹«

Natürlich lässt der Ex-Genosse Pfennig »auch alte Freunde nicht verkommen. So bekam der ehemalige Stasi-Chef der Kreisstadt Artern ein florierendes Restaurant in der Nähe des historischen Kyffhäuser zum günstigen Mietzins. Als sich der örtliche Pfarrer öffentlich über die neuen Privilegien der alten Seilschaft beschwerte, meinte der Multi-Chef lakonisch: ›Ich habe doch nur dem Wunsch des Volkes entsprochen: Stasi in die Produktion.‹«

Das Hamburger Nachrichtenmagazin berichtete im Januar 1991, monatelang hätten Kommunalverwaltung und Parteien versucht, Pfennig abzusägen. Vergeblich: »Die Treuhand aber hält bislang fest zu ihm. Man sehe, so hieß es, keinen Anlass, gegen den Multi-Mann vorzugehen.« Und: »Die Edeka steht ebenso fest an Pfennigs Seite. Er hat schließlich dafür gesorgt, dass die Handelsfirma die 55 000 Menschen im Kreis Artern quasi unter Ausschluß der Konkurrenz versorgt und die Preise diktiert.«[229]

Da diese Dreierseilschaft aus Treuhand, Westkonzern und Stasi offenbar die Regel war, wird die oben genannte skandalöse Differenz von fast einer Billion DM zwischen Wert und Abwicklungsbilanz der alten DDR so langsam nachvollziehbar.

Die Korruptionsanalyse im Fall der Treuhand-Chefin Breuel ergibt das befürchtete bedenkliche Ergebnis: Verpflichtet war Breuel als »Angestellte« des *Deutschen Volkes* in erster Linie ebendiesem Volk, nicht etwa dessen anderen »Angestellten« Kohl und Waigel, geschweige denn ihrer Partei oder sonst wem. Die Verkäuferin in einem Autohaus ist ja auch in erster Linie dem Besitzer verpflichtet und nicht etwa dem Prokuristen, Abteilungsleiter oder »unserer Wirtschaft«. Dies ist so lange und nur so lange bedeutungslos, wie die vorgesetzten Agenten als exakt ausführendes Organ des Prinzipals handeln und keine Eigeninteressen entwickeln. Hat Breuel aber Eigeninteressen anderer »Angestellter« des Volkes befriedigt und dafür eine Gegenleistung erhalten, so war dies ein *korrupter Tausch.*

Die renommierte Breuel-Biografin Almut Nitzschke fasst anschaulich zusammen, was die gelernte Verkäuferin als Treuhandchefin zugunsten von Regierung und Wirtschaft und zum 856-Millionen-Schaden des Deutschen Volkes so alles angerichtet hat, vor allem beim Quasi-Verschenken der Ex-DDR-Betriebe:

»Wenn die neuen BesitzerInnen den Erhalt von Arbeitsplätzen versprechen, bekommen sie die Betriebe oft für eine symbolische Mark geschenkt. Obendrein gibt es Zuschüsse und Fördermittel zur Sanierung der Betriebe.

Die im Frühsommer 1991 aufkommende Idee, überzählige ArbeitnehmerInnen in Beschäftigungsgesellschaften aufzufangen, um sie dort gezielt schulen zu können oder sie für die Sanierung ökologischer Altlasten einzusetzen, statt sie in die Arbeitslosigkeit zu entlassen, stößt auf Breuels energischen Widerstand. Offenbar ist es ihr wichtiger, die Firmen schnell verkaufen zu können (was ohne bestehende Arbeitsverträge einfacher ist), als den Übergang in die Marktwirtschaft für die Betroffenen sozial verträglicher zu gestalten.

Durch ihr hektisches Vorgehen fällt die Treuhand immer wieder auf Wirtschaftskriminelle herein. Eine vom Bundesrechnungshof in Auftrag gegebene Analyse deckt später einen unfassbaren Umfang an Betrügereien auf. Das Spektrum reicht von mehrfach bezahlten Rechnungen über mittellose InvestorInnen, die mit dem Bargeld der erworbenen Betriebe flüchten, und Geldwäscheaktionen der internationalen Mafia – indem man Investitionen verspricht, Zuschüsse und Fördermittel kassiert, diese verschwinden und die Firmen pleitegehen lässt – bis hin zu den »InvestorInnen«, die potenzielle KonkurrentInnen nur aufkaufen, um sie auszuschlachten und plattzumachen.[230]

Als Gegenleistung erhielt sie neben ihrem Jahresgehalt von 700 000 Mark[231] auch immateriellen Lohn in Form von neuen Ämtern wie dem der Chefin der Weltausstellung Expo 2000 in Hannover, peinlichen Lobeshymnen[232] und sogar 1994 die Ehrendoktorwürde der Rechtswissenschaftlichen Fakultät der Universität Köln.

Reicht dies aber außer für ein hämisches Grinsen auch für den Nachweis der Korruption? Dazu ein Beispiel: Würde der Prokurist eines Autohauses zur Mitarbeiterin sagen: »Ich verschaffe Ihnen eine Traumkarriere und bringe Sie als beste Verkäuferin in die Zeitung, wenn Sie meinem Tennisfreund ein Auto zum halben Preis überlassen«, dann wäre die Schummlerin im Enttarnungsfall der Korruption schuldig und könnte sich nicht auf die Weisung des Prokuristen berufen.

Eine fast schon strafwürdige Beleidigung des Wählerverstandes war die überparteiliche Ausrede, das Treuhand-Personal sei fachlich überfordert und zu naiv gewesen.

So erwähnt das SPD-Votum sogar die »teilweise überzogene Vergütung insbesondere derjenigen TreuhandmitarbeiterInnen, die aufgrund ihrer fehlenden Berufsausbildung oder -erfahrung mit Treuhandaufgaben nicht hätten betraut werden dürfen«,[233] und die »Honorare an Liquidatoren in Höhe von bislang 500 Mio. DM, deren Leistung in keinem Verhältnis zu ihrem Aufwand und ihrer Berufserfahrung gestanden hat«.[234]

Aber der Vorwurf mündet im Wesentlichen in den der »fatalen Leichtgläubigkeit.[235] Gerade eine solche Analyse aber ist »leichtgläubig«, und womöglich ist es auch »leichtgläubig«, den Kritikern »Leichtgläubigkeit« zu unterstellen. Es ist nämlich nicht unbedingt glaubwürdig, dass niemand zumindest den Verdacht großangelegter Korruption artikuliert hat.

Man stelle sich dies im normalen Wirtschaftsleben vor: Wenn der Personalchef eines Mittelstandsunternehmens eine Person ohne Ausbildung zu einem Traumgehalt als Steuerberater einstellt, tippt da der Inhaber auf »Leichtgläubigkeit« des Personalchefs – oder nicht eher auf korrupte Zusammenarbeit mit dem »Steuerberater«? Wenn ein Immobilienmakler eine Zwei-Millionen-Villa für 200 000 Euro abgibt, vermutet da der Chef, sein Angestellter habe sich »übers Ohr hauen lassen« – oder nicht eher, er mache mit dem Käufer gemeinsame Sache?

Es wäre zumindest eine Frage wert gewesen, ob ein Treuhand-Mitarbeiter ein »ehrenamtlicher Kapitalistenknecht« war oder nur deshalb beim Transfer von DDR-Staatseigentum in westliches Konzernvermögen geholfen hat, weil er persönlich auch gewaltig davon profitiert hat. Und statt populistisch zu betonen, dass die »Mitarbeiter und Mitarbeiterinnen ... in der Mehrheit eine ordnungsgemäße Arbeit geleistet haben«,[236] hätte man den im SPD-Votum aufgeführten »ungewöhnlichen Bereicherungsaktionen ehemaliger Mitarbeiter«[237] nachgehen müssen.

Wieso zum Beispiel konnten Liquidatoren Unternehmen des von

ihnen betreuten Liquidationsverfahrens kaufen, und wieso konnte die Treuhand die Informationen zur Aufklärung der Verdächtigungen mit Hinweis auf »zu gewährleistende Vertraulichkeit verweigern[238]? Wie konnte es überhaupt sein, dass Liquidatoren, die nicht über die geringste einschlägige Ausbildung und Erfahrung verfügten,[239] atemberaubende Honorare erhielten?[240] Der Leiter des Treuhand-Direktorats Abwicklung, der diese Liquidatoren einstellte – Ex-Chefliquidator Ludwig M. Tränkner –, gibt dem Ausschuss zu Protokoll: »… ich hätte gerne eine Management-KG gekauft … Und mein Traum war, die Unternehmen zu sanieren, zu verkaufen und damit Geld zu verdienen … das war für mich Personalfürsorge. Dass daraus so eine Kiste entstanden ist, so nach dem Motto ›der Tränkner-Selbstbedienungsladen‹,[241] ist einfach die infame Geschichte daran.«[242]

Das prinzipielle Problem bei der DDR-Abwicklung wie bei der Privatisierung überhaupt ist aber eben der Beweis: Denn sogar das Verschenken von Staatseigentum kann als »unter globalen Aspekten vernünftig«, sogar das unverschämteste Honorar und die peinlich-steilste Karriere als »der gigantischen Leistung angemessen« sowie »dem Wunsch unserer Bürger entsprechend« hingestellt werden.

Andererseits sollten sich viele Reiche und Mächtige nicht zu früh freuen, denn die beschämende Tatsache, dass Privatisierungskriminalität fast immer straflos bleibt, erweist sich bei näherer Betrachtung als Pyrrhussieg. Beim Normalbürger führt das eben gerade nicht zu einer Steigerung ihres Ansehens, vielmehr zu einem weiteren Verlust des Vertrauens in die Justiz: »Die Großen lässt man laufen«, wird für viele von der larmoyanten Volksweisheit zur tagtäglich aufs Neue bewiesenen Gewissheit. Dies aber höhlt die Zustimmung zu unserem Gesellschaftssystem und ihren Repräsentanten schneller aus als der sprichwörtliche stete Tropfen den Stein.

Denn eines ist und bleibt die Achillesferse dieser Art von Korruption: Bekanntlich müssen Politiker und Parteien letztlich gewählt werden. Und es ist gut möglich, dass ab einem gewissen Punkt alle noch so komplizierten und gewundenen Ausreden und Hinweise auf die »Rechtslage«, »Nachhaltigkeit« oder »tiefer verstandene Interessen« die Wähler gar nicht mehr interessieren,[243] so dass sie irgendwann nur noch nach »gesundem Menschenverstand« urteilen und handeln, in »Politik(er)verdrossenheit« verfallen, sich rechtsradikalen Parteien zuwenden oder sich ohne und gegen die Parteien selbst organisieren. Die jüngsten Proteste wie gegen Stuttgart 21 und die Castor-Transporte mögen erst der Anfang gewesen sein.

»Patriotismus« auf neoliberale Art

Gleich zwei Superlative bot die »Zuwendung« von 5,9 Millionen Mark des Milliardärs- und Unternehmerpaares Karl und Ingrid Ehlerding im September 1998 an die CDU (davon fünf Millionen an die Bundespartei, der Rest an den Landesverband Mecklenburg-Vorpommern): Zum einen ist es bis heute eine der größten Einzelspenden in der Geschichte der Bundesrepublik. Zum anderen ist die Vehemenz, mit der ein Zusammenhang mit dem Verkauf von 112 600 Eisenbahnerwohnungen kurz zuvor an ein Bieterkonsortium unter Führung der Ehlerding-Firma WCM von allen Beteiligten abgestritten wurde, an Dreistigkeit kaum noch zu überbieten.

Die Fakten: Im Juni 1998 verscherbelte Bundesverkehrsminister Matthias Wissmann (CDU) auf Drängen von Bundeskanzler Helmut Kohl die ehemaligen DDR-Quartiere trotz eines um eine Milliarde höheren Angebots aus Japan für 7,1 Milliarden Mark an Ehlerding & Co.[244]
Am 23. September 1998 soll Kohl persönlich in Hamburg gleich mehrere auf ein Konto der Bankgesellschaftstochter Berliner Bank ausgestellte Schecks von den Ehlerdings erhalten haben.
Finanzminister Theo Waigel rechtfertigte im Jahre 2001 vor dem Bundestagsuntersuchungsausschuss »Parteispenden« den anrü-

chigen Deal mit der abwegigen Behauptung, ein Verkauf an die Japaner sei »gesellschaftlich nicht durchsetzbar« gewesen. Aber klar doch: Die Deutschen kaufen ja auch keine japanischen Autos, Fernseher, Hi-Fi-Elektronik und PCs.

Ingrid Ehlerding, Kanzler Kohl und Matthias Wissmann jedenfalls wollten dem Ausschuss weismachen, Verkauf und Spende hätten nichts miteinander zu tun, was die parlamentarischen Ermittler offenbar mehrheitlich halbwegs zufriedenstellte.[245]

Helmut Kohl und auch die heutige Union wird es wenig jucken – selbst Haftstrafen wegen Untreue und Korruption hätten die damaligen Akteure längst abgesessen: Im Jahre 2010 – also neun Jahre nach ihren Aussagen im Ausschuss – widerriefen die Ehlerdings und beschuldigten nun die CDU, sie zum Tricksen und zur Verteilung der Spende auf zwei Jahre gedrängt zu haben.[246]

Die einen spenden, die Empfänger verkaufen den Spendern Wohnungen eine Milliarde Mark unter Wert – und das innerhalb weniger Tage. Ein Korruptionsbeispiel für Hilfsschüler, sollte man meinen. Politik und Justiz aber sahen parteiübergreifend die zeitliche Nähe – von der inhaltlichen ganz zu schweigen – des Verkaufs und der Spende als so zufällig wie etwa einen TV-Auftritt vom Heidi Klum mit einem Tobsuchtsanfall eines tibetanischen Bettelmönches. Aber nach dieser Logik ist auch die zeitliche Nähe eines Kopfschusses zum Ableben des vorher kerngesunden Opfers rein zufällig.

Auch hier gilt: Im Grunde ist die juristische Würdigung relativ egal. Wichtig ist, wie die Sache beim mündigen Bürger ankommt. Bekanntlich sind Systemgegner über allzu offenkundige Dummfrechheit der »Herrschenden« nicht verärgert, sondern hoch erfreut. Da braucht man dem Volk nichts mehr zu »erklären«, sondern nur die schlichten Fakten sprechen zu lassen. Und es ist immer wieder amüsant zu erleben, wenn in einer Diskussion ein Kritiker für das Verlesen einer Passage aus einem Bericht eines Bundestagsuntersuchungsausschuss keine zwanzig Sekunden braucht, der Politiker aber – vom hämischen Gelächter unvoreingenommener Demokraten begleitet – über vier Stunden benötigt, um dieses kurze Zitat »richtigzustellen«.

Die Entscheidung der Kohl-Regierung zugunsten des Ehlerding-Konsortiums wurde übrigens Ende 2000 von der neuen Bundesregierung korrigiert: Die Mehrzahl der Wohnungen wurden der deutschen Tochterfirma eines japanischen Unternehmens zugesprochen.[247]

Die Allianz-Rente

Entsprechend ist auch die Ergänzung der staatlichen durch die private Altersvorsorge eine Beleidigung für den Verstand, denn die Bürger sollen dabei ja meist noch viel mehr als das, was sie an staatlichen Rentenbeiträgen sparen, den Privatversicherern hinterherwerfen.[248] Zudem hilft bei der angeblichen Erfolgsgeschichte der Privaten der sonst so verhasste Staat stets ein wenig nach: Durch die sogenannte Riester-Rente sponsert er die Versicherer – man gönnt sich ja sonst nichts – allein im Jahre 2008 mit über zwei Milliarden Euro.[249] Dieses Geld fehlt natürlich der gesetzlichen Versicherung.

Wenn private Renten überhaupt einigermaßen sicher sind, dann ausschließlich deswegen, weil im Notfall der Steuerzahler einspringt, wenn sich die skrupellosen Maximalprofitjäger mal wieder verzockt haben – wobei der Staat nicht etwa nur die reinen Verluste ausgleicht, sondern die entgangenen Fantasierenditen gleich mit. So wird der Schaden vom Aktionär abgewendet, der Bürger aber beklagt fehlende Kindergärten oder verrottende Schulen.

Die publizistische Untermauerung dieses Deals vollzog sich in mehreren Schritten:
- Zunächst ruinierte man, vom neoliberalen Privatisierungstrieb besessen, mutwillig die staatliche Rentenversicherung,

indem man ihr in einer Art legalen Betrugs die Kosten der deutschen Einheit aufbürdete.

- Zusätzlich beim Bürger diffamiert wurde und wird sie durch mehrjährige Nullrunden sowie das gebetsmühlenhafte und gleichgeschaltete Gerede, die gesetzliche Rente sei durch die »Sachzwänge der Globalisierung, womöglich durch den Wirtschaftsaufschwung auf Tahiti, völlig am Ende und müsse um jeden Preis unbedingt durch die windige private Vorsorge ergänzt werden. Wohin so etwas führt, erfuhren Millionen US-Bürger durch den Komplettverlust ihrer Altersvorsorge bei der Enron-Pleite.

- Vollends für dumm verkaufte man die Bürger durch die vollidiotische Rechnung, man brauche die Rentenbeiträge nicht über einen bestimmten Satz (etwa zwanzig Prozent) steigen zu lassen, wenn die Bürger so naiv wären, ein Vielfaches des hier scheinbar gesparten Geldes den privaten Vorsorgern in den Rachen zu werfen. Man »unterstellt, dass die Betroffenen nicht fähig sind, 20 und 4 oder 20 und 5 zusammenzuzählen«.[250] Auch hier winkt Enron wie der Serienkiller nachts auf der Landstraße. Jeder Horrorfilmkenner weiß, was geschieht, wenn man ihn einsteigen lässt.

Dass die Subventionierung der Konzerngewinne ein Fass ohne Boden ist, zeigte die nur notdürftig bemäntelte Erpressung vom Herbst 2003, man werde einige saubere Pleiten nach Vorbild des Bankrotts des US-Energieriesen Enron hinlegen, sollte die Regierung nicht zugunsten der Aktionäre noch ein paar Steuermilliarden herausrücken. Prompt beschlossen Schröder / Fischer & Co. ein Hilfspaket, was der haushaltspolitische Sprecher der CDU / CSU-Bundestagsfraktion, Dietrich Austermann, »Politik auf Zuruf von Interessenvertretern« nannte. Sogar die Konzerne taxierten den Wert des erpressten Obolus auf gut fünf Milliarden Euro, und selbst in der SPD-Fraktion wurde Kritik laut, man müsse wegen dieses Geschenks zwei Milliarden Euro aus der Rentenkasse stibitzen.[251]

Das muss man sich auf der geistigen Zunge zergehen lassen: Staatliche Vorsorge wird zugunsten der Versicherungskonzerne ruiniert und das Ganze dann als größere »Rentabilität« der Privatwirtschaft gefeiert. Es ist, als raube jemand gewohnheitsmäßig Senioren im Park aus und erhielte für die Ausrichtung eines Seniorenabends die Ehrenbürgerwürde.

Selbst diese Unredlichkeit ist aber noch harmlos, verglichen mit einem dreisten Coup, der als *Riester-Abzocke* in seriöse Geschichtsbücher eingehen dürfte. Und man kann es durchaus als Symptom der gesellschaftlichen Komplettverblödung werten, dass ein eigentlich simpler Sachverhalt erst vom Aufklärungsmagazin *Monitor* im Januar 2008 entlarvt werden musste.[252] Wie lautete doch gleich der Werbespot der Bundesregierung? »Riestern lohnt sich, auch für Geringverdiener.«[253]

Die verheimlichte Pointe: Wer wegen dieser »moderaten Absenkung« von der Rente nicht leben kann, hat Anspruch auf staatliche Grundsicherung. Und mit der wird die Riester-Rente gegengerechnet! Mit einem Wort: Der Altersarme hat also für das Sozialamt »geriestert«. Sogar der Vorzeige-Experte Bert Rürup gibt zu: »Das bedeutet für Geringverdiener, die erwarten, dass sie ja auf die Grundsicherung im Alter angewiesen sein werden, dass es durchaus rational ist, keinen Riester-Vertrag abzuschließen, so generös er auch immer gefördert ist.«[254]

Zudem handelt es sich keineswegs um ein Problem einiger abgehängter armer Würstchen. Bereits für Normalverdiener lohnt sich Riester nicht, wenn sie 2030 in Rente gehen und nicht mehr als zweiunddreißig Jahre voll in die gesetzliche Rentenkasse eingezahlt haben. Rentenpapst Professor Winfried Schmähl sieht voraus, wegen des Abbaus der Staatsrente in fünfzehn bis zwanzig Jahren für Millionen könne sich »die Riester-Förderung gewissermaßen in Luft auflösen«.[255]

Meinhard Miegel vom Bonner *Institut für Wirtschaft & Gesellschaft* sieht die Sache allerdings weniger verbissen. »Zu riestern ist immer eine gute Tat zugunsten der Allgemeinheit.«[256]

Warum aber wurde all das sorgfältiger geheim gehalten als der

Code für den Roten Knopf zum Zünden einer Atombombe? Der ehemalige Regierungsberater Schmähl poltert los: »Entweder hat man das, das wär' dann natürlich das Schlimmste, bewusst verschwiegen, oder man wollte es einfach nicht wahrhaben, weil eben eine ganz bestimmte Politik durchgesetzt werden sollte.«[257]

»Teure Fahrt für freie Bürger«

Eine der verhängnisvollsten Privatisierungen aber konnte dank der massiven Ablehnung der übergroßen Bevölkerungsmehrheit in letzter Sekunde verhindert werden. Der damalige rot-grüne Finanzminister Peer Steinbrück, der bei jeder Gelegenheit die gemeingefährlichen Heuschrecken als »Segen für die Volkswirtschaft eines Landes«[258] pries, wollte laut *Süddeutscher Zeitung* im Jahre 2005 allen Ernstes den Verkauf des gesamten zwölftausend Kilometer langen deutschen Autobahnnetzes für lächerliche 127 Milliarden Euro an ebendiese Profitgeier »sorgfältig abwägen«. Echter Wert laut *Deutschem Institut für Wirtschaftsforschung:* 213 Milliarden Euro.

Die Folgen kann man sich ohne viel Fantasie und anhand des Bahn-Beispiels ausmalen: »Teure Fahrt für freie Bürger« *(SZ),* und das in doppelter Hinsicht: unbezahlbare Mautgebühren und verrottete Schlaglochwege, gegen die sogar die zu Recht geschmähten DDR-Autobahnen die reinsten Prachtstraßen gewesen wären.[259]

3. Mit vollen Händen zum Fenster raus

Kaum ein Instrument des Staates ist in einer auf Marktwirtschaft beruhenden parlamentarischen Demokratie so wichtig wie die Steuer- und Subventionspolitik. Gerade ein durch Privatisierung immer schlankerer Staat hat ja kaum noch wirkungsvolle wirtschaftspolitische Einflussmöglichkeiten.

Rein theoretisch – auch wenn die aktuellen Machtstrukturen und Kräfteverhältnisse dies in den Bereich der Wunschträume verweisen – könnte die Regierung die Einkommen und Vermögen der Wohlhabenden so besteuern, dass diese zahlenmäßig kleine Kaste pro Person maximal 50 Millionen Euro besäße. Selbst diese Summe ist angesichts der weltweiten und nationalen Armut eine Provokation; aber mit den diesmal von oben nach unten umverteilten zig Milliarden könnte man mühelos nicht nur die dringendsten aktuellen Probleme lösen, sondern *nachhaltig* (hier hätte dieses sonst so verlogene Unwort endlich einmal einen Sinn!) den vom Grundgesetz geforderten Sozialstaat (wieder)herstellen und etablieren.

Die Ausrede »alternative Sachzwänge der Globalisierung« erscheint hier besonders erheiternd: Zum einen können Staaten und Völker auch anders weltweit zusammenwachsen als durch einen mit Angriffskriegen à la Jugoslawien und Irak unterfütterten Siegeszug des von allem »Sozial-Klimbim« [260] und »Bürokratismus« [261] (neoliberale Schimpfwörter für den Sozialstaat und seine Gesetze etwa zum Schutz der Menschenwürde, der Arbeitnehmer und der Umwelt) befreiten Turbokapitalismus. Die Globalisierung wurde schließlich nicht Moses als Anhang zu den Zehn Geboten überreicht, sondern ist in ihrer Gesamtheit irdisches, giergetriebenes Menschenwerk. Kein einziges Gesetz zur »Marktliberalisierung« ist vom Himmel gefallen; praktisch jedes einzelne wurde von mehr oder minder demokratischen *leibhaftigen* Regierungen in aller Welt beschlossen. Und schließlich sind ja auch die USA, die UdSSR und nicht zuletzt Deutschland auf durchaus unterschiedliche Weise zustande gekommen.

Und deshalb, am Rande erwähnt, sind auch Globalisierungskritiker wie Attac samt ihrem Mitglied Heiner Geißler nicht für einen Austritt der Schwäbischen Alb aus der Bundesrepublik, sondern für ein friedliches, von den Völkern gewolltes und der Würde jedes einzelnen Menschen verpflichtetes Zusammenwachsen der Welt.

Steuergeschenke in Ehren kann niemand verwehren

Zum Ende der Regierung Kohl im Jahre 1998 lag der Spitzensteuersatz bei 53 Prozent, Rot-Grün senkte ihn auf 42 Prozent, Schwarz-Rot führte eine »Reichensteuer« von 45 Prozent ab 250 000 Euro Jahresverdienst ein. In der aktuellen schwarz-gelben Fußnote der Geschichte blieb alles unverändert.[262] Eine Vermögenssteuer existiert seit 1997 nicht mehr.

Als große Gewinner der Erbschaftssteuerreform von 2008 machte *Monitor* eine Gruppe aus, nämlich »die superreichen Familienunternehmer und die Besitzer großer Aktienpakete ... beispielsweise die Aldi-Brüder, die Familie Quandt, die Familie Herz, die Familie Braun, Otto, Oetker und Oppenheim ...«[263] Ähnlich urteilt der Bremer Wirtschaftsprofessor Rudolf Hickel: »Durch leistungslosen Zugewinn ... steigt die ökonomische Leistungsfähigkeit und damit auch der soziale Status der Erben.«[264]

Zum 1. Januar 2009 wurde die Abgeltungsteuer von 25 Prozent für private Kapitalerträge eingeführt. Auf Deutsch: Einkommen durch ehrliche Arbeit wird höher besteuert als leistungsloses Einkommen aus ererbtem Reichtum.

Bereits Anfang 1998 hatte Schwarz-Gelb mit der Abschaffung der Gewerbekapitalsteuer den Gemeinden eine ihrer wichtigsten Einnahmequellen geraubt, um sie gezielt zu verarmen und zum Verschleudern ihres Tafelsilbers an halbkriminelle Heuschreckenschwärme zu zwingen.

Während die Politik also ihr Geld wert war und den Superreichen und Großkonzernen paradiesische Zustände bescherte, bat sie den Rest der Bevölkerung zur Finanzierung dieser kleinen, aber kostenfressenden Parasitenkaste zur Kasse. So stieg die wichtigste Verbrauchssteuer, die Mehrwertsteuer, von 10 Prozent zur Zeit der schwarz-roten Regierung Kurt Georg Kiesingers (CDU) auf 19 Prozent unter Merkels schwarz-rotem Bündnis.

Anstieg der regulären / ermäßigten Mehrwertsteuer in Prozent[265]

1. Januar 1968:	10 / 5
1. Juli 1968:	11 / 5,5
1. Januar 1978:	12 / 6
1. Juli 1979:	13 / 6,5
1. Juli 1983:	14 / 7
1. Januar 1993:	15 / 7
1. April 1998:	16 / 7
1. Januar 2007:	19 / 7

Überflüssig, daran zu erinnern, dass Abgaben auf den Verbrauch alle gleich belasten – und damit im Vergleich zu den Steuern auf Einkommen, Vermögen und Erbschaft die Ärmeren und Normalos relativ stärker als die Bessersituierten. 500 Euro im Monat nur für Essen und Trinken sind auch ohne Luxusmenüs und Jahrhundertwein schnell durchgebracht, während eine Million selbst in den teuersten Nobelrestaurants mit Edelhostessen als Dessert kaum auszugeben ist.

Ausgerechnet in einer Situation, wo Schwarz-Gelb ebenso wie Rot-Grün die Bürger trotz Aufschwungs auf erneutes Gürtel-enger-Schnallen wegen der »Rettung Griechenlands« einstimmen wollen, schickt die Union ein neoliberales Urgestein vor, das seine Steuerreformidee mit der Deklaration der Menschenrechte von 1789 vergleicht und schon im Wahlkampf 2005 die Union fast noch den Sieg gekostet hätte: Juraprofessor Paul Kirchhoff, damals von seinem Größenwahnkonkurrenten Gerhard Schröder abfällig als »der Professor aus Heidelberg« tituliert, will 2011 im Prinzip dasselbe wie sechs Jahre zuvor: einen Einheitssatz von 25 Prozent bei der Einkommen-, 19 Prozent bei der Umsatz- und zehn Prozent bei der Erbschaftsteuer. Claus Hulverscheidt entlarvt in der *Süddeutschen* Kirchhoffs Evangelium als unsozial. So fragt er rhetorisch, ob bei ihm nicht ausgerechnet Geringverdiener mehr zahlen müssten, etwa eine Krankenschwester mit Nachtdienst, längerem Anfahrtsweg und ohne Aussicht auf eine große Erbschaft. Auch dass Lohnempfänger 25 Prozent Steuern auf ihr Arbeitseinkommen zahlen, Aktionäre ihre Dividenden aber steuerfrei kassieren sollen, lässt sich zwar steuersystematisch begründen, aber kaum politisch.«[266]

Zu den schwarz-gelben Projekten, die die Wirtschaft natürlich nie im Leben als Gegenleistung für ihre Parteispenden erwarten würde, gehört die Abschaffung der Gewerbesteuer, die bekanntlich den Gemeinden zufließt. Der zutiefst humanistische, sozialstaatliche Gedanke: Je ärmer die Gemeinden, desto eher müssen sie völlig freiwillig nach und nach ihr Tafelsilber an uneigennützige Schnäppchenjäger quasi verschenken.

Und Schwarz-Gelb weiß die edle Zurückhaltung der privatisierungslüsternen Unternehmen zu schätzen. »Schäuble will die Gewerbesteuer abschaffen«, titelte *Welt Online,* am 15. Februar 2010.[267] Fast überflüssig zu sagen, dass das gewünschte Resultat schon seit geraumer Zeit Jahr für Jahr eintritt: »Sozialausgaben der Kommunen auf Rekordhoch« lautete die Schlagzeile von *Zeit Online* am 22. März 2011.[268]

»Wirtschaftsaufschwung« hin oder her – die Kommunen werden von der Politik immer ärmer gemacht. Laut Statistischem Bundesamt hatte das Defizit der Städte und Gemeinden im Jahr 2010 das schwindelerregende Defizit von 7,7 Milliarden Euro (2009: 7,2 Mrd.) erreicht. Größten Anteil hatte der Anstieg der Sozialausgaben von 40,3 auf 42,1 Milliarden Euro. Kein Wunder also, dass man für 2011 mit einem kommunalen Schuldenberg von 9,6 Milliarden Euro rechnet.[269]

Und was wäre eine Umverteilungsaktion ohne die plumpen Drohungen ausgerechnet aus einer Branche, die als eine der korruptesten der Welt gilt? So faselte der Energiekonzern *Vattenfall Europe* wegen des Ausstiegs aus der Atomenergie in diesem Jahr von einem deutlich geringeren Gewinn als 2010. Die vorgesehene

Energiewende werde unmittelbare Auswirkungen auf den Gewinn und die Gewerbesteuer haben, jammerte ein Vattenfall-Sprecher im Juli 2011. Konkrete Zahlen konnte er allerdings nicht nennen.[270] »Bürgerfeindlich und reichenfreundlich, das ist klar«, werden viele Leser jetzt sagen. »Aber was hat das mit Korruption zu tun?« Eine ganze Menge, denn es handelt sich sogar um drei ineinander verwobene Fälle von Korruption:

- FDP und Union, eigentlich dem deutschen Volk verpflichtet, bieten dem abgehalfterten Wirtschaftsguru Kirchhoff die Chance zu einer medienwirksamen deutschen Antwort auf die US-Horrorkomödie *Die Mumie kehrt zurück*. Der liefert im Gegenzug den zuweilen intellektuell leichtgewichtigen Koalitionären eine »Theorie« für die Umverteilung von unten nach oben, die sogar sie kapieren und die sie für den Stimmenfang bei einem bestimmten (natürlich möglichst großen) Teil der Bevölkerung brauchen. »Rösler stimmt Deutschland auf Kirchhoff-Kurs ein«, frohlockte Marc Beise vom wirtschaftsliberalen Flügel der *Süddeutschen* Ende Juni 2011.[271]

- Finanzielle Versprechen an bestimmte Bevölkerungsgruppen sind grundsätzlich versuchte Wählerbestechung, da das Volkseinkommen eben nicht der Regierung gehört, sondern dem gesamten Volk. Selbst in der Regel nicht ernst gemeinte oder läppische Versprechungen an die Bevölkerungsmehrheit – wie etwa Verbesserungen der Bildungs- und Sozialsysteme – sind im wissenschaftlichen Sinne Fälle von korruptem Tausch.

- Überdies besteht der erwartete oder bereits erhaltene korrupte Lohn nicht immer ausschließlich in den Stimmen, sondern auch in handfesten Gegenleistungen: Man denke nur an manche Parteispenden oder die zahllosen Dankeschönjobs.

Schwarzfahrer im Knast, Steuergangster am Pool

»Notorisches Schwarzfahren endet jedes Jahr für Hunderte in einer Gefängniszelle«, bilanzierte der *Tagesspiegel* bereits 2008 allein für die Hauptstadt.[272] Tendenz steigend: Zweihundert Ticket-muffel sitzen allein in Berlin ständig im Gefängnis. [273] Aber selbst wer fünfzigmal gratis fährt, betrügt insgesamt nur um etwas mehr als hundert Euro.

Gewohnheitsmäßige Wirtschaftsverbrecher dagegen, die den Staat durch in der Schweiz deponiertes Schwarzgeld um zig Millionen Steuern betrogen haben, kommen ohne einen Cent Strafe davon. Selten haben sich für die Reichen und Mächtigen die legalen Parteispenden und illegalen diskreten Umschläge und Köfferchen so rentiert wie bei einer Mitte 2011 bekannt gewordenen Vereinbarung mit dem eidgenössischen Steuermafiaparadies. »Abkommen mit der Schweiz schützt Steuersünder«, stellte *Spiegel Online* am 13. August fest. Das neue Abkommen unterbindet »im Moment der Unterzeichnung die Fahndung nach deutschen Steuerhinterziehern«. Der Coup werde »verhindern, dass in Deutschland eine große Zahl von Steuersündern verfolgt werden könne. Zweck der Übung sei unter anderem, dass etwa die Steuerfahndung Wuppertal einige neue CDs mit jeder Menge Daten prüfe, aber gegen die Schwarzgeldexporteure nichts mehr unternehmen könne. Angela Merkels Handy muss ja angesichts der Dankes-SMS-Lawine förmlich gequalmt haben.

»Beteiligte an einer Steuerstraftat oder einer Steuerordnungs-widrigkeit, die vor Unterzeichnung dieses Abkommens ... begangen wurde, werden nicht verfolgt«, verriet das Magazin die entscheidende Passage schon vorab.[274] Da sieht man sie förmlich vor sich, die Schampusgenießer und Kaviargourmets, wie sie hastig die Tresorinhalte in Koffer und Reisetaschen packen: »Beeilung, wir müssen es vor der Unterschrift noch nach Zürich schaffen.« Vielleicht gab's ja auch noch einen kleinen Zoff mit den paar Superreichen, die weder gespendet noch anderweitig geschmiert haben und trotzdem auch von der Lizenz zum Steuerbetrug profitieren.

Kleine Subventionen erhalten die Freundschaft

Subventionen sind aus unserem gesellschaftlichen Leben nicht wegzudenken. Subventionen gibt's zu Weihnachten, zum Geburtstag oder zur Hochzeit. Ein Sprichwort sagt: Einem subventionierten Gaul schaut man nicht ins Maul; wer unerwartet viel Glück hat, spricht von einer Subvention des Himmels, und sogar in den Fußballstadien nennt man unberechtigte Elfmeter eine Schiedsrichtersubvention. Bei Subventionen kommt es meist mehr auf die Originalität als auf den Preis an; und nicht wenige Menschen subventionieren lieber, als dass sie sich subventionieren ließen. Für sie ist das Leuchten in den Augen des Subventionierten selbst die schönste Subvention. Dies mag auch auf manchen Politiker zutreffen, den angesichts der Freude eines Konzernchefs beim Auspacken der Subvention ein tiefes Gefühl der Zufriedenheit erfasst.

Womit wir beim Thema wären; denn wie schon angedeutet, verbitten sich Topmanager, Kapitalmillionäre sowie die von ihnen häufig subventionierten Politiker und Wissenschaftler aufs entschiedenste jegliche Einmischung des Staates in die Wirtschaft. Die werde nämlich schon von wunderbaren und mystischen Gesetzen des Marktes – allen voran Konkurrenz sowie Angebot und Nachfrage – göttlich perfekt gelenkt, komme daher besser ohne jegliche staatliche Einmischung zurecht und werde auch und gerade ohne sie die Landschaften immer blühender und zum Paradies auf Mammons Erden machen.

Deshalb ist es für den unbedarften Beobachter recht verwirrend und für die Prediger der freien Marktwirtschaft eine äußerst blamable Bankrotterklärung, dass selbst nach einer Studie des Kieler Instituts für Weltwirtschaft (IfW) im Auftrag des Industriesprachrohrs *Initiative Neue Soziale Marktwirtschaft* (INSM) die Subventionen von Bund, Ländern, Gemeinden und EU bei uns im Jahr 2009 mit 164,7 Milliarden Euro (davon 52,3 Milliarden Steuergeschenke) einen neuen Rekord erreichten.[275] Dabei sind die vier Millionen Euro, die das Bundesverkehrsministerium bis 2013 den Ölmultis Total (Frankreich) und Statoil (Norwegen) wegen ihrer Beteiligung am Aufbau einer Wasserstofftankstelle spendiert, fast schon ein Klacks.[276]

Außergewöhnlich normal – die EU Agrarsubventionitis

Im Frühjahr 2011 nahm sich der Europäische Rechnungshof die EU-Agrarsubventionen in einem Bericht einmal genauer vor. Prüfer monierten zum Beispiel »eine Reihe neuer Begünstigter, deren landwirtschaftliche Tätigkeiten nur einen unwesentlichen Teil ihrer gesamten wirtschaftlichen Tätigkeiten ausmachen oder deren Hauptgeschäftszweck nicht in der Ausübung einer landwirtschaftlichen Tätigkeit besteht. Darunter fallen Freizeit- und Sportklubs, Eisenbahngesellschaften, Naturschutzgebiete, Flughäfen, Stadtverwaltungen, zu Sport- oder Jagdzwecken genutzte Anwesen, staatliche Stellen, Schulen und Campingplätze.«[277]

Besonders scharf kritisierte man, »dass der größte Teil der Prämien einer kleinen Zahl großer Begünstigter zufließt, während die weitaus meisten Begünstigten jeweils nur einen geringen Beihilfebetrag erhalten«.[278] Deutsche Empfänger erhielten 2010 insgesamt 7 Milliarden Euro aus den EU-Agrarfonds.[279]

»Wer noch Geld bekommen hat«, verriet der *Tagesspiegel* bereits im Juni 2009, nämlich »nicht nur Stadtwerke, Universitäten oder Gestüte, sondern auch Politiker und Spitzenfunktionäre des Bauernverbandes. Und da stockt selbst dem kritischen und kummererprobten Bürger der Atem: So habe der CDU-MdB Bernhard Schulte-Drüggelte 39000 Euro für seinen historischen Gutshof am Möhnesee erhalten, 30000 sein Fraktionskollege Johannes Röring für seinen Schweinemastbetrieb im Ostwestfälischen und immerhin 11000 Euro der FDP-Wirtschaftsexperte Paul Friedhoff für den familieneigenen »Erlebnis«-Bauernhof im Oldenburger Münsterland.

Noch unbefangener langten laut *Tagesspiegel* einige Spitzenfunktionäre des Deutschen Bauernverbandes zu. So kassierte der schleswig-holsteinische Verbandschef Werner Schwarz für sein Gut bei Bad Oldesloe 162 000 Euro, sein saarländischer Kollege Klaus Fontaine 117 000 und der rheinische Verbandschef Friedhelm Decker 50 000 Euro. Ein Landwirtschaftsbetrieb in Bad Langensalza, dessen Geschäftsführer Thüringens Bauernpräsident Klaus Kliem ist, sahnte 1,6 Millionen ab.

Vizepräsident Werner Hilse soll rund 111 000 Euro für seinen Gemischtbetrieb abgegriffen haben, Mit-Vize Norbert Schindler für seine Agrarflächen 93 000 Euro, und »die Gelder für den Präsidenten der Deutschen Landwirtschafts-Gesellschaft, Carl-Albrecht Bartmer, summierten sich auf knapp 366 000 Euro für sein Gut Löbitz«.[280]

Graf Tunichtgut von Ach und Krach hat das Leben zwischen Pool und Puff satt, will nun entgegen der Familientradition einer ehrlichen Arbeit nachgehen, erwirbt vom Rest seines Erbes einen Bauernhof und ordert beim Großhändler fünfhundert Küken. »Donnerwetter«, staunt der. Eine Woche später kauft der Graf fünfzehnhundert Küken. »Alle Achtung, junger Mann. Ihr Gehöft scheint ja prächtig zu laufen.«
»Eben nicht«, seufzt der junge Herr. »Entweder pflanze ich die Küken zu tief oder zu dicht aneinander.«

Die Verschwendung von Steuergeldern bei den Agrarsubventionen hat Tradition. Schon 2007 brachte *Greenpeace* besonders drastische und dreiste Fälle ans Tageslicht und zeigte, dass »2,4 Millionen für Campina, über 470 000 für RWE, 246 000 für Fürst Metternich-Ratibor« abgezweigt wurden. Überhaupt profierten vom aktuellen Verteilungsschlüssel vor allem Großunternehmen, die Agrarindustrie und die Hochwohlgeborenen. Die Umweltwächter nennen unter anderem gesellschaftlich ungeheuer nützliche und demokratietypische, wenn nicht sogar systemrelevante Figuren wie »Graf von Westphalen in Meschede,

Freiherr von der Leyen, Graf von Spee / Finnentrop, Freifrau von Spiegel / Willebadessen, Droste zu Vischering Rosendahl / Münsterland, Graf von Nesselrode, Freiherr von Loe, Freiherr von Twickel / Havixbeck usw. ...«[281] Schon allein die wilhelminischen Namen signalisieren äußerste Landwirtschaftskompetenz.

Dieses Festival der Peinlichkeiten ist aber noch gar nichts gegen das, was *abgeordnetenwatch.de* im April 2010 ermittelt haben will. Demnach hätten allein im Jahr 2009 mindestens sechzehn Abgeordnete aus Bundestag und Europaparlament EU-Agrarsubventionen für ihre privaten Landwirtschaftsbetriebe eingesackt, insgesamt weit über 750 000 Euro. Das Enthüllungsportal nannte sogar Ross und Reiter und Euro:

Union: Johannes Röring (38 538), Alois Gerig (30 343), Franz-Josef Holzenkamp (21 559), Marlene Mortler (17 662), Josef Rief (17 418), Josef Göppel (3786), Max Lehmer (3674) und Christoph Poland (2156,85). Die BoRo Agrar GbR, deren Gesellschafter Norbert Schindler ist, erhielt 128 767,91 Euro.

FDP: Rainer Erdel (25 586), Paul Friedhoff (10 160).

Den mit Abstand größten Reibach (345 308 Euro) habe Hans-Georg von der Marwitz (CDU) kurz vor seiner MdB-Zeit gemacht, ebenso der Grüne Friedrich Ostendorff (43 812,98).

Übrigens sind alle Genannten rein zufällig (teilweise stellvertretende) Mitglieder im Landwirtschaftsausschuss. Außerdem sahnte noch Max Straubinger (CSU) 1740 Euro ab.

Aber die eigentliche Pointe ist noch viel schärfer: Ein Bundestagssprecher habe begründet, warum Subventionen nicht an den Bundestagspräsidenten zu melden seien: Subventionen kämen nicht durch den »Vertrieb von Waren und Dienstleistungen« zustande, was Voraussetzung für die Meldepflicht einer Nebeneinkunft sei. Hier aber handele es sich um materielle Vorteile ohne unmittelbare Gegenleistung.[282]

Das ist etwas zum Ausschneiden-und-übers-Bett-Hängen, denn das würde ja erklären, warum kein Abgeordneter seine Bestechungsgelder angibt: Weil er es, wenn sie nicht projektbezogen sind, gar nicht muss! Keine unmittelbare Gegenleistung!

Bei so viel Ärger, den *abgeordnetenwatch.de* unseren an Integrität weltweit unerreichten Politikern macht, ist es kein Wunder, dass nun sogar die brillantesten Volksvertreter seit der Eiszeit gegen das Entlarvungsportal Front machen. So verkündete die begnadete SPD-Bundestagsabgeordnete Marianne Schieder, deren sprühende Intelligenz mit der einer Marie Curie verglichen wird und deren mitreißende Rhetorik mit der eines Barack Obama, im Juli 2011 vor der Weltpresse in Gestalt der *Bayerischen Zeitung:* »Abgeordnetenwatch ist ein Instrument, das dringend überprüft werden sollte.« Ob von BND, CIA, KGB oder DFB, verriet sie aus ermittlungstaktischen Gründen allerdings nicht.[283]

Gedrängel unterm Rettungsschirm

Schon cool, unsere marktradikalen Jungs von der Abteilung *Legaler und illegaler Maximalprofit* (LIMP): Gestern noch verbaten sie sich jegliche Einmischung von Vater Staat in die Wirtschaft, heute fordern oder erbetteln sie vom selben Staat großzügige Hilfen für Banken und Pleitestaaten. Dies freilich war schon immer so, man denke nur an die Subventionen für Bergbau und Landwirtschaft.

Und selbst die Neoliberalen wollten keineswegs, dass der Staat sich wirklich aus allem heraushalte, sondern forderten von Anfang an seine aktive Einmischung zum Wohle des »freien« Marktes. »Nichts dürfte dem Liberalismus so sehr geschadet haben«, schrieb Hayek schon 1944, »wie das starre Festhalten ... an dem Prinzip des Laissez-faire.«[284] Deshalb stellen die historisch beispiellosen Banken-Rettungsmaßnahmen keine Veränderung, sondern eine Bestätigung der neoliberalen Doktrin dar: Der Staat garantiert die Existenz und die Gewinne der Banken gerade dann, wenn sie bankrott sind. Damit übernimmt er die Maximen der Krisenverursacher ohne wesentliche Korrekturen noch direkter als zuvor.[285]

Zu den Phänomenen der Krise gehört es, dass nicht nur die falschen Propheten von gestern auch heute wieder ihren unterirdischen Schmarrn zum Besten geben dürfen, sondern dass auch die »Bankster« und Versager das Staatsgeld in die Hand bekommen. Daher sind die damalige Große Koalition als Verteiler und die Konzernbosse als Empfänger von Steuergeldgeschenken namens Rettungsfonds für Werner Rügemer »Brandstifter als Feuerwehr«.[286]

Operation Bankenrettung 2008

Die nationale Charity-Orgie für die Banken wurde am 17. Oktober 2008 als Finanzmarktstabilisierungsfonds im Rahmen des deutschen Finanzmarktstabilisierungsgesetzes in einer Art »Nacht-und-Nebel-Aktion« binnen weniger Stunden von Bundestag und Bundesrat verabschiedet und vom Bundespräsidenten unterzeichnet.[287]

Bezeichnend dabei: Für das Wertschöpfung vermittelnde, aber selbst keinerlei reale Werte schaffende Finanzkapital wurden 480 Milliarden Euro bereitgestellt, für den eigentlich produktiven Sektor aber mit 50 Milliarden nur etwas mehr als ein Zehntel. Übrigens beträgt der Etat für Forschung und Bildung nur lausige 10,2 Milliarden Euro.[288]

»20 Banken suchen Schutz unter dem Rettungsschirm« verkündete die *Tagesschau* bereits am 13. November 2008,[289] und bald machten wohlklingende Begriffe wie *Bankenrettungspaket, Finanzmarktstabilisierungsfonds, Sonderfonds Finanzmarktstabilisierung* (SoFFin) und vor allem *Bankenrettungsschirm* die Runde. Aber selbst unter Politikern und »Fachjournalisten« wissen die wenigsten, worum es dabei überhaupt geht.

Besagter Fonds etwa war zunächst bis Ende 2009 befristet und war in seiner Eigenschaft als »Dukatenesel« der Banken als *Sondervermögen* vom normalen Staatshaushalt ausgegliedert – Ähnlichkeiten mit den berüchtigten *Bad Banks* sind weder absichtlich noch zufällig, sondern zwangsläufig. Hier firmiert er allerdings als *Bundesanstalt für Finanzmarktstabilisierung* (FMSA) und ist eine Unterabteilung der Bundesbank, unterliegt aber der Rechts-

und Fachaufsicht des Bundesfinanzministeriums und verwaltet die Fonds-Milliarden.

Der Fonds übernimmt Bürgschaften bis zu 400 Milliarden Euro für Kredite der Banken untereinander. Auf Deutsch: Auch wenn eine Bank einem noch so windigen Geldinstitut oder der Parkbank Lüneburg Kohle pumpt – der Staat übernimmt das volle Risiko. Wieso bietet man so etwas nicht auch Spielbankbesuchern und Oddset-Tippern an?

Dass die FMSA behauptet, bis zum 30. Juni 2011 seien beim SoF-Fin nur 49,39 Milliarden Euro abgerufen worden, tut dabei wenig zur Sache.[290]

Zum einen weiß jeder, der jemals einen Kredit benötigte, dass die Bürgschaft von ganz entscheidender Bedeutung ist. Millionen Gewerbetreibende wurden in den Ruin getrieben, weil ihnen die Banken – ob aus Vorsicht oder geschmiert von der meist größeren Konkurrenz – das fürs Überleben oder eine zukunftsträchtige Investition notwendige Geld auf Pump verweigerten. Zur Absicherung ihrer unverantwortlich riskanten Zockerdeals war für die Bankster-Mafia der Rettungsschirm Gold wert.

Zum anderen sind die Zahlen und Mitteilungen von FMSA und SoFFin nicht das Papier und die Dateien wert, mittels deren sie in die Welt gesetzt werden: Sie werden nämlich, wie sogar ein eher staatstragendes Blatt wie die *Zeit* unter dem Titel »Ein Parlament entmachtet sich selbst« aufdeckt, so gut wie gar nicht kontrolliert. Dies aber entspricht selbst für die *Zeit* »so gar nicht den Grundregeln der parlamentarischen Demokratie ... Mit bis zu 480 Milliarden Euro aus Steuergeldern, mehr als dem Doppelten des jährlichen Bundesetats, soll Deutschlands Bankensektor vor dem Zusammenbruch bewahrt werden. Doch wer dabei zu welchen Konditionen profitiert, darüber entscheiden nicht die gewählten Vertreter der Steuerzahler, sondern nur ein vom Minister eingesetzter ›Lenkungsausschuss‹ unter Leitung des Finanzstaatssekretärs Jörg Asmussen.« Für *Zeit*-Autor Harald Schumann ist dieser Lenkungsausschuss ein »Ausschuss mit Maulkorb«. Der Bundestag selbst »verzichtet ausgerechnet bei der umstrittenen

Bankensanierung mit Staatsgeldern auf sein wichtigstes Recht: die Kontrolle über die Staatsausgaben.«[291]

Überflüssig zu erwähnen, dass hier der Korruption verschiedenster Spielarten Tür und Tor geöffnet wird. Zumal es kaum eine Bundestagspartei und kaum einen Großkonzern gibt, der nicht irgendwann einmal in irgendeiner Weise in einen einschlägigen Skandal verwickelt war. Einer Volkspartei oder einem Multi Korruption zuzutrauen ist also aufgrund der Erfahrungen etwas gänzlich anderes, als in jeder Nonne eine potenzielle Prostituierte zu vermuten.

Operation Rettungsschirm 2010/11

Für geistige Hinterbänkler machte die Europäische Union, und das ist naturgemäß immer in vorderster Front die deutsche Regierung, unmissverständlich ihre Aufgabe und ihren Ehrgeiz als Interessenvertreter der Reichen, Mächtigen und Wirtschaftsgangster gegen die Völker klar: »EU will Krisenbanken retten«, fasste der Aufmacher von *Spiegel Online* am 12. Juli 2011 dieses Basiswissen jedes halbwegs kritischen und humanistisch gesinnten Bürgers zusammen.[292]

Im Mai 2010 wurde das Bankenbereicherungsmodell auf EU-Ebene mit einem 750 Milliarden Euro teuren Rettungsschirm beschlossen.[293] Dazu machte EU-Währungskommissar Olli Rehn die unmissverständliche Ansage, »dass wir den Euro verteidigen werden, koste es, was es wolle«. Und: »Es gibt ganz klar ein systemisches Risiko und eine Bedrohung für die finanzielle Stabilität von Eurozone und EU, es handelt sich nicht nur um eine Attacke auf einzelne Länder.«[294]

Koste es, was es wolle? Ob der neoliberal vernebelte Finne dabei auch – etwa im Falle eines Volksaufstandes in Griechenland – an NATO-»Friedenmissionen« à la Hiroshima dachte, ließ der militante Großbankenverteidiger wohlweislich offen. Denn dass es letztlich um die gigantischen Milliardenverluste der Zockerbanken geht, posaunte schon im Oktober 2008 der schwarz-rote Bundesfinanzstaatssekretär Jörg Asmussen (SPD) in der Abschlusserklärung des Luxemburger EU-Finanzministertreffens heraus:

»Wir haben beschlossen, systemrelevante Finanzinstitute zu unterstützen.«[295] Auf die Frage allerdings, was der nebulöse Begriff »systemrelevant« bedeute, stammelte Asmussen, das werde von Fall zu Fall entschieden ... [296] Nach welchen Kriterien eigentlich? Nach Schweizer Franken auf Züricher Nummernkonten? Nach US-Dollars in Briefkastenfirmen auf den Cayman Islands? Nach Euros auf Berliner und Pariser Spendenkonten?

Ökonom Albrecht Müller jedenfalls ist sicher: »Das Wort ›systemrelevant‹ steht vermutlich für die teuerste Irreführung.«[297]

Und tatsächlich bezeichneten sich ja sogar die Pleiteklitschen Opel und Infineon als »systemrelevant«[298], und Horst Seehofer – na ja – sogar die Landwirte.[299]

Mit den Wirtschaftssubventionen ist es wie im richtigen Leben. Um den arglosen Bürgern möglichst viel Geld aus der Tasche zu ziehen, lassen sich ausgeschlafene Mitbürger so manches einfallen. Was für den Taschendieb die Gipsarm-Attrappe und für den Bettelbetrüger die Blindenbinde, das ist für Lobbyisten das Zauberwort »systemrelevant«.

Angesichts dieses dümmlich-frechen Veralberungsfestivals fordert Werner Rügemer, bankrotte Banken geordnet in die Insolvenz zu führen: »Sie haben keine ›Systemrelevanz‹, sondern sie gefährden das ökonomische und demokratische System.[300]

Aber das Spiel geht natürlich weiter: Gleich nach der feierlichen Aufspannung im Mai 2010 erhielt Griechenland 110 Milliarden Euro, im November 2010 Irland 85 Milliarden und im Mai 2011 Portugal 78 Milliarden Euro aus dem Rettungsschirm,[301] der am 24. Mai 2011 zur ständigen Einrichtung erklärt wurde.[302]

Im Juli kam dann endlich eine »gute« Nachricht: »Die Iren exportieren sich aus dem Rettungsschirm«, lobte *Welt Online*. Besonders angetan waren Springers Heuschreckensympathisanten vom irischen Sozialabbau: »Hohe ... Löhne hatten das Land zusehends unattraktiv für Investoren gemacht; allein zwischen 2000 und 2007 verdoppelten sich die Durchschnittslöhne. Mit der Rezession ist Irland wieder konkurrenzfähig geworden«, freut sich der

Irland-Chef des US-Datenspeicherkonzerns EMC, Bob Savage. Er zahle seinen Fachkräften mindestens zehn Prozent weniger als vor vier Jahren.«[303]

Na also, mit Lohnraub geht doch alles. Und wenn Irland auch noch die Kosten für brasilianische Prostituierte für Betriebsräte übernimmt, wird die grüne Insel auch für deutsche Investoren wie VW interessant …

Die fatalen Folgen der hundertprozentigen Garantie für die Einsätze und Gewinne der Finanzzockerbanden erläutert der Hannoveraner Volkswirtschaftsprofessor Stefan Homburg, von 2004 bis 2007 im Rat für Nachhaltige Entwicklung der Bundesregierung, Ende Juni 2011 in einem *Spiegel*-Gespräch: »Nachdem die griechischen Anleihen zum vollen Wert zurückgezahlt wurden, werden sich die Spieler dem nächsten Kandidaten zuwenden, etwa Portugal. Erlitten die Gläubiger bei Griechenland aber Verluste, dann würden sie dieses Geschäftsmodell aufgeben. Auch insofern wirken die Rettungsaktionen problemverschärfend.«

Und sie ermuntern geradezu die Spekulantengemeinde: »In den letzten Tagen habe ich selbst einen namhaften Betrag in griechische Anleihen gesteckt. Sie laufen noch ein Jahr und bringen im Erfolgsfall 25 Prozent Rendite. Damit schlafe ich wunderbar, weil ich an die grenzenlose Dummheit der Bundesregierung glaube. Sie wird zahlen.«[304]

Aber kann man sich eine so »grenzenlose Dummheit der Bundesregierung« wirklich vorstellen? Wenn der Prokurist einer Glaserei einem Klempner für das Auswechseln eines WC-Beckens statt einer Arbeitsstunde zu 40 Euro zehn Stunden à 150 Euro zahlt und Prokurist und Installateur im selben Kegelclub sind, glaubt da der Glasereibesitzer an die »grenzenlose Dummheit« seines Angestellten?

Der Vollständigkeit halber sei auch die rassistisch-hetzerische Variante der Schirmkritik erwähnt. Motto: Nicht die Banken sind schuld, sondern die faulen Griechen und Portugiesen. Wir Deutschen finanzieren denen das träge Herumliegen bei Ouzo- und Portweingelagen am Strand.

Diese Argumentation ist nicht der Fantasie des Autors entsprungen, sondern erklärte Meinung des Rechtsaußens in Deutschlands TV-Professorenkollegium: Hans-Werner Sinn, Chef des wirtschaftsnahen Ifo-Instituts, sieht durch die Griechenlandhilfe sogar die deutschen Renten bedroht: »Die Euro-Rettungsschirme gefährden die finanzielle Stabilität der Bundesrepublik Deutschland. Sie stehen am Beginn einer langen Kette von Rettungsschirmen und Hilfen, die Deutschland den Krisenländern wird geben müssen. Der Staat kann sein Geld nur einmal ausgeben«, fabulierte Sinn standesgemäß in *Bild*. Und jetzt kommt's: »Was nach Griechenland und Portugal fließt, um dort den Lebensstandard aufrechtzuerhalten, geht zu Lasten des Lebensstandards der Deutschen. Die deutschen Rentner werden zu den ersten Opfern der Rettungspakete gehören.«[305]

Dass »wir Deutsche« schon mal mit dem Anzünden griechischer Tavernen und portugiesischer Restaurants beginnen sollten, hat der Superdemokrat und Internationalist Sinn natürlich nicht gesagt ... Aber vielleicht könnten wir ja wenigstens unseren Urlaub statt auf Kreta oder an der Algarve im sächsischen Hoyerswerda oder im brandenburgischen Guben verbringen. Aber Vorsicht: Ariernachweis nicht vergessen!

Nun sei aber doch die ketzerische Frage gestellt: Was wäre eigentlich so schlimm an einer Staatspleite Griechenlands? Die ehrliche Antwort gibt die *Süddeutsche* im Juni 2011: »Bei einer solchen unkontrollierten Staatspleite ... müssten die Gläubiger damit rechnen, im schlimmsten Fall nichts von dem an Griechenland verliehenen Geld zurückzubekommen. Das würde Banken, Versicherungen und andere Investoren Dutzende Milliarden Euro kosten. Viele Banken müssten mit Staatsgeld gestützt werden, aber auch die EZB – schon heute einer der größten Gläubiger Griechenlands – bräuchte frisches Geld. Investoren in aller Welt würden Geld aus der gesamten Euro-Zone abziehen, weitere Staats- und Bankenpleiten wären die wahrscheinliche Folge.«[306]

Banken, Versicherungen und andere Investoren – die gesamte

Gemeinde der Börsenbetrüger, Währungsspekulanten und kriminellen Finanzzocker also. Die eines vereint: Sie leben ausnahmslos von *leistungslosem* oder keine Werte schaffendem Einkommen.

Sicher ist in unserer Marktwirtschaft das Finanzkapital »notwendig«. Aber sind nicht auch in der modernsten Herzklinik Beleuchtung und das entsprechende Wartungspersonal »notwendig«? Würde irgendjemand auf die Idee kommen zu sagen, »ohne den Glühbirnenwart Horst wäre die Herztransplantation nie möglich gewesen«?

Notwendige Arbeit schafft nicht zwangsläufig auch Werte: Das herstellende Gewerbe schafft *Produkte*, Transportgewerbe und Handel bringen die Produkte zum Verbraucher, und auch die Dienstleister tun etwas, was ein anderer benötigt. Alle diese Unternehmen und vor allem die Menschen mehren den Reichtum der Gesellschaft – ganz im Gegensatz zur Finanzbranche: Sie vermittelt nur das Geld als Mittel, damit Produkt und Verbraucher zusammenfinden. Geld schafft keine Werte, ebenso wenig wie die Unternehmen und Menschen, die es verwalten. Jedes Finanzgeschäft ist zwangsläufig ein Nullsummenspiel: Des einen Gewinn ist irgendeines anderen Verlust.

Von daher ist es selbst nach den hehren Vorstellungen der Marktwirtschaftsväter wie Adam Smith oder Ludwig Erhard ein Unding, dass ausgerechnet zum Wohle dieser unproduktiven Branche der gesamte Rest der Gesellschaft bluten muss.

Ein Börsianer oder Bankmanager hat einen Sechzehn-Stunden-Tag? Na schön, aber den hat manch ein Taschendieb oder eine Katzenmutti auch.

Eine Gesellschaft, in der sich alles um das Finanzkapital dreht, ist so krank wie eine Herzklinik, in der sich alles um Glühbirnenwart Horst dreht und die ihre Skalpelle verkauft und die besten Ärzte entlässt, um die fahrlässig angehäuften Spielschulden des Glühbirnenwarts zu bezahlen.

Staatsknete für Umweltzerstörung

Wer bis jetzt immer noch daran geglaubt haben sollte, dass unser Turbokapitalismus mit Umweltschutz oder, wie die Christen sagen, »Bewahrung der Schöpfung« vereinbar wäre, wird gerade in letzter Zeit ständig eines Besseren belehrt.

Zwar hängen noch heute viele ehrliche Sozialstaatsverteidiger dieser Illusion nach, und sogar der damalige US-Präsidentschaftskandidat Bill Clinton verbreitete sie in einer Polemik gegen die »Nach uns die Sintflut«-Ideologie der Republikaner unter George Bush dem Älteren.

Wir haben im Wahlkampf gehört, übertriebener Umweltschutz sei einer der Hauptgründe für den Niedergang unserer Volkswirtschaft und die Amerikaner müssten zwischen einer gesunden Umwelt und einer starken Volkswirtschaft wählen. Beides, so wird behauptet, könnten wir nicht haben. Diese Wahlmöglichkeit führt in die Irre. Denn träfe sie zu, müssten gerade Deutschland und Japan, die viel strengere Umweltgesetze anwenden als die Vereinigten Staaten, in schrecklichen wirtschaftlichen Schwierigkeiten stecken.
Bill Clinton, 1992[307]

Aber die nüchternen Zahlen sprechen zumindest im Hinblick auf Deutschland eine anderen Sprache: »Umweltschädliche Subventionen kosten 48 Milliarden Euro«, alarmierte das Umweltbundesamt (UBA) im Juni 2010 die Öffentlichkeit und forderte lapidar: »Haushalt entlasten, Umwelt schützen«.[308]

Fast 50 Milliarden Euro pro Jahr, das ist gut ein Sechstel der gesamten Bundesausgaben,[309] »und die Tendenz ist leider steigend«. Nahezu die Hälfte der Subventionen bevorteilten unmittelbar den Verbrauch fossiler Energieträger und machten so Bemühungen im Klimaschutz teilweise zunichte. »In Zeiten der Rekordverschuldung müssen alle Subventionen auf den Prüfstand.« Der

115

Abbau dürfe aber nicht »nach dem Rasenmäherprinzip erfolgen«, sondern müsse »gezielt bei umweltschädlichen Subventionen ansetzen«, mahnte UBA-Präsident Jochen Flasbarth. »In der Krise besteht die einmalige Chance zum ehrlichen Kassensturz. Umweltschädliche Subventionen belasten den Haushalt zweimal: Heute durch Mehrausgaben und Mindereinnahmen des Staates und morgen durch erhöhte Kosten für die Beseitigung von Schäden an Umwelt und Gesundheit.«

Der Anstieg um sechs Millionen gegenüber 2006 zeigt, dass die Politik nicht einmal ansatzweise an eine Umkehr bei den umweltschädlichen Subventionen denkt. Am stärksten war der Anstieg – wen wundert's? – in den Problembereichen Energie und Verkehr. Halbwegs erträglich war der leichte Rückgang im Bau- und Wohnungswesen infolge des schrittweisen Auslaufens der Eigenheimzulage.

Die umweltschädlichen Förderungen betreffen fast alle Bereiche der Natur: »Von Schäden an Wasser, Boden oder Luft bis hin zur Erhöhung der Flächeninanspruchnahme und zum Verlust der biologischen Vielfalt.«

Rund 24 Milliarden Euro, also gut die Hälfte der ökologisch verheerenden Subventionen, fließen laut UBA direkt in fossile Energieträger und sabotieren damit alle Anstrengungen zum Klimaschutz. Dazu rechnet die Behörde unter anderem die Strom- und Energiesteuer-Ermäßigungen für das produzierende Gewerbe und die Land- und Forstwirtschaft, den Spitzenausgleich bei der Ökosteuer für das produzierende Gewerbe und die Steuerentlastung für bestimmte energieintensive Prozesse und Verfahren, die insgesamt zu Steuermindereinnahmen von über 5 Milliarden Euro führten. Diese Subventionen senkten den Energiepreis und animierten dadurch zum Energieverbrauch, seien folglich aus Umwelt- und Klimaschutzgründen abzubauen. Kurzfristig seien die Subventionen zumindest an striktere Bedingungen zu knüpfen, etwa an die Einführung eines Energiemanagementsystems.

Im Bereich Verkehr begünstige die aktuelle Dienstwagenbesteuerung die private Nutzung dieser Karossen anstelle von (kleineren und energieeffizienteren) Privatfahrzeugen. »Bereits eine moderate Reform könnte jährlich Steuermehreinnahmen von einer halben Milliarde Euro generieren«, meinen die Bundesumweltwächter.

Der gewerbliche Flugverkehr profitiere seit langem von der Energiesteuerbefreiung für Kerosin. Zusammen mit der Mehrwertsteuerbefreiung internationaler Flüge entgingen dem Staat zum Beispiel im Jahr 2008 gut 11,5 Milliarden Euro Steuereinnahmen, womit knapp die Hälfte der umweltschädlichen Verkehrssubventionen auf den Flugverkehr entfielen. Überdies verzerre die Subventionierung des Flugverkehrs den Wettbewerb zu Lasten der Bahn und anderer umweltfreundlicherer Verkehrsmittel. Hier plädiert das UBA für eine möglichst weiträumige – zumindest EU-weite – Kerosinsteuer sowie mittelfristig die Erhebung einer EU-weiten Mehrwertsteuer für innergemeinschaftliche, grenzüberschreitende Flüge.

Eine große Bedeutung habe außerdem die Steuervergünstigung für Dieselkraftstoff. Die steuerliche Begünstigung von Kraftstoffen senke deren Kosten und steigere so ihren Anteil an der gesamten Verkehrsleistung, etwa durch die Steuerbegünstigung von Dieselkraftstoff gegenüber Ottokraftstoff. Auch minderten subventionierte und daher geringe Kraftstoff- oder Nutzungskosten die Anreize für Investitionen in innovative, effiziente Antriebstechniken oder Fahrzeuge, etwa in der Binnenschifffahrt. Außerdem schafften Subventionen wie etwa die Entfernungspauschale Anreize zur Steigerung des Verkehrsaufkommens.

Bei der Energiebereitstellung und -nutzung konstatierte das UBA einen im Vergleich zum Jahr 2006 deutlichen Anstieg der umweltschädlichen Subventionen von 11,6 auf 17,7 Milliarden Euro. Ausschlaggebend seien höhere Preisansätze für Emissionsberechtigungen, die vor allem den im Jahresdurchschnitt höheren Marktpreis im europäischen Emissionshandel widerspiegelten. Bei einem durchschnittlichen Zertifikatpreis in Höhe von 20 Euro für das Jahr 2008 hätten die impliziten Subventionen durch die kostenlose Zuteilung der Emissionsberechtigungen etwa 7,8 Milliarden Euro gegenüber 2,5 Milliarden Euro im Jahr 2006 ausgemacht. Eine nachhaltige Finanzpolitik müsse die Umweltverträglichkeit als ein zentrales Kriterium bei allen einnahmen- und ausgabenpolitischen Entscheidungen berücksichtigen. »Ein systematischer Umwelt-Check bei Subventionen wäre daher sinnvoll«, so UBA-Präsident Flasbarth. Die eingesparten Gelder könnten dringend benötigte Spielräume zur Finanzierung wichtiger Zukunftsaufgaben schaffen, etwa für Bildung und Klimaschutz oder zur Konsolidierung der öffentlichen Haushalte.

Beim Subventionsabbau stehe Deutschland auch international in der Pflicht. Das Kyoto-Protokoll fordere ausdrücklich die Abschaffung von Subventionen, die eine Minderung von Treibhausgasen behinderten. Im Rahmen der G20-Beschlüsse in Pittsburgh im September 2009 habe sich auch Deutschland dazu verpflichtet, Subventionen für fossile Energieträger mittelfristig auslaufen zu lassen. Dennoch habe allein der Bund den Steinkohlebergbau im Jahr 2008 direkt mit 1,9 Milliarden Euro gefördert. Erhaltungssubventionen für diesen Wirtschaftszweig seien schon aus ökonomischer Sicht nicht sinnvoll; zudem erzeuge der Bergbau gravierende Folgekosten. Dies alles spreche für ein schnelleres Ende der Steinkohleförderung als bisher vorgesehen.[310]

Ein besonderes Sorgenkind der staatlichen Umweltschützer sind ausgerechnet die Agrarsubventionen, vor allem die der EU, und alle Beihilfen zur sogenannten Gemeinschaftsaufgabe »Verbesserung der Agrarstruktur und des Küstenschutzes«.

Dabei geht das UBA sogar so weit, *alle* landwirtschaftlichen Subventionen zur Stützung der Erzeugerpreise oder Förderung der Produktionsmengen, wie beispielsweise bei der Branntweinproduktion, »generell als umweltschädlich einzustufen«, da eine dadurch motivierte gesteigerte Agrarproduktion den »Druck auf die Umwelt« erhöhe.

Ähnliches gilt für Subventionen von umweltschädlichen Produktionsfaktoren wie beim reduzierten Energiesteuersatz für Agrardiesel und bei der Kfz-Steuerbefreiung für Zugmaschinen.

Als Paradebeispiel schädlicher EU-Hilfen stellt das UBA die Subventionierung der Exporte von Agrarüberschüssen heraus, im Jahre 2008 rund 925 Millionen Euro, von denen 98 Millionen Euro nach Deutschland gingen. Dies widerspreche dem Leitbild der nachhaltigen Entwicklung, »weil sie künstlich Transportströme erzeugen, den Aufbau einer leistungsstarken einheimischen Nahrungsmittelproduktion in den Abnehmerländern behindern und damit auch dem Ziel der Armutsbekämpfung in Entwicklungsländern zuwiderlaufen«.

Eine »marktwirtschaftliche Ordnung kann nur funktionieren und auch ›gerecht‹ sein«, so bilanziert das UBA, »wenn die Produzenten und Konsumenten die Kosten ihres Handelns tragen und nicht auf andere abwälzen. Subventionen, die umweltschädliche Produkte und Techniken verbilligen oder umweltschädliche Aktivitäten belohnen, laufen diesem Prinzip zuwider.«

Sie bewirkten nämlich, »dass die Verursacher einen Teil der Kosten der Produktion und des Konsums nicht selber tragen, sondern dem Staat und der Gesellschaft aufbürden – beispielsweise in Form erhöhter Krankheitskosten oder Kosten zur Beseitigung entstandener Umweltschäden.«

Umweltschädliche Subventionen verzerrten außerdem den Wettbewerb zu Lasten umweltfreundlicher Techniken und Produkte, was den Umweltschutz und den Übergang zu nachhaltigen Produktions- und Konsummustern behindere.

Um diese Fehlanreize zu kompensieren, müsse der Staat umweltgerechte Techniken und Produkte stärker fördern, damit diese im Wettbewerb eine faire Chance hätten und sich im Markt durchsetzen könnten.

1. **Energiebereitstellung und -nutzung**

   Strom- und Energiesteuer-Ermäßigungen für das produzierende
   Gewerbe und die Land- und Forstwirtschaft: 2415
   Spitzenausgleich bei der Ökosteuer für das produzierende
   Gewerbe: 1962
   Steuerentlastung für bestimmte energieintensive Prozesse
   und Verfahren: 886
   Steinkohlesubventionen: 2454
   Begünstigungen für die Braunkohlewirtschaft: 195
   Energiesteuervergünstigungen für Kohle: 154
   Herstellerprivileg für die Produzenten
   von Energieerzeugnissen: 270
   Energiesteuerbefreiung für die nicht-energetische Verwendung
   fossiler Energieträger: 1600
   Kostenfreie Zuteilung der CO_2-Emissionsberechtigungen: 7783

2. **Verkehr**

   Energiesteuervergünstigung für Dieselkraftstoff: 6633
   Entfernungspauschale: 4350
   Energiesteuerbefreiung des Kerosins: 7232
   Energiesteuerbefreiung der Binnenschifffahrt: 118
   Mehrwertsteuerbefreiung für internationale Flüge: 4237
   Pauschale Besteuerung privat genutzter Dienstwagen: 500

3. **Bau- und Wohnungswesen**

   Eigenheimzulage
   (wird seit 1.1.2006 nicht mehr neu gewährt): 6223
   Bausparförderung: 467
   Soziale Wohnraumförderung: 518

4. **Landwirtschaft**

   Steuervergütung für Agrardiesel: 135
   Befreiung landwirtschaftlicher Fahrzeuge von der
   Kraftfahrzeugsteuer: 55
   Subventionen für Branntweinproduktion: 80

Summe: 48267

Arbeitsagentur – dein Vermittler und Betrüger

Glaubt man den oben erwähnten Dunkelziffern, dann dürften die folgende Fälle für Hunderte, wenn nicht Tausende stehen.

Wegen Betrugs beim Kassieren von Arbeitsvermittlungsgebühren verurteilte das Amtsgericht Freiburg im Breisgau vier Männer im April 2010 zu Freiheits- und Geldstrafen. Ihre beiden Komplizinnen müssen das ergaunerte Geld zurückzahlen. Im März 2006 gründete die Gruppe je eine Firma für Zeitarbeit und Arbeitsvermittlung. Ihr Vorgehen war praktisch schon in der grenzdebilen, Betrug provozierenden neoliberalen Konstruktion der privaten Arbeitsvermittlungen angelegt: Firma A »vermittelt« echte oder erfundene Arbeitslose an Firma B und kassiert dafür von der Agentur, also von unseren Steuergeldern, pro Fall 2000 Euro. Offiziell darf es zwar keine wirtschaftliche Verflechtung oder personelle Identität zwischen Vermittler und Arbeitgeber geben, aber – selten so gelacht.

Und so würde das Sextett den Steuerzahler noch heute schröpfen, wäre es nicht sensationell dusselig gewesen. Zum einen hatten beide Firmen dieselbe Geschäftsführerin, zum anderen fälschten sie die Unterschrift eines angeblich vermittelten Arbeitslosen.

Prompt zeigte die ARGE Freiburg die Helden an; aber die wandelten die eine Betrugsbude in eine GmbH um.

»Ab diesem Zeitpunkt hatten wir keine Handhabe mehr«, wollte Boris Gourdial, operativer Geschäftsführer der Freiburger Agentur für Arbeit, allen Ernstes der *Stuttgarter Zeitung* weismachen. »Es gab keine personelle Identität mehr, und die formellen Voraussetzungen für die Auszahlung der Prämie waren gegeben.« Die Agentur musste zahlen. Vermutlich ging die Staatsanwaltschaft nicht der naheliegenden Frage nach, ob denn nicht auch – was die natürlichste Sache der Welt gewesen wäre – das eine oder andere kleine oder größere Scheinchen an die ARGE fürs »Weggucken« geflossen ist.

Auf die Frage »Hätte man bei der Arbeitsagentur nicht früher hellhörig werden sollen?« spielte Gourdial den Dummen. »Wir sind keine Staatsanwaltschaft« und »können niemand unter Generalverdacht stellen«. Und der Veralberung noch nicht genug: Die Agenturen und Argen hätten aber ein Warnsystem. »Wir stellen Vermittler, bei denen es zu Unstimmigkeiten kommt, ins Intranet, und unsere Mitarbeiter werden darüber in Teamsitzungen informiert.«

Kein Wunder also, dass zumindest Anfang 2011 die beiden Firmen immer noch aktiv waren. Die Arbeitsagentur Freiburg gab vor, »den ganzen Vorgang jetzt lückenlos überprüfen und auch Akteneinsicht bei der Staatsanwaltschaft beantragen« zu wollen.[312]

Im zweiten Fall ermittelt die Staatsanwaltschaft Saarbrücken gegen einen früheren Bereichsleiter der Saarbrücker Agentur für Arbeit wegen Untreue und Bestechlichkeit, weil er gezielt einzelne externe Träger von Bildungsmaßnahmen für Arbeitslose bevorzugt habe. Im Gegenzug hätten die »Komplizen« ihm Personal zum Einsatz als »Fallmanager« in seinem Büro zur Verfügung gestellt.

Um die zu finanzieren, habe er bei den »Bildungsträgern« weit mehr Schulungsplätze als nötig eingekauft und dafür auch »Pseudo-Arbeitslose« und »Fantasiebewerber« angemeldet. Zudem habe er dem Personal der Bildungsklitschen den Zugriff auf das Datensystem der Arbeitsagentur ermöglicht.[313]

4. Hokuspokus Verschwendibus – willkürlicher Kauf

Häufig kauft der Prokurist des Staates oder Privatunternehmens Dinge oder Dienstleistungen, die der Prinzipal nicht unbedingt kaufen wollte, um damit dem Verkäufer einen Vorteil zu verschaffen. Hier kann der Preis durchaus korrekt sein. Bestes Beispiel sind öffentliche Bauaufträge für nicht (zwingend) benötigte Projekte. Von der hirnrissigen Verschwendung zum durchaus »rationalen« korrupten Geschäft wird die Aktion durch eine wie auch immer geartete Gegenleistung. Hier einige besonders himmelschreiende Beispiele aus den Berichten des Bundes der Steuerzahler.

Sport ist gesund – vor allem fürs Konto

1,3 Millionen Euro warf die Hansestadt Lübeck dem lokalen Fußballclub VfL für dessen abstruse Profiligaträume in Gestalt einer neuen Haupttribüne in den Rachen. Als der Club einundachtzig Gläubigern insgesamt 2,8 Millionen Euro abgeschwatzt hatte, machte er im Jahr 2008 einen auf Insolvenz. Zwei Jahre später einigte man sich auf einen »Insolvenzplan«, wonach die Stadt 49 000 Euro in vier Raten zurückbekommt.

Was hier als blauäugige »Sportbegeisterung« daherkommt, ist lupenreine Korruption. Die Stadtväter als »Prokuristen« der Gemeinde verpulvern hemmungslos 1,3 Millionen Euro, um für die nächste Wahl oder auch nur in Bezug auf persönliches Ansehen beim Volke zu punkten. Da das Desaster vorhersehbar war, gehören die Verantwortlichen – wie jeder andere, der siebenstellige Beträge fremder Leute für eigene Interessen veruntreut – eigentlich hinter Schloss und Lübecker Marzipanriegel.[314]

In Calvörde (Sachsen-Anhalt), einem Kaff mit sechs Sportbootfreunden baute der Gemeinderat auf Kosten der Bürger ein nobles Ankersplätzchen, obwohl laut Bund der Steuerzahler »nur 18 Kilometer entfernt in Haldensleben ein exquisiter Sportboothafen existiert« und die Einwohner »auf Wichtigeres, wie Fußwege und dergleichen, verwiesen … Den hohen Aufwand dafür begleicht der Steuerzahler.« Kommentar der Verschwendungswächter: »Ein Grund, Geld auszugeben, das einem nicht gehört, findet sich eben immer.«[315]

In Overath (NRW) wurde für zwei Millionen Euro eine völlig überflüssige neue Turnhalle gebaut. »Nur einen Katzensprung entfernt, im Nachbarort« gibt es »eine Mehrzweckhalle, die an weniger als zehn Tagen im Jahr genutzt« wird.

Noch mehr als das Projekt als solches stinkt die Art seines Zustandekommens. Der Bürgermeister vergab laut Steuerzahlerbund »zusammen mit einem Ratsmitglied in einer Nacht-und-Nebel-Aktion Bauaufträge für 180 000 Euro. Den Rat fragte er nicht. Nach seiner Einschätzung war höchste Dringlichkeit gegeben ... Die Kreisverwaltung stufte diese Dringlichkeitsentscheidung aus vier Gründen als rechtswidrig ein. Erstens sei der Bau- und Planungsausschuss der Stadt Overath übergangen worden, zweitens sei ein Fall äußerster Dringlichkeit nicht erkennbar, drittens hätte diese Entscheidung in der nächsten Sitzung des Bau- und Planungsausschusses genehmigt werden müssen, und viertens sei nicht ersichtlich gewesen, dass der Hallenneubau bei der Verwendung der Haushaltsmittel »eine besondere Priorität« gehabt habe.[316]

Diese drei Fälle stehen für Tausende überflüssiger Gemeindeprojekte auf Steuerzahlers Kosten. Und in allen diesen ohnehin schon nach Korruption riechenden Fällen drängt sich eine Frage geradezu auf, die offenbar viel zu selten gestellt wird: Welche verwandtschaftlichen oder sonstigen Beziehungen haben Bürgermeister bzw. Gemeinderatsmitglieder zu den (Bau-)Unternehmen?

Ein Meisterstück legaler Korruption, das ebenfalls den Bund der Steuerzahler auf die fiskalische Palme brachte, lieferte die Kanzlerin persönlich. Mit sage und schreibe 2,3 Millionen Euro aus Steuergeldern unterstützte dieselbe schwarz-gelbe Rudelführerin, die um jeden Zehntelcent beim Existenzminimum, beim Bildungsetat oder beim Kindergeld feilscht, die jährliche Zusammenrottung der dekadentesten Dekadenz Deutschlands und Europas, gegen die sogar die Spätrömer in der Endphase ein gebildetes und manierliches Völkchen waren: die stets vom Odem der NS-Nostalgie umwehten Wagner-Festspiele in Bayreuth. Was Wunder: Richard Wagner war Hitlers Liebling und Autor der Schrift »Das Judentum in der Musik«.[317]

Die Kanzlerin handelte deshalb korrupt, weil sie fremdes Geld, nämlich das der Bürger, verplemperte, um damit zumindest bei den Wagner-Fetischisten Sympathie einzukaufen.[318]

5. Wo ein korrupter Wille ist, da ist auch ein Weg

Wie sich bereits hier erahnen lässt, ist die Palette der mutwilligen, korrupten Verschwendung grenzenlos zu erweitern, was ja nahezu tagtäglich und mehr oder minder plump auch geschieht. Womöglich hat irgendwo und irgendwann in diesem unserem Lande ein Gemeinderat im Namen und auf Kosten des Volkes das Gekritzel seines dreijährigen Neffen für einen fünfstelligen Betrag als »sozialkritische Grafik« für ein öffentliches Museum ersteigert, das wiederum von seinem Schwippschwager nach den aufgrund eines Gutachtens seiner Schwiegermutter erstellten Bauplänen seines Onkels erst noch gebaut werden muss. Fantasie, kriminelle Energie und pure Gier fügen sich zusammen zu einem monumentalen korrupten Gesamtkunstwerk.

Die Vollprofis in Sachen korrupte Aneignung fremden Eigentums versuchen dabei, ihre Projekte als eine Art »Wertschöpfungskette« zu gestalten, wie schon die Korruptionsforscherin Susan Rose-Ackerman treffend bemerkte: »Korrupte Käufer und Verkäufer entwickeln oft Systeme, die sich gegenseitig verstärken und perpetuieren. Solche Systeme … können auch so organisiert sein, dass sie beeinflussen können, welche Art Dienstleistungen und öffentliche Aufträge die öffentliche Hand vergibt.«[319] Zwar bezieht sie diese Spielart der Korruption hier auf den öffentlichen Sektor; sie ist aber natürlich auch innerhalb der Privatwirtschaft möglich und üblich.

Das Besondere daran ist, dass hier zunächst die *Möglichkeit* zu einem lukrativen – überflüssigen oder tatsächlich notwendigen – Geschäft erkauft wird. Prominente und besonders teure Beispiele hierfür sind die bis heute umstrittene Einführung biometrischer

Personalausweise, die mit horrenden Pannen und Kosten verbundene Entwicklung eines eigenen statt der Übernahme eines bewährten ausländischen Mautsystems oder – mit haushohem Vorsprung – die permanente »Modernisierung« der Waffensysteme. Vielleicht kommen morgen die ovalen, ockergelben Zwangsnummernschilder für Zweitfahrräder, die sechsrädrigen Einkaufswagen, der kugelsichere Badeanzug oder der Leinenzwang für Silberfische?

All diese mehr oder weniger absurden Projekte haben eines gemeinsam: Man muss sie nicht zwingend realisieren, *kann* es aber. Fachleute nennen es das Why-not-Prinzip: Warum eigentlich keine Umgehungsstraße, kein Merkel-Denkmal auf dem Marktplatz, keine Freilichtbühne?

Von derlei meist Millionen bis Milliarden verschlingenden Großvorhaben profitiert zunächst die gesamte entsprechende Branche, ohne dass schon geklärt sein bzw. eine Rolle spielen muss, welche Unternehmen letztlich den Zuschlag erhalten. Diese Projekte zunächst grundsätzlich durchzusetzen ist häufig die Aufgabe offener oder verdeckter, bezahlter oder »ehren«amtlicher Lobbyisten aus Politik und Wirtschaft, präkompetenter Beraterkohorten, immer häufiger aber auch renommierter »Wissenschaftler« samt ihren gesponserten »Studien«.

Wenn dann nach erfolgreicher Arbeit dieser Gruppen zum Beispiel der Ausbau der Autobahnen auf zwölf Spuren oder die Ausstattung sämtlicher Büroräume mit RTL-deutsch sprechenden Espressomaschinen beschlossen ist, dient das ja zunächst dem gesamten Wirtschaftszweig: Es ist quasi ein neuer Kuchen da, um den sich die einzelnen Branchenmitglieder streiten können.

Wer aber den Zuschlag erhält, hat oft auf Jahre oder Jahrzehnte ausgesorgt: Im Hightech-Zeitalter ist zur Wartung oder Ersatzteillieferung oft nur der Hersteller selbst oder ein mit ihm – meist ebenfalls korrupt verbandeltes – Partner- oder Zulieferunternehmen imstande. Dass man vor nicht allzu langer Zeit sein Auto fast immer selbst reparieren konnte, während man heute schon zum Leeren des Aschenbechers eine spezielle Software benötigt, hängt nicht in erster Linie mit dem »technischen Fortschritt« zusammen. Vielmehr ist es so, als würde jemand in unserer Wohnung sämtliche Räume, Schränke, Schubladen, Gefäße und Geräte mit Zahlenschlössern versehen und uns den Code verschweigen.

Nicht anders funktioniert das übrigens auch mit den »Beratern«: Nachdem die Politiker ihre Kumpels mit traumhaft dotierten Verträgen versehen haben, schreiben die alle Unterlagen zu ihrem »Studien« oder »Gutachten« genannten unbrauchbaren Krempel (s. o.) in einer Art Geheimcode, so dass ausschließlich sie für Nachfolgeaufträge in Frage kommen.

6. »Ich erkläre an Meineides statt ...«

Jeder weiß es, aber selten kann man's beweisen: Die Falschaussage – beeidet oder nicht – gehört zum deutschen Justizalltag wie die Lüge zum Wahlkampf. Meist sind es – real oder im Krimi – Pärchen, Verwandte oder Freunde, die sich ausgerechnet zur Tatzeit gemeinsam den Arte-Themenabend zur Relativitätstheorie oder ein dreistündiges Teletubbie-Video reingezogen, wenn nicht sogar als stadtbekannte Atheisten die Nacht betenderweise in der Kirche verbracht haben wollen.

Nun aber hat die Hamburger Staatsanwaltschaft einen hochkarätigen Politiker am Wickel. Der langjährige Sprecher und große Hoffungsträger (»Obama von Altona«) der Hamburger SPD, Bülent Çiftlik, soll eine vierstellige Schmiergeldzahlung an Güven P., Mitglied im Bundesvorstand der Türkischen Gemeinde in Deutschland, für eine uneidliche Falschaussage veranlasst haben.[320] Der Gemeindefunktionär hat nach Überzeugung der Ankläger in einem früheren Prozess gegen Çiftlik vor Gericht vorsätzlich falsch ausgesagt, um den Angeklagten von dem Vorwurf zu entlasten, er habe eine Scheinehe vermittelt.

Wie eine Gaunerklamotte à la »Die Gentlemen bitten zur Kasse« mutet auch die legendäre »Kofferaffäre« um den berüchtigten

Waffenlobbyisten Karlheinz Schreiber an, die Wolfgang Schäuble später den CDU-Vorsitz kostete. Der umtriebige Bajuware Schreiber war zwischenzeitlich zwecks Strafvermeidung nach Kanada ausgebüxt, wurde aber im August 2009 an Deutschland ausgeliefert und im Mai 2010 wegen Steuerhinterziehung zu acht Jahren Haft verurteilt.[321]

Im September 1994, also drei Jahre nachdem die schwarz-gelbe Regierung im Jahre 1991 einen Panzerexport nach Saudi-Arabien ermöglicht hatte, soll Schäuble, kurz darauf Chef der Unionsbundestagsfraktion, von Schreiber einen Koffer mit 100 000 Mark erhalten haben. Weitere fünf Jahre später, im Dezember 1999, sagte Schäuble vor dem Bundestag, er habe Schreiber nur einmal getroffen. Und als der Grünen-Abgeordneten Hans-Christian Ströbele dazwischenfragte: »Mit oder ohne Koffer?«, gab Schäuble die fatale Antwort: »Ohne Koffer.« Auf gut Deutsch: Er habe nie Geld von Schreiber erhalten.

Selbst Helmut Kohl wunderte sich. In seinem Tagebuch findet sich unter dem Datum 2. Dezember 1999 der Eintrag: »Ich … frage mich, warum er vor dem Parlament diese Aussage macht. Ich verstehe Wolfgang Schäuble nicht.«

Am 10. Januar gestand Schäuble, er habe damals sehr wohl einen Geldkoffer von Schreiber erhalten.[322] Bis dahin war es lediglich eine »normale« Parteispende gewesen, wobei sich der halbwegs aufgeweckte Bürger natürlich fragte, warum Schäuble den Erhalt einer völlig legalen und über jeden Korruptionsverdacht erhabenen Spende zunächst abstritt. Endgültig ins Absurde glitt die Affäre aber, als die damalige CDU-Schatzmeisterin Brigitte Baumeister versicherte, Schreiber habe die Kohle nicht Schäuble gegeben. Vielmehr habe sie bei Schreiber in Kaufering einen Umschlag mit »hundert hässlichen Männern« abgeholt und in Bonn an Schäuble weitergegeben.[323]

Überflüssig zu sagen, dass bei diesem Kuddelmuddel die Gerichte weder Schreiber noch Baumeister geschweige denn Schäuble wegen Korruption verurteilen mochten.

Bundesdeutsche Politiker und Lügen vor Gericht oder vor laufender Kamera gehören aber offenbar zusammen wie Boris Becker und der Tennisschläger. »Die Erben Walter Ulbrichts« überschrieb *Focus Online* im Juni 2011 einen entsprechenden Artikel.[324] Sachlich ist das nicht ganz richtig, denn der spitzbärtige DDR-Boss hat sein legendäres »Niemand hat die Absicht, eine Mauer zu errichten« erst am 15. Juni 1961 in die Welt gesächselt, bevor kurz darauf, am 13. August, die Betonmischer anrollten. Bereits 1960 aber wurde der damalige CSU-Generalsekretär und MdB, Helmut Kohls späterer Bundesinnenminister Friedrich »Old Schwurhand« Zimmermann (1982–1889), im Zusammenhang mit der bayerischen Spielbankenaffäre wegen Meineids verurteilt; allerdings wurde er 1961 wegen verminderter geistiger Leistungsfähigkeit zum Zeitpunkt des Eides freigesprochen.[325]

Die Tradition ist dennoch ungebrochen: Als Ende 1962 gegen *Spiegel*-Mitarbeiter aufgrund eines kritischen Artikels Ermittlungsverfahren wegen Landesverrats eingeleitet und Chefredakteur Rudolf Augstein sowie Autor Conrad Ahlers verhaftet werden, wird der damalige Verteidigungsminister Franz Josef Strauß zur Rede gestellt. »Strauß lügt im Bundestag und bestreitet jegliche Beteiligung«, erinnert sich *Focus Online*. »Später räumt der CSU-Politiker ein, die Festnahme von Ahlers durch die spanische Polizei über die Botschaft in Madrid veranlasst zu haben. In der Folge muss er als Verteidigungsminister zurücktreten.[326]
Schleswig-Holsteins Ministerpräsident Uwe Barschel (CDU) ließ während des Landtagswahlkampfes 1987 seinen Konkurrenten Björn Engholm (SPD) durch seinen Referenten Reiner Pfeiffer bespitzeln. Vor der Presse behauptete er allerdings am 18. September 1987 mit Dackelblick: »Über diese Ihnen gleich vorzulegenden eidesstattlichen Versicherungen hinaus gebe ich Ihnen, gebe ich den Bürgerinnen und Bürgern des Landes Schleswig-Holstein und der gesamten deutschen Öffentlichkeit mein Ehrenwort, ich wiederhole: Ich gebe Ihnen mein Ehrenwort, dass die gegen mich erhobenen Vorwürfe haltlos sind.«[327] Als aber die

Zweifel an seiner Wahrheitsliebe immer größer wurden, trat er am 2. Oktober 1987 zurück. Spätestens seit »Waterkantgate« *(Spiegel)* wissen wir, was das Ehrenwort aus dem Munde eines Spitzenpolitikers wert ist.

In wahrer Hochreform präsentierte sich Hessens damaliger Ministerpräsident Roland Koch in Sachen Spendenaffäre. »Koch hat in zahlreichen Fällen öffentlich gelogen«, beurteilte der *Spiegel* die Ausreden des CDU-Mannes.[328] Er habe »seine Legenden bei so vielen Gelegenheiten aufgetischt, dass es kaum möglich erscheint, eine vollständige Chronik der Lüge zu erstellen«.[329] Korruptionsaufklärer Hans Leyendecker von der *Süddeutschen Zeitung* meinte: »Der Öffentlichkeit hat sich Koch als Anhänger einer ›brutalstmöglichen Aufklärung‹ präsentiert, aber später stellte sich heraus, dass er in der Affäre gelogen hat.«[330] *Zeit*-Autor Thomas Kleine-Brockhoff schrieb sogar: »Roland Koch hat eine Lüge zugegeben.«[331]

Das war wohl etwas voreilig, denn in einem von ihm selbst nachträglich redigierten[332] und zur Veröffentlichung in Buchform freigegebenen Interview sagte er auf die Frage des Journalisten Hugo Müller-Vogg, ob ihn »das Etikett Lügner« getroffen habe: »Den Vorhalt, zu spät informiert zu haben, müssen sich viele Politiker in ihrem Leben machen … Daraus hat die Opposition versucht, dieses Etikett des Lügners zu stempeln. Beide Elemente dieses Vorgangs tun mir persönlich weh.«[333]

Selbst Hofschreiber Müller-Vogg hakte nach: »Aber Sie haben doch damals die Unwahrheit gesagt, also gelogen.« Doch Koch erwiderte abgebrüht: »Ich bleibe dabei: Ich habe nicht vollständig unterrichtet.«[334]

Heribert Prantl bescheinigte dem Hessen in der *Süddeutschen Zeitung* Lernfähigkeit sowohl in der Sache als auch in der Wortwahl: »Am Anfang, als der Skandal aufflog, hat sich Koch noch dafür entschuldigt, nicht die Wahrheit gesagt zu haben. Schon bald korrigierte er sich und bekannte nur noch, die Öffentlichkeit ›nicht vollständig informiert‹ zu haben. Man sieht: Koch beherrscht die Orwellsche Sprechweise.«[335]

7. So blind und keinen Hund –
Duldung illegaler Aktionen

In den Etats unserer Verwaltungen sucht man den Posten »Blindenhunde« vergeblich. Dabei scheinen manche Volksvertreter und Staatsdiener so blind zu sein, dass sie selbst Straftaten übersehen, die unmittelbar vor ihren Augen ablaufen.

»Das bisschen Haushalt« – die Schwarzarbeit

»In einem der größten Verdachtsfälle von Wirtschaftskriminalität in Deutschland«, meldete n-tv im Mai 2005, hätten nach Angaben des Hauptzollamtes Augsburg »mindestens fünf Mitarbeiter der Bundesagentur für Arbeit« bei der Einschleusung von fünfzehnhundert ungarischen Billigarbeitern in die Fleisch-, Bau- und Metallbranche »Vorteile genossen«.[336]

Rund 710,4 Millionen Euro Schaden durch Schwarzarbeit im Jahr 2010 ermittelten allein die Behörden;[337] da möchte man die Dunkelziffer lieber nicht wissen. 347,6 Milliarden Euro, fast 14 Prozent des Bruttoinlandsprodukts, wurden nach Studien des Tübinger Instituts für Angewandte Wirtschaftsforschung (IAW) in der Schattenwirtschaft umgesetzt.[338] Am beliebtesten – wen wundert's – ist Schwarzarbeit auf dem Bau, im Handwerk, in der Gastronomie und bei Dienstleistungen.

Nun wollen uns neoliberale Agitatoren wie der Linzer Wirtschaftsprofessor Friedrich Schneider ernsthaft weismachen: »Das beste Mittel, die Schwarzarbeit zu bekämpfen, sind sinkende Steuern und Abgaben. Letztlich ist Schwarzarbeit die Steuerrebellion des kleinen Mannes.«[339] Klingt logisch: Bei null Steuern keine Schwarzarbeit und bei Nulltarif in Bus und Bahn keine Schwarzfahrer mehr.

In Wahrheit stinkt auch hier der Fisch vom Kopf her, denn die Bürger sind nicht ganz so naiv, wie Politik und Wirtschaft sie gern hätten. Sie lesen fast täglich Schlagzeilen wie die in *Spiegel On-*

line vom 20. November 2010: »Verdacht auf Steuerbetrug: Siemens soll dreistelligen Millionenbetrag erschlichen haben.«[340] Sie staunen, dass Ex-Siemens-Vorstand Johannes Feldmayer für Untreue und Steuerhinterziehung in Millionenhöhe vom Landgericht Nürnberg-Fürth nur lächerliche zwei Jahre auf Bewährung bekam[341] – und bringen das womöglich mit den üppigen Parteispenden der Konzerne in Verbindung. Kämen sich diese Bürger, die gleichzeitig – und sei es nur aus Angst vor Entdeckung und Strafe – ehrliche Steuerzahler sind, dann nicht wie Deppen vor, wenn sie die sporadische Renovierung, Autoreparatur oder Haushaltshilfe dem Finanzamt meldeten? Wenn millionenschwere Steuerbetruger de facto gar nicht bestraft werden, müssten sie dann nicht für die Hinterziehung von läppischen 980 Euro noch Geld vom Staat erhalten?

Einen wichtigen Grund für das Blühen von Schwarzarbeit und Steuerbetrug sieht der Chef der Deutschen Steuergewerkschaft, Dieter Ondracek, in der viel zu nachlässigen Strafverfolgung: »Durch laxe Steuerkontrollen lässt sich der Staat jedes Jahr 30 Milliarden Euro entgehen. Die Hälfte davon ließe sich schon mit etwas mehr Personal eintreiben. Stattdessen aber entsteht eine kuriose Situation: Die Finanzverwaltung baut vielerorts Stellen ab – und lädt so zu noch mehr Unehrlichkeit ein. Bundesweit sind zuletzt sechstausend von hundertzwanzigtausend Stellen gestrichen worden; Deutschland fehlen fünfzehntausend Beamte, davon fünftausend im Außendienst wie Betriebsprüfer und Fahnder.« Für Ondracek ist dies völlig unverständlich, denn: »Ein Steuerfahnder treibt im Jahr eine Million Euro ein, kostet aber nur 70 000 bis 80 000 Euro. Jeder Einzelne würde die Kosten für den Staat mühelos wieder einspielen.«

Unterm Strich – und hier sind wir mitten im Thema Korruption – profitieren von diesen bewussten oder unbewussten Versäumnissen genau diejenigen, denen die Parteien einen Großteil ihrer Spenden verdanken: Wegschauen gegen Bares? »Unter wohlhabenden Deutschen hat sich jedenfalls längst herumgesprochen«, sagt Ondracek, »dass das Entdeckungsrisiko in Teilen Deutschlands nicht sonderlich groß ist. Es würde mich nicht wundern, wenn die Zurückhaltung bei Betriebsprüfungen und der Steuerfahndung letztlich dem Standort nutzt. Das eine oder andere Unternehmen könnte sich entscheiden, diese Vorzüge dauerhaft zu genießen.«[342]

Und auch das gibt's: Korrupte Manager und Beamte müssen Bestechungsgelder voll versteuern, entschied der Bundesfinanzhof bereits am 27. Juli 2007.[343] Die Richter wiesen die Beschwerde eines Beamten schnöde ab, der sich bei der Vergabe von Aufträgen zur Brückensanierung und zur Graffiti-Beseitigung bestechen ließ. Das Finanzgericht Berlin habe ihm zu Recht hohe Schmiergeldsteuern aufgebrummt. Der Beamte hatte reklamiert, sein illegaler Nebenverdienst sei als »gewerblich« zu behandeln, was zu einer deutlich niedrigeren Steuerlast geführt hätte. Die Richter stellten jedoch klar, dass eine Gewerblichkeit der Einkünfte bei einem klassischen Korruptionsfall wie diesem nicht in Frage komme.[344] Kurzum: Er hätte seine Bestechlichkeit als Gewerbe anmelden müssen.

Der Geldschein an der Hinterachse – TÜV-Betrug

Wegen Bestechlichkeit in fünfundsiebzig Fällen steckte das Landgericht Frankfurt im März 2011 einen Kfz-Prüfer des Mainzer TÜV für zwei Jahre und neun Monate ins Gefängnis.[345] Der fünfundvierzigjährige Diplom-Ingenieur soll von 2006 bis 2007 praktisch jeder Schrottmühle die Fahrtauglichkeit bescheinigt haben, die nicht gerade mitten auf dem Prüfstand in sich zusammenfiel und deren Halter frei nach dem leider viel zu früh verstorbenen Berliner Liedermacher Ulrich Roski »seine Karre durchgeschleust« hatte, indem er bis zu 250 Euro »an den Auspuff band«.[346]

»Wir haben Sie gewarnt« – Razzien-Sabotage

»Die Deutsche Bank wurde vor einer Razzia gewarnt«, stellte die *Süddeutsche Zeitung* am 4. Juli 2010 ohne Wenn und Aber fest. »Abgehörte Telefonate lassen vermuten: Unter den Ermittlern der Sicherheitsbehörden gibt es Beamte, die sich der Bank verpflichtet fühlen.«

Was die SZ da schildert, klingt nicht nur wie ein billiger Korruptionskrimi; es ist einer: »Am 27. April hält der Frühling Einzug in Hessen, und ein Angestellter der Deutschen Bank grillt am Abend mit seinen Nachbarn. Um halb neun ruft ihn sein Chef auf dem Handy an ... Er wolle nur sagen, dass am nächsten Tag die Staatsanwaltschaft ins Büro in Frankfurt kommen könnte. Der Chef weiß auch schon, worum es geht: um Kohlendioxid nämlich, also um den Handel mit Emissionsrechten. Man müsse aber gar nicht viel machen, wenn ›die Typen‹ kämen. Nur die Hausjuristen rufen und dann eben die Ordner rausrücken.« Tags darauf findet die Razzia tatsächlich statt. Aber damit nicht genug: »Abgehört werden an diesem Abend Telefonate zwischen insgesamt fünf Mitarbeitern der Deutschen Bank. Einer will gehört haben, am nächsten Tag würden auch die Commerzbank und die BHF-Bank durchsucht, was dann tatsächlich der Fall ist. Die Mitarbeiter der Deutschen Bank haben also sogar Hinweise auf Razzien bei der Konkurrenz.«[347]

Die Frankfurter Generalstaatsanwaltschaft ermittelte gegen »Unbekannt« wegen des Verdachts der Verletzung von Dienstgeheimnissen. Für den Leitenden Oberstaatsanwalt Günter Wittig waren korrupte »Maulwürfe« in Hessens Behörden schon fast ein alter Hut: »Wir wussten schon sehr lange, dass die Bank gewarnt worden ist.«[348]

Die Polizei – dein Freund und Informant

Wegen Vorteilsgewährung, Bestechung und Anstiftung zum Verstoß gegen das Bayerische Datenschutzgesetz kassierte ein sechsundvierzigjähriger Nürnberger Gastronom vor dem Schöffengericht achtzehn Monate Haft. Jahrelang hatte er einen Polizeihauptkommissar mit VIP-Karten für seine Striplokale versorgt, spendierte ihm Gutscheine für »Privatshows« und lud den verheirateten Familienvater auch mehrfach zu Bordellbesuchen in Erlangen ein. Im Gegenzug lieferte ihm das leuchtende Aushängeschild der deutschen Polizei (Diktion: »Schwarzes Schaf«) Informationen über neu einzustellende »Damen«, aber auch Auskünfte über den Wirt selbst oder Erkenntnisse nach einer Razzia durch das Zollamt.

Der Polizist selbst kam ohne jeglichen Prozess mit einem Strafbefehl über sechs Monate mit Bewährung sowie siebenhundertzwanzig Tagessätzen (etwa 40 000 Euro) Geldstrafe davon. Ob die Kollegen für die Strafe zusammengelegt haben, ist nicht bekannt.[349] »Hat die Justiz mit zweierlei Maß gemessen?«, fragt völlig zu Recht Susanne Stemmler von der *Nürnberger Zeitung.*[350]

Ordnungshüter als amtlicher Arm der Hells Angels

Im Dezember 2010 durchsuchten Beamte des Hessischen Landeskriminalamtes bei einer Großrazzia gegen die Rockergruppe *Hells Angels* auch Wohnungen und Arbeitsplätze von Fahndern. Sie sollten interne Informationen an die Hells Angels verkauft und mit Drogen gedealt haben.

Fünf Beamte des LKA wurden vom Dienst suspendiert, darunter der fünfzigjährige Leiter einer Ermittlungsabteilung, der die Hardcore-Rocker immer auf dem neuesten Stand interner Informationen gehalten haben sollte, inzwischen aber rehabilitiert und mit 8000 Euro Schmerzensgeld belohnt wurde.

Zwei weitere Beamte eines Frankfurter Reviers sollen ebenfalls Insidertipps an die Motorradbande verhökert und »gegen das Betäubungsmittelgesetz verstoßen« haben.

Zuvor soll laut Darmstädter Staatsanwaltschaft eine vierunddreißigjährige Beamtin des Polizeipräsidiums Frankfurt vorübergehend festgenommen worden sein und eigenen Drogenankauf gestanden haben. Ein einundfünfzigjähriger Kollege soll von ihr »Betäubungsmittel in geringen Mengen« bezogen haben.

Auf den Verrat von Informationen stehen Geldstrafe oder bis zu fünf Jahre Haft.

Hessens Ordnungshüter wurden ohnehin schon in den Wochen davor von »Vorwürfen über Mobbing, autoritäre Strukturen, schwarze Personalakten und Ärger um psychologische Gutachten« gebeutelt. Im Laufe des Skandals wurde Landespolizeipräsident Norbert Nedela gefeuert und LKA-Präsidentin Sabine Thurau versetzt. Mitte Juni wurde sie wegen »Nichtbewährung im Amt« endgültig aus ihrem »Beamtenverhältnis auf Probe« entlassen.[351]

Beteiligung an krummen Dingern

Der bislang spektakulärste Fall *aufgeflogener* polizeilicher Bandenkriminalität ist schon gut ein Jahrzehnt her. »›Bullen-Kalle‹ und andere Pillen-Polizisten vor Gericht – Prozess um Drogenaffäre bei der Berliner Schutzpolizei«, titelte am 22. Mai der sonst nicht gerade als Revolverblatt bekannte *Tagesspiegel.* »In der Szene wurde der 34-jährige Polizeimeister Karsten M. nur ›Bullen-Kalle‹ genannt«, schreibt Kerstin Gehrke spannender als manch Krimiautor. »Er soll sogar in Uniform und im Dienst bei einem seiner Drogenlieferanten vorgefahren sein.«

Ich war auf beiden Ufern zu Hause, bei den Guten und bei den Bösen, bei der Polizei und bei den Ganoven.
Ausspruch des wegen Korruption angeklagten Karsten M.

Wegen gewerbsmäßigen Handels mit Drogen und verschreibungspflichtigen Arzneien, wegen Bestechlichkeit, Verrat von Polizeidaten und Unterschlagung musste sich Karsten M. gemeinsam mit seinem fünfunddreißigjährigen Kollegen Uwe R. vor dem Landgericht Berlin verantworten. Sie sollen gegen Drogen und Geld sogar Daten aus dem Polizeicomputer herausgegeben und fünfhundert Schuss Munition vermarktet haben.

Der Staatsanwalt brauchte für die Verlesung der Anklage fast neunzig Minuten. Schließlich ging es um nahezu tausend Delikte, allein fünfhundertachtundfünfzig betrafen »Bullen-Kalle«, einhundertsechsundfünfzig seinen Komplizen. Im März 2001 wurden bei einer Razzia im Zusammenhang mit diesem Fall vierunddreißig Wohnungen, Polizeidienststellen und Fitness-Studios durchsucht.

Die beiden Beamten sollen Bodybuilder in der sogenannten Pumper-Szene mit verbotenen Anabolika versorgt und selbst welche geschluckt, zudem mit Ecstasy-Pillen, Kokain und Haschisch gehandelt haben – flächendeckend über alle Bezirke verteilt. Nach zwei Monaten legten M. und R. mehrere hundert Seiten umfassende Geständnisse ab und kamen frei.

In zwei Prozessen waren bereits Dealer der »Pillen-Polizisten« zu Haftstrafen bis zu drei Jahren und drei Monaten verurteilt worden.

Läppischer Kommentar des Berliner Innensenators und SPD-Rechtsaußen Ehrhart Körting: Bei siebenundzwanzigtausend Mitarbeitern gebe es »auch mal das eine oder andere schwarze Schaf«.[352]

Wer nun auf angemessene zweistellige Freiheitsstrafen getippt hat, kennt die deutsche Justiz und ihr traditionelles Verhältnis zu deutschen Staatsorganen schlecht. Das Berliner Landgericht spendierte erwartungsgemäß ein »Mildes Urteil für Pillen-Polizisten« *(Tagesspiegel)*: je zwei Jahre auf Bewährung und 2500 Euro Geldbuße.[353]

Wegen des Verkaufs von Aufenthaltsgenehmigungen an Ausländer verurteilte das Landgericht Wuppertal im Juni 2010 den damaligen Leiter der Ausländerbehörde zu vier Jahren und drei Monaten Haft. Sein Komplize, ein türkischer Gemüsehändler, erhielt vier Jahre. Selbstverständlich büßte der Ex-Beamte auch seine Pension ein. Im Rahmen der »Gemüse-Connection« habe er gut 130 000 Euro Schmiergeld kassiert und als Gegenleistung in achtzehn Fällen Aufenthaltsgenehmigungen erteilt oder Abschiebungen verhindert. Schon während der Ermittlungen waren bei den beiden Kriminellen »hohe fünfstellige Beträge« zur Schadensregulierung beschlagnahmt worden.

Bezeichnend: Nach Erkenntnissen der Staatsanwaltschaft sind die angeklagten Fälle nur die Spitze des Eisbergs. Überprüft worden seien einhundertvierzig Vergehen, sagte Oberstaatsanwalt Wolf-Tilman Baumert. Jedoch werde nur ein geringer Teil gerichtlich aufgerollt, um den Prozess nicht zu sprengen. Auf gut Deutsch: Mit diesem Übermaß an amtlicher Kriminalität ist selbst unsere Justiz überfordert.[354]

8. Schnell vermittelt ist gut verdient

Eigentlich ist es eine nette Aufmerksamkeit und im Grunde sogar selbstverständlich: Nach Verkehrsunfällen taucht häufig die Frage auf, wie man die frischgebackenen Schrottkisten von der Fahrbahn kriegt. Kaum einer der Crash-Teilnehmer kennt einen Abschleppdienst, schließlich hat man ja so einen Blechschaden nicht täglich. Doch dafür gibt es ja die anwesenden Freunde und Helfer, und im Nu sind die Abschleppwagen da.

Dafür alle Achtung und tausend Dank – es sei denn, die Beamten machen daraus hinter dem Rücken der Unfallautofahrer ein lukratives Geschäft. »Firma ›Schlepp & Schmier‹« taufte *Focus Online* einen Pannendienst aus Ostercappeln (Niedersachsen), dem zwanzig Polizisten jahrelang Unfall-Bergungsaufträge zugeschanzt und im Gegenzug Ersatzteile unter Wert und Gratisreparaturen für ihre Privatfahrzeuge erhalten haben sollen. Laut entsprechenden Strafanzeigen wurden Ordnungshüter zu Weihnachten »mit Trainingsanzügen« beschenkt oder mit fadem Bargeld – »unterm Kuchen« – beim Schwätzchen auf dem Revier. Auch »Einladungen in Restaurants und Bordelle« habe es gegeben, nebst »Präsentkörben und Leihfahrzeugen zum Nulltarif«.

Aber das ist noch gar nichts gegen die Methoden anderer Kollegen. »Fast schon filigran wirkt dieses Vorgehen im Vergleich zu den Aussetzern rheinland-pfälzischer Autobahn-Sheriffs«, schwärmt das Blatt. »Die luden Spirituosen aus einem Transporter noch am Unfallort in ihren Dienstwagen.«

Derartig freches Absahnen hat laut *Focus* schon bundesweit Dutzende Polizisten ihren Arbeitsplatz gekostet.[355]

9. Präsente für bloße Pflichterfüllung

Als Beispiel dafür, dass man nur durch Korruption zu seinem Recht kommt, dient häufig die Bestechung ausländischer Entscheidungsträger durch deutsche Unternehmen. Ausgerechnet der allwissende ökonomische Vollblutlaie und Skandalschriftsteller[356] Martin Walser verteidigte die Schmierprofis: Jeder (!) wisse, »dass in vielen Ländern Großaufträge ohne Bestechung nicht zu bekommen sind«.[357]

Aber nur weil Walser es sagt, muss es nicht gleich hirnverbrannt sein. Sicherlich gibt es Fälle, auch in Deutschland, wo selbst das Unternehmen mit dem besten Angebot ohne Bestechungsgeld keine Chance auf den Auftrag hat, man denke nur an den erwähnten Fall des korrupten BMW-Einkäufers. Dies aber macht Bestechung um keinen Deut moralischer, sondern ist eine weitere Bankrotterklärung unseres Wirtschaftssystems.

»Der Staat bezahlt seine Rechnungen zu spät«, enthüllte *Welt Online* im April 2009. Der Tenor: Wegen der miesen Zahlungsmoral (nicht ausschließlich, aber auch) der öffentlichen Hand rutschen Jahr für Jahr Zigtausende kleinerer und mittlerer Unternehmen in die Pleite.[358]

Vor diesem Hintergrund wäre es nachvollziehbar und sogar verständlich, wenn die Betroffenen ihrem guten Recht ein wenig auf die Sprünge hülfen. Motto: Natürlich schuldet mir der Staat noch 10 000 Euro für die Tischlerarbeiten. Aber ob ich das Geld in diesem Jahrzehnt noch bekomme? Da spiele ich doch lieber den ehrlichen Finder: »Herr Beamter, Ihnen sind gerade diese 500 Euro aus der Tasche gefallen. Ich hab Sie nur für Sie aufgehoben.«

So oder ähnlich mag es sich hundert- oder tausendfach in deutschen Amtsstuben abspielen. Entdeckungsgefahr nahe null, weil beide sich strafbar machen und beide profitieren.

Teil II Geld stinkt nicht (oder kaum) – der korrupte Lohn

Nicht nur Not macht erfinderisch, die Gier nach korrupter Leistung und Gegenleistung macht es auch. Hier zeigen besonders unsere Eliten aus Politik und Wirtschaft einen schier unerschöpflichen Ideenreichtum, den sie im ehrlichen und anständigen Teil ihrer Tätigkeiten schmerzlich vermissen lassen.

1. Vom Mittagessen bis zur Schmiergeldmillion

Nicht nur der naive Bürger fühlt sich bei näherer Betrachtung des breitgefächerten Angebots von korrupten »Aufmerksamkeiten« an einen reichgedeckten weihnachtlichen Gabentisch erinnert, an ein »Buffet der Gefälligkeiten«, wie Wolfgang Schaupensteiner es nennt und mit zahllosen Beispielen belegt.

Als Gegenleistung für ihre korrupten Dienste »bedienen sich die Staatsdiener bei den Firmen wie in Kaufhäusern ohne Kassen. Die Palette der Vorteile umfasst alles, was das Herz begehrt: Häuser, Fernreisen und Automobile, Kleidung, Pelze, Preziosen, Einladungen in Restaurants und ins Rotlichtmilieu, Opernkarten, Weinproben, Einkaufsvorteile, Gartenpflege, Möbel, Elektronik, Zuchttiere, Segeljachten, Krafträder, Kleinflugzeuge und was es sonst nicht alles sonst noch gibt.«[359]

Dagegen scheinen nach Schaupensteiners Erkenntnissen »die Zeiten dezenter Übergabe von Bargeld zu Ende zu gehen ... Die Schmiergelder werden auf vielfältige Weise gewaschen: als gutdotierte Nebentätigkeiten, als Beraterverträge und Privatgutachten, durch Scheinarbeitsverhältnisse, auch zugunsten von Angehörigen des Nehmers, durch die Beteiligung an Patentrechten, Firmen und Immobilien, als ›Provisionen‹ für Auftragsvermittlung oder durch großzügige Entgelte für ›Literaturrecherchen‹ und dilettierende Werke der Kunst.«[360] Selbstverständlich helfen die Empfänger fleißig mit: »Amtsträger stellen in Gästezimmern und Küchen Computer auf, die unter dem Briefkopf einer Scheinfirma fleißig Rechnungen über fingierte Leistungen schreiben (»Küchenfirmen«), Planungsfirmen und Designerbüros, Kopiershops und Beratungsunternehmen werden von Strohmännern und -frauen gegründet, um den Schmiergeldfluss zu tarnen.«[361]

Hitliste der durch die »Spender« angebotenen geldwerten Vorteile:[362]
- Bargeld
- Bewirtung, Feiern
- Sachzuwendungen
- Teilnahme an Veranstaltungen
- Reisen
- Arbeits- oder Dienstleistungen

Eine ähnlich beeindruckende Liste der Spielarten staatlicher Korruption präsentierte der frühere Hamburger Polizeivizepräsident und Korruptionsforscher Wolfgang Sielaff in einem Referat, dem er eine These des Münchener Politologen Paul Noack voranstellt: »Korruption im Staat führt ohne Umwege zur Korruption des Staates.«[363] Hilfreich zu ihrer Erkennung können Indikatoren sein, die auf korrumpierendes Verhalten hinweisen. Im Zusammenhang mit früheren Ermittlungen aus dem behördlichen Beschaffungswesen sind, so Sielaff, beispielsweise folgende »typische Korruptionssignale« zu nennen:
- Finanzierung von Dienstreisen durch den jeweiligen Lieferanten; Geschäftsbesprechungen bei Firmen außerhalb des allgemeinen Rahmens, z.B. auf einer Wochenendsegeltour auf Firmenkosten
- Kurzurlaub, Theaterbesuch auf Firmenkosten, auch mit Ehefrau oder Familie

- Urlaub in firmeneigenen Unterkünften
- Präsente von Firmen für den Privatgebrauch, z.B. Porzellan
- Fernsehgerät, Videorekorder, PC, Videokamera
- Finanzierung von Betriebsfeiern oder -ausflügen

Sarkastisch fügte Sielaff hinzu: »Ich vermute, dass mancher von Ihnen denkt, dass das doch normale Usancen im Geschäftsverkehr seien.«

Sielaff unterscheidet »personen- und verfahrensspezifische Korruptionsindikatoren«.

Personenspezifische Indikatoren:
- Urlaub in firmeneigenen Unterkünften
- Auffallende Vertraulichkeit im Umgang mit Kunden oder Antragstellern
- Auffällig aufwendiger Lebensstil, dessen Finanzierung unklar ist
- »Risikoreiche Lebensweisen«, z.B. Spielsucht oder Alkoholismus
- An-sich-Reißen von Aufgaben wie etwa die Betreuung bestimmter Klienten oder Kunden
- Absichtlicher Verzicht auf Sicherheitsvorschriften wie etwa das Vier-Augen-Prinzip
- Überzogenes Eintreten für bestimmte, umstrittene Aufträge

Verfahrensspezifische Indikatoren:
- Entscheidungen ohne vorherige Prüfung
- Entscheidungen gegen die Rechtslage
- Unvollständige oder fehlerhafte Akten
- Verzicht auf Kontrollen
- Abschlüsse von Verträgen mit unüblich langen Bindungen
- Unerklärliche Verfahrensbeschleunigungen
- Verzicht auf öffentliche Ausschreibungen

Sielaff betont allerdings, »dass die Indikatoren für sich allein noch kein Beweis für eine korruptive Verbindung sind. Erst wenn sie sich häufen oder in bestimmten Konstellationen auftreten, wird aus den einzelnen Indizien häufig eine Indizienkette und schließlich auch ein Beweis.« Auch bei der Korruption verändert die *Quantität* irgendwann die *Qualität*.

Hier ein kleiner, nahezu idyllischer Fall, der wie die ostdeutsche Antwort auf die legendäre Korruptionskomödienserie *Der Bulle von Tölz* anmutet und sich sicherlich so oder ähnlich tagtäglich in deutschen Kommunen abspielt:
Nachbarschaftshilfe auf Brandenburger Art brachte den Beteiligten im Juni 2010 nicht das erhoffte Win-Win-Geschäft, sondern im Gegenteil saftige Strafen ein. Der Amtsdirektor Rainer S. von Britz-Chorin-Oderberg erhielt vom Landgericht Frankfurt (Oder) wegen Vorteilsnahme im Amt sieben Monate Haft auf Bewährung, der Bauunternehmer Fred B. wegen Vorteilsgewährung und Betrug mit Fördergeldern ein Jahr Bewährungsstrafe und ein Komplize 2400 Euro Geldstrafe. Der ebenso hilfsbereite wie geschäftstüchtige Baulöwe hatte vier Handwerkerrechnungen für die Sanierung des Wohnhauses des Freundes und Beamten bezahlt.
»Das waren keine privaten Gefälligkeiten«, kombinierte Richter Matthias Fuchs äußerst scharfsinnig. Vielmehr habe B. »gezielt Klimapflege betrieben«, um weiterhin Aufträge vom Amt zu erhalten, wie etwa zur Sanierung des Krafthauses Niederfinow, in dem heute die Touristikinformation sitzt. Mitte der 2000er Jahre baute er es mit Fördergeldern um – und lieferte überhöhte Abrechnungen. Dann renovierte B. auf seinem Grundstück mehrere Privatgebäude – natürlich auch mit Fördergeld, das er allerdings für eine andere »touristische Baumaßnahme« beantragt hatte. Schaden des Betrugs: 22 800 Euro. Bei den von Fred für Freund Rainer beglichenen Rechnungen schließlich habe man als Auftraggeber das Amt aufgeführt.[364]

2. Schmiergeld muss man nicht sehen oder fühlen können

Einige Korruptionsforscher beschränken Eigennutz auf Habgier nach Materiellem. Folglich ist für sie, wie etwa für den Wiener Wirtschaftsprofessor Erich Streissler, die Korruption ein »einfacher Anwendungsfall der Preistheorie«.[365]

Entsprechend erscheint Korruption als »ein Tauschgeschäft zwischen einem Korrumpeur und einem Korrumpierten, die über unterschiedliche Güter oder Chancen verfügen: der Korrumpeur meist über Geld oder Naturalien, der Korrumpierte meist über mehr Macht, dank deren er etwas zu vergeben hat, sei es nun einen Auftrag, eine Stelle oder ein Amt«.[366]

Allerdings ist die Beschränkung des Eigennutzes von Politikern und Parteien auf rein Materielles mitnichten im Sinne des Erfinders: Nach Anthony Downs ist das Motiv ihrer Korruption »ihr persönliches Verlangen nach Einkünften, Prestige und Macht«[367]. Und – man lese und staune – als vierten Beweggrund nennt Downs »die ›Freude am Spiel‹, die bei vielen Tätigkeiten auftritt, die ein Risiko mit sich bringen«. Letzteres, fügt er ironisch hinzu, könne man im Gegensatz zu den anderen Zielen auch ohne Wahlsieg erreichen.[368]

Immaterielle Tauschobjekte sind also durchaus als gleichwertig anzusehen. Polemisch könnte man sagen: Die Einschränkung des Eigennutzes auf das Materielle rückt den »rationalen Egoisten« in die Nähe eines geistig und kulturell unterbelichteten Kretins. Dieser Irrläufer der Evolution befriedigt seinen Egoismus ausschließlich mit Geld und Sachwerten und kann sich gar nicht vorstellen, dass sich ein nicht minder rationaler und eigennütziger Akteur im Zweifelsfall lieber für den Talkshowstammplatz und den Nobelpreis als für den Geldkoffer oder die Hochseejacht entscheidet.

Fatal für die Analyse wird diese Einschränkung aber dadurch, dass konsequenterweise immaterielle Bezahlung gar nicht als solche und damit auch nicht als Bestechungslohn wahrgenommen wird.

Interessanterweise relativiert Downs selbst seinen um das Immaterielle erweiterten Eigennutz-Begriff. Zwar begründet er ihn prinzipiell mit Adam Smith:[369] »Nicht von der Güte des Fleischers, Brauers oder Bäckers erwarten wir unsere Mahlzeiten, sondern von deren Rücksicht, die jene auf ihr eigenes Interesse nehmen.«[370] Aber er erläutert einschränkend: »In keinem Lebensbereich ist eine Beschreibung menschlichen Verhaltens vollständig, wenn sie den Altruismus übergeht; jene, die ihn besitzen, zählen zu den heroischen Gestalten, die von den Menschen bewundert werden.«[371]

Sollte das nicht sarkastisch gemeint sein – worauf nichts hinweist –, dann ist dies die Andeutung, dass Eigennutz speziell unter marktwirtschaftlichen Bedingungen »rational« im Sinne von »existenznotwendig« ist, keinesfalls aber »allgemeingültig«, »angeboren« oder gar wünschenswert.[372]

Noch differenzierter scheint der Begriff »politisches Unternehmertum« von Joseph A. Schumpeter[373], der zu den Grundbedingungen für ein erfolgreiches Wirken der Politiker unter anderem moralische Integrität, einen gut ausgebildeten, verantwortungsbewussten und angesehenen öffentlichen Dienst, funktionierende demokratische Selbstkontrolle, die Ausgrenzung politischer Abenteurer und verantwortungsvollen Umgang mit der Regierungsverantwortung zählt.[374]

Wir sehen also, so moralisch verkommen, raffgierig, skrupellos und hirnverbrannt, wie manche Neoliberale aus Politik und Wirtschaft sich aufführen und ihre »Wissenschaftler« sie als »rational« verkaufen, haben sich selbst die meisten Erfinder und Theoretiker des Neoliberalismus den »rationalen Egoisten« nicht einmal im Alptraum vorgestellt.

3. »Ein Joint hat noch keinem geschadet« – das Anfüttern

Das *Anfüttern,* also das schleichende *Gewöhnen* des Opfers an ein Ding, eine Handlung oder einen Zustand mit dem Ziel der Abhängigkeit, funktioniert bei der Korruption nicht anders als bei Drogen – hier übrigens unbedingt einschließlich Alkohol und Nikotin. Dabei sind zwei eigentlich unterschiedliche Aspekte der Abhängigkeit oft unentwirrbar miteinander verwoben: die *Sucht* und die scheinbar ausweglose *Verstrickung.* Typisch für beides ist, dass das Opfer meist erst dann etwas merkt, wenn es zu spät ist, und dass das Opfer nicht selten auch zum Täter wird.

Bei Rauschgift bekommt das Opfer die ersten Rationen häufig umsonst; wenn es erst mal psychisch oder gar körperlich abhängig ist, wird die Sache zum finanziell und nicht zuletzt gesundheitlich teuren Spaß – der Weg vom Drogensüchtigen zum Dealer ist häufig vorprogrammiert.

Am Anfang erscheint alles »ganz harmlos« – mit dieser Methode arbeiten sogar Geheimdienste. So wurden in den siebziger Jahren an Westberliner Unis Studenten vor Reisen in die DDR von irgendwelchen »befreundeten« Kommilitonen um scheinbar völlig harmlose bis lächerliche »Gefallen« gebeten, zum Beispiel westdeutsche Bücher und Zeitungen »nach drüben« zu schmuggeln und irgendwo abzuliefern. Aber was sollte schon sein? Die Druckwerke gab's ja im Westen überall legal zu kaufen.

Der Clou: Nachdem das Opfer dies ein paarmal getan hatte, gab sich der »Freund« als DDR-Agent aus oder zu erkennen. Das Opfer habe – wissentlich oder nicht – als DDR-Kurier gearbeitet, und wenn das bekannt würde, könne das Opfer seine Karriere vergessen – und dies zur Zeit des unter Kanzler Willy »Mehr Demokratie wagen« Brandt 1972 beschlossenen *Radikalenerlasses* (»Berufsverbote«), in der selbst einfache Mitglieder oder Bekannte von Mitgliedern oder Sympathisanten der DDR-gesteuerten DKP nicht einmal Lokführer werden konnten.[375] Die makabre Pointe: Gerade diese ebenso überzogene und tapsig-bürokratische

wie verlogene Verteidigung »unserer Demokratie« machte viele
arglose und durchaus grundgesetztreue Menschen erpressbar
durch »den Feind« und dadurch nicht selten zu echten »Ost-
Agenten«.

So ähnlich läuft das *Anfüttern* in Wirtschaft und Politik. Erst ein
Gläschen Wein, dann ein kleines Essen mit Gemahlin, eine Einla-
dung zur Gartenparty – und vor allem ständige private Kontakte.
Ohne es zu merken oder wahrhaben zu wollen, wird der Politiker
Mitglied einer Wirtschaftsbonzen-Clique, und da er dort auch
Parteifreunde trifft, ist er ganz beruhigt.

Vor allem aber: Es wird *zunächst* keinerlei Gegenleistung erwartet, geschweige denn gefordert – und oft genug kommt sie auch
freiwillig, aus einem Gefühl der »Sympathie« oder »Freundschaft« heraus. Wenn ein Bürgermeister einen Bauauftrag seinem
Spezl oder Amigo zuschanzt oder ein Autokanzler sich seinen
Spitznamen mehr als verdient, dann muss er dies nicht unbedingt
in Erwartung einer konkreten Belohnung tun.

Die Pointe aber ist, wie wir bei der Betrachtung von Seil- und
Vetternwirtschaft noch sehen werden, dass die Freundschaft oder
die Zugehörigkeit zu einer solchen Clique *an sich* bereits den korrupten Lohn darstellt.

Andererseits kann es auch gut passieren, dass der Umworbene die
Hintergedanken der freundlichen Menschen und ihre Erwartungen nicht einmal erahnt, zudem als aufrechter Bürger Privates
und Dienstliches trennt und deshalb einen Auftrag einem anderen, besseren Bewerber geben will.

Und dann tritt häufig Plan B in Kraft. Der »gute Freund« zählt auf
und rechnet zusammen, und da summiert sich selbst scheinbar
Belangloses oft zu Beweismaterial. Zwanzig Abendessen und vier
Premierenbesuche, übers Jahr verteilt, wirken lächerlich als Bestechung eines Amtsträgers. Aber mehr als 2000 Euro – das klingt
schon bedenklich. Und wenn dann auch noch – womöglich hinter
dem Rücken des Politikers getätigte – fünfstellige Parteispenden
dazukommen …

Ein göttlicher Fall geschah in der Nachwendezeit. Ein Ingenieur namens Professor Günther Krause aus der Weltmetropole Wismar, Mitglied der SED-Blockpartei CDU, brachte es nach der Wende ähnlich wie Angela Merkel in null Komma nix zum Liebling von Helmut Kohl, zum ostdeutschen Vereinigungsunterhändler und 1991 bis zu seinem Rücktritt 1993 zum Bundesverkehrsminister. Und deshalb war der Provinz-Ossi mit der Ausstrahlung eines Aktendeckels auch für die weltgewandten und mit allen Wassern gewaschenen Korruptionsprofis des staatlichen französischen Energiekonzerns Elf Aquitaine interessant, und so umgarnten sie Krause wie die Neffen die altersdemente Erbtante, erzählten ihm von der großen weiten Welt, die er bislang nur aus der Reisewerbung des Westfernsehens kannte, luden ihn schon mal dahin und dorthin ein und vermieden peinlichst den Eindruck, sich über einen Vollbluthinterwäldler lustig zu machen. Natürlich mit Erfolg. Am 6. Mai 1992 hatte sich Krause noch vehement dafür eingesetzt, die ostdeutschen *Minol*-Tankstellen einzeln an mittelständische Betriebe zu verkaufen.

Am 30. Mai 1992 »tafelt Minister Krause in einer Villa in Juan-les-Pins an der Côte d'Azur. Eingeladen hatte Dieter Holzer anlässlich des Formel-1-Rennens in Monte Carlo. Unter den Gästen ist neben Ludwig-Holger Pfahls auch Hubert Le Blanc Bellevaux. Wieder so ein Zufall.«[376]

Drei Tage später setzt Krause den Kabinettsbeschluss durch, das gesamte Tankstellennetz zusammen mit der Leuna-Raffinerie an Elf Aquitaine zu verscherbeln.

Ende Mai 2001 will Krause dem Untersuchungsausschuss *Parteispenden* weismachen, seine Bekanntschaft mit dem Elf-Lobbyisten Dieter Holzer habe »keine Rolle gespielt«. Und an Pierre Léthier, der gemeinsam mit Holzer für die Lobby-Tätigkeit von Elf umgerechnet 256 Millionen Mark erhalten hatte, konnte sich Krause »erst nach mehrmaligen Nachfragen« erinnern. Léthier allerdings hatte bereits ausgeplaudert, er sei Krause »fast freundschaftlich verbunden« gewesen. Man habe Krause »immer und immer wieder bearbeitet wegen Leuna«.[377]

Angeklagt wegen Korruption wurde Krause natürlich nie, und fast ist zu »befürchten«, dass für dieses Pendant zu Florian Silbereisen tatsächlich die bloße »Freundschaft« mit den vielen charmanten Franzosen Belohnung genug war. Allerdings wurde er am 23. Dezember 2002 vom Landgericht Rostock wegen Untreue, Betrug und Steuerhinterziehung zu drei Jahren und neun Monaten Haft verurteilt. Natürlich hob der BGH das Urteil am 7. Juli 2004 wieder auf – ein Ex-Minister gehört schließlich nicht in den Knast. Im zweiten Anlauf verpassten ihm die Rostocker am 30. Oktober 2007 immerhin noch vierzehn Monate auf Bewährung. Er ist also momentan auf freiem Fuß – und damit eigentlich wieder ein idealer Kandidat für die Bundestagswahl 2013.

Teil III Politische Korruption –
Korruption in der Politik

»Deutsche halten politische Parteien für käuflich«, verkündete das ARD-*Morgenmagazin* Ende 2010.[378]
Ob deutsche Politiker immer ein offenes Ohr für die Sorgen der kleinen Leute haben, sei dahingestellt. Jedenfalls haben sie nach Meinung der Bürger stets eine offene Hand und sind nach einer Umfrage von Transparency International sehr anfällig für Korruption und Lobbyismus.

70 Prozent der Deutschen äußerten in dieser Umfrage die Überzeugung, Bestechungen hätten in den vergangenen drei Jahren zugenommen. Zwei Prozent gaben zu, in den letzten zwölf Monaten selbst Schmiergeld bezahlt zu haben.

Auch im Vergleich mit anderen unbeliebten Berufen bescheinigten die Deutschen ihren Politikern sehr viel von einer Fähigkeit, die eigentlich gute Boxer auszeichnet: hohe Nehmerqualitäten.

Auf einer Skala von »1« für »überhaupt nicht korrupt« bis »5« für »höchst korrupt« lagen die Polizei mit 2,3 und die Justiz mit 2,4 auf den Spitzenplätzen. Am schlechtesten schnitten die Parteien mit 3,7 ab, noch hinter der Privatwirtschaft (3,3), dem öffentliche Sektor (3,2) und den Medien (3,0).

Insgesamt werde nicht zwischen Korruption und bestimmten Formen von Lobbyismus unterschieden. »Die Parteien laufen immer mehr Gefahr, das Vertrauen und die Unterstützung ihrer Wähler zu verspielen«, warnte TI-Deutschland-Chefin Edda Müller.

Allerdings gaben 80 Prozent der befragten Deutschen an, sie würden Bestechungen anzeigen, wenn sie davon Wind bekämen. Wenn …

1. Das Korruptions-Gen der parlamentarischen Demokratie

Die Staatsgewalt geht vom Volke aus – aber wo geht sie hin?
Bertolt Brecht

Auf den ersten Blick scheint die Sache klar: Wie ja der Name schon sagt, vertritt ein Volksvertreter das Volk – und zwar nicht nur auf Dienstkreuzfahrten zwischen Karibik und Südsee oder bei fünfgängigen Gala-Arbeitsessen mit Fünfhundert-Euro-Wein, Weib und Gesang. Aber im Ernst: Unsere Volksvertreter sollen »nach bestem Wissen und Gewissen« die Interessen des Volkes vertreten oder – so wahr ihnen Gott helfe – es wenigstens versuchen.

Wie kompliziert diese Binsenweisheit aber in die Praxis umzusetzen ist, wollen wir uns am Beispiel eines Ministers mit Abgeordnetenmandat ansehen. Verpflichtet scheint er nämlich nicht nur »der Verfassung«, sondern auch seinem Gewissen, dem Gemeinwohl, seinen Wählern, der Gesellschaft, der Regierung und – seiner Parteispitze.

2. Die Verfassung und das ominöse Gewissen

Nach Artikel 38 (1) des Grundgesetzes sind die Abgeordneten des deutschen Bundestages »Vertreter des ganzen Volkes, an Aufträge und Weisungen nicht gebunden und nur ihrem Gewissen unterworfen«.[379]

Diese Formulierung ist ebenso salbungsvoll wie schwammig: Wer außer dem Abgeordneten selbst will denn beurteilen, ob er sich gewissensgetreu verhält? Natürlich käme kaum jemand mit der Nummer durch, sein Gewissen habe ihm die Annahme von

Schmiergeldmillionen befohlen, aber schon bei einer politischen Kehrtwende wie im März 1999 mit der wundersamen Wandlung der Grünen-Spitze von Pazifisten zu Angriffskriegsbefürwortern wird's schwierig. War es wirklich ein kollektiver Geistesblitz oder nicht doch eher – mal ganz ehrlich und im Vertrauen – der ökologisch-eiserne Wille zum alternativlosen Erhalt der alternativen rot-grünen Koalition, bei dem Volkswille und Gemeinwohl so wichtig waren wie ein Biowassertropfen in der Sahara?

Wie also will man in Fällen wie diesen – und die sind allem Anschein nach eher die Regel als die Ausnahme – vor allem angesichts der schon von Schillers Marquis von Posa in *Don Carlos* überflüssigerweise geforderten »Gedankenfreiheit« eine korrupte Handlung nachweisen?

Und weil eben (noch) niemand Gedanken lesen kann, erhält *Gewissen* ganz offenbar unter der Hand die Bedeutung von *Gutdünken*. Lässt man den gesamten staatsrechtlichen Aspekt außer Acht, dann ist dieser Grundgesetzartikel, der eigentlich allen anderen Verpflichtungen des Politikers übergeordnet ist, ein erstklassiger Freibrief für *jegliches* Handeln. Das ist durchaus wörtlich zu nehmen: Selbst wenn ein Abgeordneter strafbare Handlungen bis hin zu Mord und Totschlag begeht, muss der Bundestag erst per Abstimmung seine Immunität aufheben, bevor ihm Kripo, Staatsanwaltschaft und Gerichte ans Leder können.

Die zitierte Grundgesetzpassage als solche ist also in keiner Weise sanktions- oder strafbewehrt, folglich im Grunde nicht mehr als ein frommer Wunsch.

3. Der Taschenspielertrick mit dem »Gemeinwohl«

Dasselbe gilt entsprechend für den Amtseid des Bundespräsidenten nach Artikel 56 sowie des Kanzlers und der Bundesminister nach Artikel 64 (2):

Ich schwöre, dass ich meine Kraft dem Wohle des deutschen Volkes widmen, seinen Nutzen mehren, Schaden von ihm wenden, das Grundgesetz und die Gesetze des Bundes wahren und verteidigen, meine Pflichten gewissenhaft erfüllen und Gerechtigkeit gegen jedermann üben werde. So wahr mir Gott helfe.

Die ganze Blauäugigkeit – oder sollte man besser »Heuchelei« sagen? –, der diese Formel entsprungen ist, kommt in einer der wichtigsten Erläuterungen des Grundgesetzes, dem Standardwerk *Grundgesetz. Kommentar* von Maunz/Düring/Herzog/Scholz, zum Ausdruck: »Kein Bundespräsident (und übrigens auch kein Bundeskanzler und kein Bundesminister) wird so zynisch und so machtbesessen sein, dass es ihm im Augenblick des Amtsantritts ausschließlich um die Macht, das Ansehen oder die persönlichen Vorteile geht, die mit dem anzutretenden Amt verbunden sind.«[380]

Selbst nach Überzeugung des Ex-Bundestagspräsidenten Wolfgang Thierse kann man sich den Amtseid sonstwohin schmieren. Zu Helmut Kohls bis heute nicht aufgeklärtem Spendenskandal – die Namen der Spender nennt der Ex-Kanzler bis heute nicht – meinte der SPD-Mann: »Es sei zwar unbestreitbar, ... dass der Amtseid in puncto Gesetzestreue nicht eingehalten worden sei. Mit dem Amtseid aber solle nur ›grundsätzlich die vollkommene Identifizierung des Gewählten mit den in der Verfassung niedergelegten Wertungen und Aufgaben bekräftigt werden‹«. [381]

All dies könnte zu dem Schluss verleiten, der Abgeordnete bzw. Minister habe zwar eine Art *Vertrag* mit dem »ganzen Volk«, könne aber nahezu jede Handlung als vertragskonform ausgeben, sei also de facto ungebunden und könne einfach Verträge mit Dritten eingehen. Aber dem ist nicht so. Vielmehr ist zu prüfen, ob es sich bei den anderen Beziehungen tatsächlich um Verträge handelt und ob sie Regelverstöße gegenüber dem Vertrag mit dem »ganzen Volk« darstellen.

Die Verpflichtung auf das »ganze Volk« beinhaltet ein Neutralitätsgebot, also das Verbot der Bevorzugung Einzelner und einzelner Gruppen.[382] Es liegt auf der Hand, dass dies nicht für den Einzelfall, sondern nur für bestimmte Zeiträume oder Gesamtzusammenhänge gelten kann. Beispiel: Die Besetzung eines Referatsleiterpostens mit einem männlichen SPD-Mitglied wäre keine Bevorzugung des Geschlechts oder einer Partei, die Besetzung aller Referatsleiterposten mit männlichen SPD-Mitgliedern dagegen schon.

Wirtschaft und Volk – eine perverse Schicksalsgemeinschaft

Geht es der Wirtschaft gut, so geht es auch den Menschen gut.
Überliefertes marktradikales Wunschdenken

So naiv und dümmlich die oben zitierte Milchmädchenweisheit auch klingt: Für die Beurteilung der Marktwirtschaften westlichen Typs enthält sie dennoch ein Körnchen Wahrheit. Richtig ist nämlich: *Nur* wenn es »der Wirtschaft« gutgeht, kann es den Menschen *eventuell* halbwegs gutgehen. Wissenschaftler nennen dies eine »notwendige, aber nicht hinreichende Bedingung«.

Unsere Marktwirtschaft beinhaltet nämlich zwangsläufig eine Art Schicksalsgemeinschaft, eine *Interessenidentität von Kapital und Gesellschaft.* »Will der Staat einwirken«, schreibt der Erlanger Politikprofessor Roland Sturm, »muss er Angebote formulieren, die für die privaten Kapitaleigner attraktiv sind, etwa als Signal im Sinne des Investitionsanreizes oder der Standortwahl. *Damit wird der Einsatz des Staates für das wirtschaftliche Gemeinwohl synonym mit der Förderung der Unternehmerinteressen.*«[383] Es bedarf dafür also – scheinbar – gar nicht der Korruption, sondern nur eines

Appells, eine Politik im Interesse des angeblichen Gemeinwohls zu verfolgen.

Hätte also die FDP, als im Jahr 2009 die Substantia AG eines Hotelunternehmers den Liberalen 1,1 Millionen Euro spendiert und Schwarz-Gelb ab 1. Januar 2010 die Mehrwertsteuer für Hotelübernachtungen von 19 auf 7 Prozent gesenkt hatte,[384] nicht einfach die Nerven behalten und das Steuergeschenk als Großtat für das Gemeinwohl ausgeben können, die mit der Spende nichts zu tun habe?

Das Bemerkenswerte: Verteidiger und Kritiker der Marktwirtschaft sind sich einig, dass zwangsläufig die Reichen immer reicher und die Armen immer ärmer werden. Die Systemverteidiger stellen ein ums andere Mal mit Bedauern fest, dass es in der konkreten Situation leider keine Alternative zu kapitalfreundlichen und volksunfreundlichen Maßnahmen gebe; man denke nur an die bereits erwähnten Staatenrettungspakete der EU.

Umgekehrt aber ist eine Konstellation, in der es der Bevölkerung relativ besser geht als den Kapitalbesitzern, in der Marktwirtschaft weder praktisch noch theoretisch denkbar. Im Gegenteil: Der Gesamtkonsens lässt sich überhaupt nur auf eine mögliche Art realisieren: Wenn »das Volk« einsieht, dass es z. B. nur dann Arbeitsplätze gibt, wenn es dem Investor profitabel erscheint, dass also die Brotkrumen nur dann abfallen, wenn »die am Tisch« satt sind.[385]

So ähnlich sieht das übrigens auch Karl Marx, der diese Verhältnisse allerdings nicht von persönlicher Bösartigkeit oder angeborener Habgier ableitet, sondern von den Gesetzmäßigkeiten der kapitalistischen Produktionsweise, insbesondere vom Zwang zur Profitmaximierung, als dessen Folge der Unternehmer als »personifiziertes Kapital«[386] agiert.

Während aber die Kritiker dieses System eben wegen der »asozialen Sozialabgabe« als überlebt bzw. abschaffungswürdig ansehen, fordern die Verteidiger der Marktwirtschaft die (natürlich nicht so bezeichnete) relative Verelendung als notwendigen Tribut an das vorgeblich bestmögliche Gesellschaftssystem ein. Deshalb handeln Politiker, die aus Sicht der Kritiker dem Kapital Profite zu Lasten der Gesellschaft verschaffen, aus Sicht der Verteidiger in Wahrheit im Interesse des Gemeinwohls.

Die Frage, ob eine solche unternehmerfreundliche und bevölkerungsfeindliche Politik die Gegenleistung geschmierter Volksvertreter oder gar eines ganzen Parlaments sein könne, verstehen sie daher gar nicht, oder sie verteidigen sogar die Bestechung: »Die Gesellschaft ... *will*, dass sie [die Unternehmen; T.W.] gut verdienen, wenn sie so [durch Bestechung von Staatsdienern oder Politikern, T.W.] die nötigen Anreize für gesellschaftlich notwendige Aktionen erhalten. Dabei weiß die Gesellschaft, dass sie sich dies angesichts der hohen Kooperationsgewinne ..., von denen letztlich jedes Gesellschaftsmitglied profitiert, leisten kann.«[387]

Deshalb ist es auch überhaupt nicht absurd, dass ein Politiker sozusagen »ehrlichen Herzens« Entscheidungen trifft, die bestimmte Unternehmen oder Branchen bevorzugen oder gar Gesetze verletzen. Es kann gut sein, dass Politiker einem Unternehmen eine illegale Exportgenehmigung geben, Umweltzerstörung durchgehen lassen oder ihm trotz eines schlechteren Gebots einen Auftrag erteilen, weil sie »aufrichtig« davon überzeugt sind, dass die Profitmaximierung für dieses Unternehmen oder diese Branche der Schlüssel zur Maximierung des Gemeinwohls ist. Aber führt dies – realistisch betrachtet – auch dazu, dass »mindestens ein Akteur bessergestellt, dabei jedoch kein Akteur schlechtergestellt«[388] ist?

Letzteres nämlich ist eine der Kernthesen der marktradikalen Theorie, die bekanntlich auch Helmut Kohl beim DDR-Volkskammerwahlkampf im Frühjahr 1990 gebetsmühlenartig überall im Osten hinausposaunte: »Keinem wird es schlechter gehen, vielen aber besser.«[389]

Betrachtet man als »Gesellschaft« die Gesamtbevölkerung inklusive der Armen, dann wäre die zitierte Behauptung, »dass letztlich jedes Gesellschaftsmitglied profitiert«, bodenloser und höchst unwissenschaftlicher Propaganda-Zynismus. Einen Sinn ergibt die These nur, wenn man *die Gesellschaft* ähnlich selektiv auffasst wie weiland die Sklavengesellschaften der Griechen und Römer und später die Apartheid-Weißen Südafrikas. Im alten Athen etwa hieß der Sklave Andrapodon, »Menschfüßler«, galt also eher als Haustier denn als Mensch, geschweige denn als vollwertiges Mitglied der Gesellschaft. Auch die marktradikale Theorie betrachtet ja als Menschen im engeren Sinne nur die mit Geld, also die *Marktteilnehmer*. Nur so nämlich ergibt die grenzdebil anmutende Bemerkung des Neoliberalen-Papstes Milton Friedman über die Aufgabe des Staates einen Sinn: »Seine vorrangige Aufgabe muss sein, unsere Freiheit zu schutzen ... gegen unsere Mitbürger, um mit ›Law and Order‹ private Geschäftsbedingungen zu garantieren.«[390] *Unsere* Freiheit gegen *unsere* Mitbürger? Was kann das anderes bedeuten als die Freihcit der Reichen gegen das Volk?

Das Korruptionsproblem stellt sich jedenfalls aus diesem Blickwinkel in ganz anderem Lichte dar: Wann immer die Politik ein Unternehmen mit Subventionen, Aufträgen und anderen Vergünstigungen überschüttet und die Begünstigten großzügig spenden, dann hat das mit einem korrupten Tausch *natürlich* nicht das Geringste zu tun: Die Begünstigung des Unternehmens dient dem Gemeinwohl – ebenso wie die Parteispende, da starke Parteien ja vor allem im Interesse des Bürgers sind, der diese Parteien zudem in verantwortliche Positionen gewählt hat: Das Korruptionsproblem wird schlicht wegdefiniert.

Aus diesem Verständnis von *Gemeinwohl* könnte man nun folgern, dass Abgeordnete und Regierungen zur Wahrnehmung von Kapitalinteressen geradezu verpflichtet seien. Das Ergebnis dieser »Gemeinwohl«-Politik erläutert *taz*-Autorin Ulrike Herrmann am Beispiel der 2009 von Schwarz-Rot eingeführten Abgeltungssteuer von lächerlichen 25 Prozent für Kapitalerträge, also Zinsen, Dividenden und Spekulationsgewinne. »Früher galt schlicht: Jedes Einkommen ist gleich zu besteuern – egal ob es Löhne, Mieten, Zinsen, Dividenden, Unternehmensgewinne oder Einkünfte von Selbständigen sind.« Und heute? »Zinsmillionäre haben nun

einen niedrigeren Steuersatz als Normalverdiener, deren Grenz-
steuersatz schnell 35 Prozent erreichen kann. Die obersten 10 Prozent besitzen 61 Prozent des Volksvermögens.«[391]
Aber leider hat die Logik »Je skrupelloser, korrupter und geldgie-
riger, desto gemeinnütziger« einen gewaltigen Haken: Auch bei
dieser wirtschaftsliberalen Interpretation der Aufgaben von
Volksvertretern gilt – analog zur Verpflichtung gegenüber dem
»ganzen Volk« – das Gebot der Neutralität gegenüber den einzelnen Unternehmern, Branchen und Firmen. Das heißt, selbst wenn
die Unterstützung »der Wirtschaft« zu Lasten der ehrlich Arbeitenden und der Armen oberste Pflicht der Regierung wäre, so
könnte damit kein erbärmliches Ministerwürstchen die Bestechung etwa durch einen Energiekonzern rechtfertigen: Dies nämlich würde die unmittelbaren Konkurrenten und so gut wie alle
anderen Unternehmen[392] benachteiligen.
Wir sehen also, dass die grundgesetzliche Verpflichtung der
Volksvertreter auf das *Gemeinwohl* eine alles andere als klare
Angelegenheit ist. Es kann nämlich statt rein marktradikal-wirt-
schaftsorientiert auch demokratisch-humanistisch verstanden
werden: Als subjektiv empfundenes »Mehrheitswohl« bzw.
»Wählerwohl«.
Der Verfassungsjurist Hans Herbert von Arnim schreibt dazu:
»In einer echten Demokratie geht der nächstliegende Weg zur
Realisierung von Gemeinwohl dahin, den Willen des Volkes zur
Geltung zu bringen; zugrunde liegt die Überzeugung, die Bürger
wüssten selbst immer noch am besten, was gut für sie ist.«[393] Sein
Fazit: »Hier läuft Regieren für das Volk also auf Regieren durch
das Volk hinaus. Dazu ist es nötig, den Willen der Bürger insge-
samt zum Ausdruck und zur politischen Wirksamkeit zu bringen.
Das ist das Konzept der direkten Demokratie, wie es schon im alten Griechenland für Städte und Kleinstaaten mit übersichtlichen
Verhältnissen entwickelt worden ist.«[394]
Den Gegenpol zur »Demokratie im Sinne von Selbst- beziehungsweise Mitentscheidung des Volkes«[395] sieht von Arnim in
der Verpflichtung auf das Gemeinwohl. Sie sei »der Versuch, den

Interessen und Belangen des Volkes *unabhängig* von seinem Willen Geltung zu verschaffen.[396]

Der mutige Verfassungsjurist zieht sogar historische Parallelen zum »Standpunkt des aufgeklärten Absolutismus (Friedrich der Große: ›Ich bin der erste Diener meines Staates‹) und schon der Römischen Republik (›salus publica suprema lex‹ – das öffentliche Wohl ist das höchste Ziel). Einen ähnlichen Grundgedanken enthält bis zu einem gewissen Grad auch das Grundgesetz. Danach sind alle Amtsträger auf das Gemeinwohl verpflichtet (Gemeinwohlprinzip).«[397]

Sein vernichtender Schluss: »Der Inhalt dessen, was den Amtsträgern als Gemeinwohl aufgegeben ist, ist undeutlich und vage. Klar ist nur, dass das Repräsentationsprinzip eine Motivation fordert, die das Gegenteil vom Streben nach eigenem Nutzen ist. Ist diese Voraussetzung in der Praxis gegeben oder geht im Kollisionsfall meist der Eigennutz vor? Kann man wirklich erwarten, dass Amtsträger sich ›irgendwie‹ an jene Verpflichtung halten, oder wird diese Erwartung zunehmend zum reinen Wunschdenken, das die eigentlichen Probleme zukleistert?«[398]

Das Gemeinwohl als Ansichtssache?

Will man darüber richten, ob Politiker für oder gegen das ominöse »Gemeinwohl« handeln, sollte man wenigstens ungefähr wissen, nach welchen Kriterien man es überhaupt bestimmt.

Erklärt man zum Beispiel das Wohl »des deutschen Volkes« zum Maß aller Dinge und glaubt man, dass es dem Volk nur gutgehen könne, wenn es auch der Wirtschaft gutgeht, dann wird man selbst die hemmungslose Ausplünderung der armen Länder durch deutsche Konzerne trotz aller »unerfreulicher Begleiterscheinungen« gutheißen.

Ebenso wird man die Finanzierung irrwitziger Hochrüstung zu Lasten der Ausgaben für den Sozialstaat »notgedrungen« begrüßen, weil wir ohne Schutz und Kampf gegen »den Terrorismus«

und »Islamismus« sämtliche Konzepte für Bildung, Familien, Erziehung, soziale Gerechtigkeit, Kranken- und Seniorenversorgung, Umweltschutz oder Infrastruktur vergessen könnten. Unter diesem Aspekt müssten wir auch die weitere Öffnung der Arm-Reich-Schere als »alternativlosen Sachzwang« hinnehmen – vor allem, wenn wir zufälligerweise davon nicht betroffen sind oder sogar profitieren.

Versteht man dagegen Gemeinwohl im humanistischen Sinne der unveräußerlichen Menschenrechte, dann wird man es ablehnen, dass andere Völker für das »Wohl des deutschen Volkes« bluten müssen und dass selbst dieses deutsche Wohlergehen nur einer immer kleineren Oberschicht zu Lasten der Gesamtbevölkerung zugutekommt.

Dieser humanistische Ansatz wird von Neoliberalen mit Vorliebe als »Gefühlsduselei von Gutmenschen« verspottet, aber diesen geistesarmen Spöttern fällt ausgerechnet einer ihrer vermeintlichen Vordenker in den Rücken, nämlich Anthony Downs: »Der Eigennutz kann also vom einfachen Wunsch nach hohem Einkommen oder uneingeschränkter Macht sehr weit entfernt sein; manche seiner Formen können für die Gesellschaft sogar ausgesprochen von Vorteil sein.«[399]

Das klingt schon ein wenig anders als das Credo der Reichen und Mächtigen mitsamt ihren Politikern und professoralen Demagogen, wonach die einzig »rationalen« Lebensziele des *homo oeconomicus* Privatjet und Luxusschlitten, Hochseejacht und Südseekreuzfahrt, Edelnutte als Gattin und Bundesverdienstkreuz am Bande seien.

Dies wiederum bedeutet: Wer seine eigene skrupellose Raffgier als nützlich für das Gemeinwohl oder gar gemeinnützig ausgibt, kann vielleicht halbseidene Investmentbankster, Wirtschaftsgangster oder Politkorruptis als Kronzeugen bemühen, seriöse Vordenker der Marktwirtschaft wie Adam Smith oder eben Anthony Downs dagegen nicht.

Der Unterschied zwischen beiden Blickwinkeln ist beträchtlich, zum Beispiel bei der Bewertung eines korrupten Handels zwischen einem Rüstungskonzern und Politikern: Ausfuhrerlaubnis für Waffenlieferung in Krisenregionen gegen Schmiergeld. Bei Perspektive eins hat der Konzern etwas für seinen Profit und schon allein dadurch fürs Gemeinwohl getan; die Korruption wird zum unschönen Nebenaspekt einer im Grunde verdienstvollen Tat. Bei Perspektive zwei machen sich Konzern und Politik der Beihilfe zum Massenmord schuldig und haben dem humanistisch, das heißt nicht an der Konzernraffgier orientierten Gemeinwohl einen irreparablen riesigen Schaden zugefügt; die Korruption kommt noch erschwerend hinzu, und in einem zivilisierten Staat würden Bestechende und Bestochene für Jahrzehnte im Gefängnis verschwinden.

So etwas ist in unserer schönen Demokratie zum Glück illusorisch, und es wird ja wohl niemand so unvorsichtig sein, einen Rüstungsmanager mit den Eltern der durch seine Waffen ermordeten Kinder unbeaufsichtigt zusammentreffen zu lassen ...

4. Meine Wähler, deine Wähler

In ihrer Verpflichtung gegenüber dem *Stimmvieh* (Politikerjargon) sind die Regierungsmitglieder mit Abgeordnetenmandat in einer schizophrenen Situation: Als Regierungschefs oder Minister müssen sie laut Amtseid die Interessen des *ganzen* Volkes vertreten – als Parlamentarier vor allem die ihrer Wähler. Daher ist es völlig in Ordnung und geradezu vorbildlich pflichtbewusst, wenn etwa die FDP als Partei der asozialen »Besserverdiener« für möglichst geringe Spitzensteuersätze und Hartz-IV-»Wohltaten« (Neoliberalensprech) eintritt, Teile der Union als Vertreter der Polizeistaatsfreunde und Rassisten für Schnüffelstaat und Antiausländergesetze und die SPD als Partei der Ratlosen für nichts Halbes und nichts Ganzes.

Nach der erwähnten Neuen Politischen Ökonomie, die in diesem Punkte nicht ganz falsch liegt, denkt auch der Wähler vor allem an seine eigene *Nutzenmaximierung:*[400] Er erwartet, dass es ihm selbst möglichst gutgeht und die Politik die Rahmenbedingungen dafür schafft.

Hier die Wähler, dort die Politiker: Diese Konstellation, das Aufeinandertreffen zweier eigennütziger Gruppen, bietet eigentlich die ideale Voraussetzung für korrupten Tausch. Dabei rücken die Theoretiker wie etwa Christophe Schwyzer oft die Wählerbestechung (»Wahlgeschenke«) in den Vordergrund;[401] und tatsächlich gibt es beim Stimmenkauf ausgesprochen skurrile Einzelfälle.

So annullierte das Verwaltungsgericht Dresden die Oberbürgermeisterwahl in Bischofswerda (Kreis Bautzen) vom Juni 2008, weil der Sieger kurz vor der Wahl in einem »Angebot des Tages« versprochen hatte, bei seiner Wiederwahl »für jede erhaltene Stimme einen Euro für die Vereine unserer Stadt« zu spenden. Eine Wählerbestechung nach § 108 b des Strafgesetzbuches sah das Gericht darin aber nicht.[402]

Weitaus häufiger hören wir den Vorwurf, den Bürgern werde vor Wahlen das Blaue vom Himmel versprochen. »Zehn Milliarden Euro für Wahlgeschenke«, titelte zum Beispiel die *Berliner Zeitung* im Dezember 2009 nach der Bundestagswahl wegen der schwarz-gelben Wahlversprechen für Steuersenkungen.[403] Heute wissen wir allerdings, dass diese Zusagen – Humanisten sagen: »zum Glück« – für die Katz waren. *Welt Online* listet am 11. Juni 2011 geradezu kriminologisch auf: »Diese zehn Versprechen hat die Regierung gebrochen.«[404]

Euro Im Inland hält die Koalition das Geld zusammen – in Europa verpulvert sie es … Außenpolitik Von der westlichen Wertegemeinschaft an die Seite Chinas und Russlands … Energie Der Ausstieg vom Ausstieg aus dem Ausstieg aus der Atomenergie … Arbeitsmarkt Die Koalition setzt für eine Branche nach der anderen Mindestlöhne durch … Entwicklung »Niemand hatte die Absicht, ein Ministerium abzuschaffen« … Familie Beim Elterngeld wird kräftig gespart, beim Betreuungsgeld heftig gestritten … Gesundheit Weiter

geht's mit höheren Kassenbeiträgen und Zwangsrabatten ... Innere
Sicherheit Stellungskampf um Anti-Terror-Gesetze und Speicherung
von Vorratsdaten ... Zuwanderung Deutschland zieht die schlecht
qualifizierten Migranten an ... Steuern Einfacher? Niedriger?
Gerechter? Davon ist kaum etwas übrig geblieben ...[405]

Zwar handelt es sich hier überwiegend um schwarz-gelbe Versprechen, also um Projekte zur Umverteilung von unten nach
oben, so dass man beispielsweise den Bruch des Versprechens, die
Atomkraftwerke quasi bis zum Super-GAU am Netz zu lassen,
oder die punktuelle Einführung von Mindestlöhnen eher begrüßen sollte.[406] Außerdem glauben nur noch extrem naive Bürger
den Wahlkampflügen. Franz Müntefering nannte es 2006 sogar
»unfair«, die Parteien an ihren Wahlversprechen zu messen.[407]
Aber auch ein später gebrochenes Wahlkampfversprechen ist –
ebenso wie später nicht gezahltes Schmiergeld – zumindest ein
(wenn auch kaum noch anstößiger, geschweige denn strafbarer)
Bestechungsversuch gegenüber dem Wahlvolk:

»Ist er so blöd oder tut er nur so?« Diese flapsige Alltagspolemik
ist im Blick auf manch ein stattliches staatliches Minusgeschäft
nicht ganz aus der Luft gegriffen. So verkaufte im Jahr 2004 das
rot-grüne Finanzministerium ein mit Munitionsresten verseuch-
tes Grundstück für 8,6 Millionen Euro, hatte aber zuvor 16,1 Millionen Euro für die Altlastensanierung gezahlt. Schön blöd und
typisch Finanzlaie Lehrer Hans Eichel? Das wirkliche Motiv für
die exorbitante Verschwendung von Steuergeldern sah der Bundesrechnungshof eher darin, »dass der damalige Bundesminister
an der Ansiedlung der Erwerberin in seinem Wahlkreis interessiert
war«.[408] Eigentlich wäre das ja ein klassischer Fall von Untreue
und Korruption, aber bei unseren Ministern wollen wir mal nicht
so kleinlich sein. Immerhin empfiehlt die Behörde die künftige
Prüfung aller Verkäufe, »an denen die Leitung besonders interessiert ist«.[409]

Diese Prüfung hatte sich auch beim unvergessenen Wahlkampf auf Steuerzahlers Rechnung, dem *Mautdesaster*, geradezu aufgedrängt. Beim »Skandalvertrag« (*Focus*[410]) der Bundesregierung mit TollCollect gab es »Hohn und Spott« für den damaligen Verkehrsminister Kurt Bodewig, der sich angeblich »von der Industrie über den Tisch ziehen ließ«.[411] Zufälligerweise hat Bodewig den Vertrag am 20. September 2002 unterzeichnet, zwei Tage vor der Bundestagswahl. »Nach dem Scheitern der Mauteinführung zum 31. August 2003 wurde er im Oktober 2003 teilweise offengelegt. Dieser Vertrag enthält aus Sicht des Bundes außergewöhnlich ungünstige Haftungsbedingungen für die entstandenen Einnahmeausfälle.«[412] Wüsste man nicht genau, dass ein deutscher Politiker so etwas niemals täte: Man könnte fast meinen, Bodewig habe sich im Namen der Bundesrepublik zu sonst etwas verpflichtet, nur um an den Wahlkampfknüller »Maut unter Dach und Fach« zu kommen.

Die *Süddeutsche* listet einige interessante historische Beispiele auf, die man durchaus als Wählerbestechung werten kann[413]:

- Genuss steht 1953 für den Abschied von der entbehrungsreichen Nachkriegszeit. Durch die Senkung der Tabaksteuer macht die Regierung Adenauer das Rauchen erschwinglicher. Und auch für Kaffee werden die Abgaben gesenkt, worauf der Konsum prompt steigt. Beides geschieht pünktlich vor der Bundestagswahl 1953.
- Dass Adenauers Rentenreform von 1957 ein kluges Projekt sozialer Umverteilung war, ist unbestritten. Auch, dass sie ihren Anteil an der folgenden absoluten CDU-Mehrheit hatte. Die dynamische Rente orientiert sich an der Leistungsfähigkeit der Volkswirtschaft. Passend zum Wirtschaftswunder gibt es mehr Geld für die Rentner.
- Die Regierung Erhard beschließt rechtzeitig vor der Wahl 1965 eine Senkung der Einkommensteuer – normalerweise ein Instrument für eine lahmende Wirtschaft. Mehr noch: Trotz »Spar-Haushalt 1964« gibt es einen Stufenplan zur Erhöhung der Kriegsopferrenten.

- Als Wohltat zur Wahl gilt auch die Rentenreform des Kabinetts Brandt. Sie öffnet die Rentenversicherung für Selbständige und Hausfrauen und führt die flexible Altersgrenze ein. Ein Ausscheiden vor dem 65. Lebensjahr wird möglich, wer länger arbeitet, bekommt satte Zuschläge – der Wahlkampfschlager 1972.
- Jeder Jugendliche soll eine Lehrstelle bekommen, sagt Helmut Kohl im Wahlkampf 1983. Doch ein Konjunkturtief lässt das Versprechen platzen.
- Die Wahl 1990 steht im Zeichen der deutschen Einheit. Kohl setzt davor die Wirtschafts- und Währungsunion durch. Der Kanzler verspricht blühende Landschaften und keine Steuererhöhungen. Die DDR-Bürger schenken ihm Vertrauen, werden jedoch enttäuscht: Kurz nach der Wahl erhöht die Regierung Lohn- und Einkommensteuer.
- Die große Steuerreform noch in der laufenden Legislaturperiode soll die Wiederwahl der CDU 1998 sichern, doch das Vorhaben scheitert Monate vor der Abstimmung. Später verliert Kohl gegen Schröder, der im Wahlkampf mehr Steuergerechtigkeit und zusätzliches Kindergeld verspricht.
- Die Mehrwertsteuer ist ein wichtiger Teil des Wahlkampfs 2005. Die SPD lehnt eine Erhöhung kategorisch ab. Die CDU schreibt eine Anhebung der Verbrauchersteuer von 16 auf 18 Prozent in ihr Wahlprogramm. Nach der Wahl verständigen sich die Koalitionsparteien gemeinsam auf eine Erhöhung der Abgabe: auf 19 Prozent.
- Experten halten sie mitunter für Unsinn, die Bürger lieben sie: Die Abwrackprämie ist das erste Geschenk der Regierung 2009. Die Koalition erhöht die Prämie auf fünf Milliarden Euro, damit bis September kein Wähler enttäuscht wird.

Aber Vorsicht: Wenngleich diese Sichtweise plausibel erscheint, ist die umgekehrte Perspektive nicht weniger plausibel und obendrein zweckmäßiger: Da zumindest die etablierten Parteien weniger die Wähler für ihre Programme begeistern wollen als vielmehr ihre Programme und Versprechen nach den Wünschen und

Stimmungen der Wahlberechtigten ausrichten, kann man zum Beispiel deutliche Umfrageergebnisse für den Atomausstieg auch so werten, dass das Volk den Parteien, die wenigstens verbal für den Atomausstieg eintreten, seine Stimmen verspricht. Der Wahlerfolg einer Partei wäre dann der korrupte Lohn für eine korrupte Leistung zugunsten ihrer Wähler.

Das heißt, so eigenartig es klingt: Wahlgeschenke können durchaus als Bestechung der Schenkenden durch die Beschenkten gesehen werden. Wichtig ist die Feststellung, dass die Frage, wer wen besticht, letztlich vom Blickwinkel des Betrachters abhängt: Man kann eben bei *jedem* Tausch das eine als Leistung und das andere als Gegenleistung werten – und umgekehrt.

Nicht unmittelbar einleuchtend ist allerdings das Resultat dieser Überlegung, dass nämlich Gesetze der Regierungsmehrheit und Entscheidungen des Kabinetts zugunsten ihrer Wähler politische Korruption darstellen: Schließlich erwarten ja ihre Wähler (zu Recht) die Erfüllung der Wahlversprechen.

Dazu ein Beispiel: Eine Partei verspricht, im Falle ihres Wahlsieges einen Einheitssteuersatz von 20 Prozent einzuführen. Nun wären aber auch die Mitglieder dieser Partei in der Regierung mit ihrer Vereidigung eben nicht mehr ihrer Wählerklientel, sondern dem »ganzen Volk« verpflichtet. Die Einhaltung des Wahlversprechens wäre demnach – auch wenn man sie hundertmal als im Interesse des ganzen Volkes darstellte – die Erfüllung einer Verpflichtung aus einem korrupten Tausch; sogar das Wahlversprechen wäre bereits korrupt.

Daraus aber folgt, dass *sämtliche* an eine bestimmte Bevölkerungsgruppe gerichteten Wahlversprechen korrupt sind. Darauf könnte entgegnet werden, dass es ja gerade der Sinn unterschiedlicher Parteien sei, unterschiedliche Gruppen zu vertreten, dass es also folgerichtig sei, wenn eine von der Mehrheit gewählte Regierung die Mehrheitswünsche auch umsetzen will.

Ursache dieses offensichtlichen Dilemmas ist unser scheinbar so klares parlamentarisches System. Es verlangt von den Regierungsmitgliedern eine Art Schizophrenie: Als Kandidaten und später als Abgeordnete ihrer Partei vertreten sie logischerweise deren Positionen. Als Kanzler oder Minister aber sind sie dem *ganzen* Volk verpflichtet. Folglich müsste ein Regierungsmitglied mit Abgeordnetenmandat *gleichzeitig* zwei verschiedene Gruppen und Positionen vertreten.

Zuweilen wird diese Absurdität sogar öffentlich vorgeführt, wenn es bei Bundestagsdebatten heißt: »Das Wort hat nun die Abgeordnete Dr. Angela Merkel« – also gerade nicht die *Kanzlerin* Merkel. Rein theoretisch könnte die Kanzlerin Merkel direkt nach der Abgeordneten Merkel sprechen und sich beide in die Haare geraten …

Aber wie dem auch sei: Volksvertreter sind in erster Linie dem *ganzen* Volk verpflichtet und nicht »dem Wähler« – dass das keineswegs dasselbe ist, haben wir soeben gesehen.

5. Kanzler und Regierung: »Der Staat sind wir«?

Anders als im Dritten Reich schwören die Minister ihren oben zitierten Eid nicht auf den Führer[414] – natürlich auch nicht auf den BDI –, sondern auf Volk und Verfassung. Der Brauch unserer parlamentarischen Demokratie, das Volk ihre Regenten alle Jahre wieder wählen und mit einer Blankovollmacht ausstatten zu lassen, wird auch in den wichtigsten Parteien seit je praktiziert. Aber wie?

Wie wird man eigentlich Kanzler? Urwahl – nein danke!

Ähnlich wie die KPdSU unter Stalin und Lenin fürchten auch die Rädelsführer der Bundestagsparteien die direkte Demokratie, insbesondere die Wahl des Vorsitzenden und des Kanzlerkandidaten durch die Mitglieder, wie der Radprofi die Dopingkontrolle.

SPD: Ende März 2008 forderten 91 Prozent der SPD-Basis in

einer *Emnid*-Umfrage die Urwahl des Kanzlerkandidaten.[415] Prompt warnte der damalige Bundestagsvizepräsident Thierse – als Ossi natürlich bestens vertraut mit dem Leninschen »Demokratischen Zentralismus«[416] der Ostblockparteien und offenbar noch immer unter dem Eindruck der Bundestagswahl von 1994, als der basisgewählte Kandidat Rudolf Scharping gegen Helmut Kohl hoffnungslos baden gegangen war: »Der Kandidat, den die Partei will, muss nicht unbedingt der sein, den die Deutschen als Bundeskanzler wollen«.[417] Das mag richtig sein, aber hat eine weitestgehend überforderte, eigennützige und mit den Nöten der kleinen Leute häufig nur via *Bild* und *Bunte* vertraute Parteispitzenkamarilla mehr Gespür für des Volkes Stimmung als die Mitglieder? Welchen einschlägigen Kompetenzvorsprung – außer natürlich in Sachen Intriganz, Karrierismus, Fernseh-Make-up und Phrasendrescherei, haben die Lichtgestalten des Kalibers Gabriel, Nahles, Kraft und Steinmeier vor x-beliebigen Taxifahrern, Zahnärztinnen oder Friseuren?

CDU / CSU: Im Frühjahr 2000 plädierten der heutige Heuschrecken-Anwalt und damalige Bundestagsfraktionschef Friedrich Merz sowie Generalsekretär Ruprecht Polenz für eine Urwahl des Kanzlerkandidaten für 2002,[418] was natürlich für die CSU, wie jede Form echter Demokratie – siehe das damalige Verständnis von CSU-Ikone und »Pinochet-Freund« *(Spiegel)* Franz Josef Strauß für Chiles faschistische Mörderdiktatur[419] –, traditionell ein im doppelten Wortsinn Rotes Tuch war. Heute hat die Ex-FDJ-Funktionärin Angela Merkel ihre Seilschaften offenbar so weit ausgebaut, dass innerparteiliche Demokratie in der Union kein Thema mehr ist.

FDP, Grüne und Linkspartei: Da keine der drei Parteien – trotz periodischer Umfragehochs auch die Grünen nicht – nach Stand der Dinge auch nur den Hauch einer Chance auf das Kanzleramt hat, ist eine nähere Beschäftigung mit gelegentlichen Sandkastenspielchen dieser Parteien für die Korruptionsdebatte überflüssig.

Der Regierung oder dem Volk verpflichtet?

Genauso wenig wie ein Angestellter mit dem Abteilungsleiter zum gemeinsamen Vorteil und zu Lasten des Betriebes gemeinsame Sache machen darf, so wenig darf ein Minister mit dem Regierungschef zu Lasten seines »Arbeitgebers« namens *ganzes Volk* zusammenarbeiten. Natürlich ist der Regierungschef – wie der Abteilungsleiter – weisungsbefugt, aber »Chef vom Ganzen« ist nicht er, sondern eben das Volk. Dies hindert manchen Regierungschef als ebenfalls »Angestellten des Volkes« aber nicht daran, die Minister oder Volksvertreter zu bestechen.

Ein vermutlich nicht selten praktiziertes Beispiel: Der Regierungschef sichert dem Minister (oder dem Abgeordneten) einen Platz im neuen Kabinett zu, wenn er als Marktschreier des Regierungschefs agiert. Organisierte Beziehungsgeflechte dieser Art nennt man »Hausmacht« oder »Seilschaft« oder sogar »Mafia«. Besonders deutlich wird der korrupte Charakter dieses Tausches, wenn es etwa um Propaganda für Regierungsbeschlüsse geht, für die die Regierung oder einzelne ihrer Mitglieder »von privat« finanziell belohnt wurden – sei es nun in Form von Parteispenden, »Beraterverträgen« oder »Dankeschönjobs«. Aber dazu kommen wir noch ausführlich.

6. Die Partei, die Partei, die hat immer recht[420]

Ob Kanzler, Minister, Staatssekretär, Fraktionschef oder Abgeordneter, Parteichef oder sonstiger Abgeordneter: Letztlich verdankt in unserer Parteiendemokratie fast jeder Politiker sein Amt und seine Karriere der Partei. Insofern hatte der damalige SPD-Bundestagsfraktionschef und loyaler »Mann fürs Grobe« des Kriegskanzlers Schröder Peter Struck gar nicht so unrecht, als er am 3. September 2001 im *ZDF-Morgenmagazin* meinte: »Struck oder Müntefering oder Schröder sind nicht in den Deutschen Bundestag gewählt worden, weil wir so Supertypen wären, sondern weil wir die Kandidaten der SPD waren. Wir sind dem Programm und auch den Beschlüssen der Partei verpflichtet.«[421] Jeder Sarkastiker wird Strucks Selbstbildnis lebhaft zustimmen: Wo wären diese »Supertypen«, ganz auf sich selbst und ihre »Fähigkeiten« gestellt, ohne die Partei wohl gelandet? Andererseits verdreht auch der Jurist Struck die Verfassung und sogar »normales« Recht. Es ist gleichermaßen verfassungswidrig und absurd zu meinen, im Konfliktfall sei der Angestellte eher dem Personalchef als dem Firmeninhaber verpflichtet, der Volksvertreter also eher der Parteispitze als dem Volk.

Nun hätte etwas Ähnliches wie Struck auch damals SED-Bonze Erich Mielke über das Verhältnis von Partei und Volkskammerabgeordneten sagen können; aber dies dürften Peanuts sein für eine Partei, die Figuren wie Thilo Sarrazin, der der Internetausgabe der *Süddeutschen Zeitung* in einer Schlagzeile das Gutachterurteil »Rassistisch, elitär und herabwürdigend«[422] wert ist, als Vorzeigegenossen in den eigenen Reihen hat.

Strucks verfassungswidrige Einlassung war Bestandteil einer an Mafia-Drohungen erinnernden und selbst für SPD-Verhältnisse einzigartigen Hetzkampagne gegen die Abweichler bei der Abstimmung vom 29. August über den (wie der gesamte Jugoslawienkrieg) völkerrechtswidrigen Angriffskriegseinsatz in Mazedonien. Nach der UN-Charta darf ausschließlich der Sicherheitsrat militärische Zwangsmaßnahmen gegen einen Staat beschließen, was aber für den NATO-Einsatz am Veto Russlands scheiterte. Nach Ansicht der meisten seriösen Völkerrechtler[423] hat also die NATO gegen das in Artikel 2 Abs. 4 der UN-Charta festgeschriebene Gewaltverbot verstoßen und den Angriffskrieg gegen Jugoslawien als eine Art völkerrechtswidrige Killerorgie geführt.[424]

Struck ergießt sich im *Morgenmagazin* weiter: »Von Gewissensfragen abgesehen … manche der neunzehn, die nicht mitgestimmt haben, die sich zwar auf das Gewissen berufen haben, aber andere Gründe hatten, werden schon in der Fraktion angesprochen werden. Sie werden auch von mir angesprochen werden.«[425] Die letzten Worte von Marlon Brandos Synchronsprecher Gottfried Kramer artikuliert, und man hätte glatt auf eine Szene aus dem Hollywoodklassiker *Der Pate* getippt.

Jedenfalls ist Strucks in Mafia-Diktion (»angesprochen«) vorgetragene versteckte Drohung, den Abweichlern ihre politische Karriere zu zerstören, samt seinem darin enthaltenes Bekenntnis zum Mobbing ein Lehrbeispiel politischer Korruption durch Erpressung: Auch hier winkt ja für loyales Verhalten eine Belohnung – nämlich, dass man seine Ämter behalten, seine Karriere fortsetzen darf.

Hinzu kommt, was eigentlich ein Fall für den Staatsanwalt gewesen wäre: Struck wollte die Volksvertreter zur Zustimmung zu einer völkerrechtswidrigen – also schwerstkriminellen – Aktion nötigen. Flapsig gefragt: Wann nötigt ein SPD-Fraktionschef die Mitglieder des deutschen Bundestages zum Bankraub mit Geiselnahme?

Fassen wir also zusammen: Macht ein Minister oder Abgeordneter von seinem Recht auf Gewissensentscheidung Gebrauch und entscheidet er gegen den faktischen Befehl der Partei- oder Fraktionsspitze, so drohen ihm Sanktionen bis hin zur Existenzvernichtung: Was hat ein MdB schon anderes gelernt.

Entscheidend hierbei ist die korrupte Konstellation, also schon die *Möglichkeit* des korrupten Tausches, und zwar unabhängig von Art und Häufigkeit der realen Umsetzung. Basiert ein parlamentarisches System auf diesen Abhängigkeiten von Regierungsmitgliedern und Abgeordneten von ihren Partei- und Fraktionsführern, so handelt es sich – im wissenschaftlichen Sinne – durchaus um ein geschlossenes korruptes System.

7. Wenn der Wähler hü und die Partei hott sagt

Nicht selten geraten Volksvertreter in einen tragikomischen Konflikt zwischen zwei korrupten Konstellationen. Meist nach abrupten und radikalen politischen Kehrtwenden (wie bei den Grünen von der Friedens- zur Kriegspartei, der SPD von der Arbeitnehmer- zur Kanzler-der-Bosse-Partei oder der CDU von der AKW-Lobbyisten- zur Atomausstiegspartei) besteht ein mehr oder minder großer Unterschied zwischen den Erwartungen der Wähler, der Parteibasis und den Parteiführungen. Dem Grundgesetz nach ist der Abgeordnete zwar »Vertreter des ganzen Volkes«. Will er aber gewählt werden, so muss er natürlich seinen Zielgruppen im Wahlkreis mehr oder minder »nach dem Munde reden, vor Unternehmern anders auftreten als vor Arbeitslosen, vor Selbständigen anders als vor berufstätigen alleinerziehenden Müttern. Die Älteren unter uns erinnern sich noch mit wehmütigem Schmunzeln an den Auto- und Kriegskanzler Gerhard S., der in der heißen Phase des Wahlkampfes gerade eben noch bei Hummercocktail und Schampus im Unternehmer-Kolloquium mit Tiraden gegen das »Humankapital« brillierte, um danach förmlich in Lichtgeschwindigkeit den Brioni-Zwirn gegen den Blaumann zu tauschen und Minuten später bei Würstchen und Bier auf Betriebsversammlungen den Arbeiterkumpel zu mimen und gegen »Die da oben« zu wettern.

Damit ein Politiker aber überhaupt so weit kommt, also von seiner Partei als Kandidat nominiert wird – in der Regel werden die Direktkandidaten von den Mitgliederversammlungen der Wahlkreise, die Listenmitglieder auf Parteitagen gewählt –, muss er sich dort entsprechende Mehrheiten suchen. Realistisch betrachtet, hat er also nur dann Karrierechancen, wenn er mit vielerlei Zungen spricht. Kein Wunder, wenn Parlamentarier oder Kandidaten möglicherweise unsicher werden, ob sie mehr ihren Wählern oder der Partei verpflichtet sind.

Dabei bleibt nahezu zwangsläufig das Wichtigste auf der Strecke: dass sie letztlich weder ihren Wählern noch ihrer Partei verantwortlich sind, sondern gegenüber dem gesamten Volk – was ihnen im Idealfall auch ihr Gewissen diktiert.

8. Die Fabel von den »vier Loyalitäten«

Im Widerspruch zum bisher Entwickelten wird das Problem teilweise als Loyalitätskonflikt und der Politiker quasi als Diener mehrerer Herren dargestellt, denen grundsätzlich die gleichen Rechte zugebilligt werden. In dem 1995 von Günter Tondorf herausgegebenen Werk *Staatsdienst und Ethik: Korruption in Deutschland* findet sich ein interessanter Aufsatz des damaligen Geschäftsführers und späteren Chefs der Kölner SPD-Ratsfraktion Norbert Rüther. In dem Aufsatz »Versuche zu einer Ethik kommunalpolitischen Handelns«[426] entwickelt er eine Theorie der »vier Loyalitäten«.[427]

Die ersten beiden »Loyalitäten« sieht er in »dem abstrakt zu definierenden Gemeinwohl und dem konkret nachzuvollziehenden programmatischen Entwurf einer Partei«. In diese »Loyalitäten« sieht Rüther den Politiker »in seinem alltäglichen Handeln ... grundsätzlich gestellt«.[428] So weit, so schwammig.

Aber dazu kommt noch eine »Loyalität« gegenüber »einem bestimmten Sektor der Gesellschaft, dessen Interessen ihm näher liegen als die anderen Bereiche. Da reicht die Bandbreite vom Gewerkschaftsmitglied, das in seinem Betrieb langjähriger Betriebsratsvorsitzender ist, bis zum Hauptgeschäftsführer der Industrie- und Handelskammer.«[429] Mit anderen Worten: Säße Josef Ackermann im Bundestag, dann wäre die Vertretung der Profitinteressen der Deutschen Bank gegenüber etwa den Alten und Kranken seine heilige Pflicht ...

Die vierte Loyalität »ist die Loyalität, die das gewählte Ratsmitglied zu sich selbst – und damit seinen eigenen Interessen gegenüber hat«.[430] Innerhalb dieses »Loyalitätskonflikts« setzt Rüther Prioritäten: »In einer individualistisch-egoistischen Wohlstandsgesellschaft ist die Problematik ›Wie viel verdient jemand am Mandat?‹ für viele Bürgerinnen und Bürger und die Medien häufig die entscheidende Frage nach der Motivation zur Übernahme eines kommunalen Mandates.«[431]

Unmissverständlich sagt Rüther: »Es gilt, um eine Ethik kommu-

nalpolitischen Handelns zu entwickeln, insbesondere die Problematik der ›vierten Loyalität‹ aufzuarbeiten. Dabei sind selbstverständlich Querverbindungen zur ›dritten Loyalität‹ gegeben. Die
erste und zweite Loyalität (Gemeinwohl und Programmausrich-
tung) werden von dieser Problematik eher weniger berührt.«[432]

Mit anderen Worten: Rüther sieht in der Loyalität gegenüber dem »ganzen Volk« eine eher nebensächliche Verpflichtung,
die – ebenso wie die gegenüber seiner Partei – zurücktritt
hinter dem Eigennutz unter Berücksichtigung seiner »Bereichs«-
zugehörigkeit.

Genau genommen ist das die theoretische Begründung einer korrupten »Seilschaft«: An erster Stelle der »Loyalitätenliste« steht
der Politiker selbst, gefolgt vom »Bereich«; erst dann kommt die
Partei und ganz am Ende das »ganze Volk«.

Rüther selbst hat seine Theorie eindrucksvoll umgesetzt: Vom
Landgericht Köln wurde er am 1. September 2005 wegen Bestechlichkeit und Beihilfe zur Bestechlichkeit beim Bau der Müllverbrennungsanlage in Köln zu siebenundzwanzig Monaten Haft
verurteilt. Er hatte gestanden, vom Müllunternehmer Hellmut
Trienekens 75 000 Euro in bar und ohne Quittung angenommen
und an die Kölner SPD weitergeleitet zu haben. Aber natürlich
hatte er gleichzeitig entschieden abgestritten, als Gegenleistung
Trienekens' Interessen vertreten zu haben.

Einer der Ihren im Knast – das war für die etablierten Parteien
natürlich ein Unding. Und so hob der Bundesgerichtshof – dessen
Mitglieder vom *Richterwahlausschuss,* also im Wesentlichen von
den Parteien, bestimmt werden[433] – im Juli 2006 pflichtschuldigst
das Urteil wieder auf.[434]

Der eigentliche Skandal: Die BGH-Richter entschieden sogar korrekt nach geltendem Recht: Als Stadtratsmitglied sei Rüther damals kein Amtsträger gewesen und könne daher nicht wegen Bestechlichkeit verurteilt werden.[435] Mit anderen Worten: Ein Abgeordneter kann sich die Taschen mit Schmiergeld vollstopfen, bis
ihn – was Gott schon allein aus rechtsstaatlichen Gründen verhüten möge – der Gierschlag trifft.

Im zweiten Anlauf erhielt Rüther dann vom selben Landgericht am 7. August 2008 wegen Beteiligung zur Bestechlichkeit und Abgeordnetenbestechung achtzehn Monate Haft auf Bewährung – das Hohe Gericht hatte verstanden.[436]

Dieser in der politischen Realität tatsächlich bestehende Schein eines »Loyalitätsdilemmas« sowie die häufige Unklarheit der Amts- und Mandatsträger darüber, dass sie vorrangig dem »ganzen Volk« verpflichtet sind, führt natürlich nicht zwangsläufig in die Kriminalität und angesichts der Praxis unserer Justiz schon gar nicht ins Gefängnis. Fest steht aber, dass man Rüther keinesfalls »theoretische Heuchelei« vorwerfen kann. Sein Ansatz ist vielleicht keine Anleitung, in jedem Fall aber eine Rechtfertigung der ihm zur Last gelegten und weitestgehend gestandenen illegalen Aktivitäten.

Die Wahlphilosophie der Parlamentskandidaten besteht demnach einfach darin, dass sie ihrer linken Hand erlauben, nicht zu wissen, was ihre rechte Hand tut, und so waschen sie beide Hände in Unschuld. Ihre Hosentaschen zu öffnen, keine Fragen zu stellen und an die allgemeine Tugend der Menschheit zu glauben – das dient ihren Absichten am allerbesten.
Karl Marx, 1859[437]

9. Knallbuntes Leben schlägt graue Theorie

Dass das System der politischen Korruption offenbar recht reibungslos und »wie geschmiert« läuft, ist wohl kaum auf einen angeborenen »miesen Charakter« unserer Volksvertreter zurückzuführen – obwohl uns ja die Erfahrung stets aufs Neue lehrt, dass sich vorwiegend ein ganz bestimmter Typ Mensch durchsetzt; das ist in der Politik kaum anders als bei Fernsehköchen, Trickbetrügern oder Mafiosi.

Der Grund liegt vielmehr – so abgedroschen und larmoyant dies auch nach Standardausrede klingen mag – in unserer speziellen

Variante eines parlamentarischen Systems. So fühlt und befindet sich selbst der vor humanistischen Grundsätzen und Ideen nur so strotzende Parlamentsneuling von Anfang an und nicht ganz zu Unrecht in der Situation eines Germanistikdoktoranden, der eine Neuköllner Jugendgang im Crashkurs zu Liebhabern von Rilke und Eichendorff umerziehen will. Was würde ihm wohl auf seine naive Frage hin blühen, ob ein MdB gleichzeitig im Beirat eines Autokonzerns und im Verkehrsausschuss oder im Aufsichtsrat eines Chemiegiganten und im Umweltausschuss sitzen darf? Und wenn er sich dann anhören müsste, ohne die Partei säße er gar nicht im Bundestag, dann träfe dies sogar zu.

Der Politikprofessor und Parlamentsforscher Wolfgang Ismayr beschrieb in seinem Standardwerk *Der Deutsche Bundestag* recht anschaulich die Etikette, der sich (nicht nur) die Neuen sogar innerhalb der Fraktionssitzung unterwerfen müssen: »›Einfache‹ und vor allem neue Abgeordnete haben es ... schwer, Gehör zu finden, zumal wenn sie abweichende Meinungen zu Themen äußern, die nicht zu ihrem Arbeitsgebiet gehören, und vor allem dann, wenn sie dies nicht in Absprache mit einer Landes- oder Interessengruppe der Fraktion tun.« Schlimmer noch: Wer »diese informellen Spielregeln missachtet, gerät in Gefahr, nicht ernst genommen zu werden und sich zu isolieren«. Üblich scheint auch, dass »mit dem plausiblen Argument, man wolle die Regierung nicht in Schwierigkeiten bringen, ... grundsätzliche Kritik und die Artikulation sachlicher Alternativen erschwert werden. Dies ... ist auch bedingt durch den Gruppendruck zur Anpassung« und die Unterstellung, »dieser oder jener Abgeordnete wolle sich mit seinen Wortmeldungen nur auf Kosten anderer profilieren.«[438]

Besonders heftig muss es in der SPD-Fraktion unter »Zuchtmeister« Herbert Wehner (1969–1983) zugegangen sein, wie sich der damalige Abgeordnete Olaf Schwenke erinnert: »Wer es ... wagt, als Neuer schlauer als die Alten zu sein, und das auch noch ausführlich begründet, der hat schon verloren; bereits ein paar von ihm nur unglücklich formulierte Sätze können vielleicht das endgültige ›out‹ bedeuten.« Zunächst werde er von einem »erfahrenen Älteren« abgebürstet. »Wagt er ... eine Erwiderung, so schwillt der Geräuschpegel der Fraktion noch einmal kräftig an, der Redner kann sich kaum noch verständlich machen, und dann ist es um ihn geschehen. Alles Weitere ist vergeblich, jetzt und künftig! ... Man hat seine Chance verspielt.«[439]

Angesichts dieser Zustände muss sich der Abgeordnete entscheiden: Entweder er wechselt in einen ehrlichen, anständigen Beruf, oder er lässt über kurz oder lang Zweifel Zweifel und Gewissen Gewissen sein und macht sein eigenes Ding, schließt sich vielleicht sogar einem Netzwerk, einer Seilschaft oder einem Parteiflügel an. Langsam, aber sicher jedenfalls werden ihm Kungelei und Kuhhandel nicht mehr als korrupte Verflechtungen zu Lasten des Volkssouveräns, sondern als »notwendige Kompromisse im Dienste der guten Sache« vorkommen, wobei die »gute Sache« oft genug gleichbedeutend mit seinem eigenen Aufstieg ist: Als Fraktionsvorstand, Staatssekretär oder gar Minister kann er ja schließlich viel mehr für das »Gemeinwohl« erreichen, oder? Soll er dieses hehre Ziel jetzt durch die einzige Gegenstimme seiner Fraktion zu Gesetzen zur Legalisierung der Heuschrecken oder der Staatsschnüffelei aufs Spiel setzen? Im günstigen Fall würde man ihn für einen »humanistischen Streber« halten, der sich auf Kosten der anderen profilieren wolle, im ungünstigen für einen Nestbeschmutzer: Isoliert wäre er so oder so. Aber der einzige altruistische Hering im Haifischbecken der Karrieristen will er jedenfalls nicht sein.

Und was ist schon verwerflich daran, auch einmal die wohligen Seiten des Politikerlebens zu genießen, etwa als »wichtige Persönlichkeit« Ehrengast in Fernsehtalks und auf Promipartys zu sein, Autobahnabschnitte oder Gemeindefeste eröffnen zu dürfen? Hat nicht schon der Philosoph Montesquieu die Lust der Menschen, sich in den Mittelpunkt zu drängen, als eine Art Urtrieb angesehen? »Je mehr Menschen zusammen, desto gefallsüchtiger sind sie. In ihnen erwacht der Drang, durch Kleinigkeiten aufzufallen.«[440]

Ein solcher Politiker will nicht unbedingt steinreich werden, aber eben doch ein von Geldsorgen freies und standesgemäßes Leben führen – und das kostet.

Schon allein eine normale exquisite Ausbildung für die lieben Kleinen in einem durchschnittlichen Schweizer Elite-Internat verschlingt Unsummen – die Spenden für die guten Noten nicht einmal mitgerechnet. Aber würde es irgendetwas am Bildungssystem verbessern, wenn die StammhalterInnen dieselben baufälligen staatlichen Pisa-Anstalten besuchen wie der im Wahlkampf »mündiger Bürger« genannte eklige Pöbel?

Warum soll der Erstgeborene nicht beim Parteifreund promovieren wie die Kinder der Fraktionskollegen auch? Und was spricht dagegen, der Schwippschwagermutter durch eine vierstellige Injektion »Vitamin B« die Poleposition auf der Warteliste für die Säuferlebertransplantation zu verschaffen? Dann erst das neue Haus: Wer könnte denn das bezahlen, wenn man nicht die Handwerkerlöhne über den Sporthallenneubau abrechnete? Und überhaupt: Würden das an seiner Stelle nicht alle so machen?

Dabei mag es bei dieser schleichenden Politikermutation nicht einmal hauptsächlich um das Thema »Geld verdirbt den Charakter« gehen; wichtiger ist hier die Volksweisheit »Das Sein bestimmt das Bewusstsein«.

Wenn sogar ein Urbayer nach zehn Jahren Kiel statt »Grüß Gott« automatisch »Moin moin« sagt, wieso soll sich nicht auch ein Politiker nahezu unmerklich verändern? Irgendwann ertappt er sich dabei, seine früheren Mitstreiter für eine bessere Welt als »Moralapostel«, »Tagträumer« oder »Demagogen« zu betrachten. Und irgendwann wird das eigentliche *Mittel* zum *Zweck* der Weltverbesserung, nämlich der Politikerberuf, zum *Selbstzweck*.

Natürlich muss kein Politiker zwangsläufig so enden; selbstverständlich hat er jederzeit die Entscheidungsfreiheit, auch zum Ausstieg. Aber was heißt schon »Freiheit«? Konsequenz erscheint immer dann »ganz einfach«, wenn es um andere geht. Aber hat man – um ein extremes Beispiel zu wählen – je von einem Hartz-IV-Empfänger gehört, der seine unverhofften Lottomillionen unter Bedürftigen verteilt hätte? Viele MitbürgerInnen ziehen die freudlose Ehe mit einem Kotzbrocken der meist zu Unrecht gefürchteten Einsamkeit vor, und der Chef der Linkspartei mag auf seinen Porsche 911 auch nicht verzichten.

Aber gerade aus der Tatsache, dass leibhaftige Menschen sich schwertun, als richtig Erkanntes auch wirklich zu tun, und dass dies auch für die politische Korruption gilt, folgt logisch zwingend, dass das Ganze eine Systemfrage ist. Diese Erkenntnis kann leicht dazu führen, dass man sich ewig im Kreise dreht. Sie kann aber auch wertvolle Hinweise geben, welche Stellschrauben für die Bekämpfung von Korruption und – damit verbunden – die Veränderung der Gesellschaft im Sinne der im Grundgesetz geforderten Menschenwürde und sozialen Gerechtigkeit die entscheidenden sind.

Teil IV Lobbyismus

Normalerweise ist eine Lobby eine nicht unbedingt organisierte Gruppe einflussreicher Menschen, die sich für einen bestimmten Teil der Gesellschaft einsetzt, auf dass dieser Teil im Kampf alle gegen alle ein möglichst großes Stück vom gemeinsamen Kuchen abbekomme oder zumindest nicht untergebuttert werde. Man denke nur an die oftmals geheuchelten Klagen über die schwache oder fehlende Lobby für Alleinerziehende, Behinderte, Senioren, Arme oder chronisch Kranke.

Dass es diesen Kampf überhaupt gibt, ist keinesfalls ein Naturgesetz, sondern zwangsläufiges Resultat eines auf Konkurrenz basierenden Gemeinwesens, unserer Marktwirtschaft also.

Und nicht zufällig denkt man bei dem Wort *Lobby* auch nicht an *Greenpeace* oder die Obdachlosentafel, sondern an die Interessenvertreter der Großkonzerne und Wirtschaftsbranchen, zuweilen auch respektvoll »Hilfstruppen der Plünderung des Staates«[441] genannt.

Kein Hochstapler lässt *Heiratsschwindler* auf seine Visitenkarte drucken und kein Politiker *Lobbyist*. Über Lobbyismus redet man nicht, man betreibt ihn. Und zum Lobbyismus gehören Diskretion und Verschwiegenheit.

Das Kuriose daran: In den Medien wird derlei Ungeheuerliches wie die selbstverständlichste Sache der Welt verkauft. Da liest und hört man phrasenhaft, die Regierung könne sich gegen die starke Atom-, Pharma, Auto- oder Energielobby nicht durchsetzen. Wie denn das? *Offiziell* entscheiden doch in Bundestag und Bundesrat ausschließlich Leute, die niemand anderem als dem Deutschen Volke und ihrem Gewissen verantwortlich sind. *Normalerweise*, so sollte man meinen, könnten sich doch all die Lobbys auf den Kopf stellen oder auf dem Boden wälzen, brüllen oder kreischen, ohne dass dies irgendeinen Einfluss auf die Politik hätte. Bleiben der Wirtschaft also nur zwei Kampfmittel: Erpressung und Bestechung. Das erste funktioniert auf dem Weg der Drohung mit Entlassungen oder Abwanderung, das zweite mit Geld oder anderen Vorteilen für die Politiker.

Aber auch dies funktioniert nur, wenn die ominöse Lobby nicht nur von außen Einfluss nehmen kann, sondern *im Parlament selbst* vertreten ist.

1. Mit gutem Beispiel voran – die »Brüsseler Spitzen«

Ein besonders drastisches Beispiel kommt von unseren österreichischen Nachbarn bzw. aus dem EU-Parlament in Brüssel, ist aber bei uns genauso denkbar und vermutlich auch an der Tagesordnung.

»Korruptes Brüssel – Politiker ändern Gesetze für Geld«, titelte *Welt Online* am 21. März 2011.[442] Die Nachtschattengewächse unserer Gesellschaft halten ihr Tun und Treiben normalerweise dort, wo es hingehört: im Dunkeln. Geheimagenten, V-Männer, Drogendealer, Kinderschänder tragen eben nicht, wie Otto Waalkes für die Kaufhaushausdetektive forderte, weithin sichtbare Uniformen, und geschmierte Volksvertreter erst recht nicht. Einige eitle Deppen aber können es sich nicht verkneifen, damit geradezu herumzuprahlen, so auch der EU-Abgeordnete Ernst Strasser vom CDU-Pendant ÖVP. »Meine Kunden zahlen im Jahr 100 000 Euro«, protzte Austrias Ex-Innenminister vor ihm bis dato völlig unbekannten Gesprächspartnern. »Ich habe jetzt fünf Kunden – morgen werden es hoffentlich sechs sein. Sie gehören dann aber noch nicht dazu, Sie wären der siebte.« Er sollte Gesetzesänderungen zugunsten des Bankwesens durchsetzen – gegen Bezahlung natürlich. Dummerweise waren die beiden vermeintlichen Finanzlobbyisten die Reporter Claire Newell und Michael Gillard von der britischen *Sunday Times,* die diese Gespräche einschließlich Strassers Forderung von 25 000 Euro für einen erfolgreichen Änderungsantrag im Parlament filmten und auf *Youtube* aller Welt vorführten. Kurz darauf gab Strasser alle politischen Ämter auf.

Ebenfalls entlarvt wurden der Rumäne Adrian Severin, der eine Rechnung über 12 000 Euro schickte, und der Slowene Zoran Thaler, der das Geld auf sein Londoner Konto eingezahlt haben wollte. Dieser Skandal war natürlich wieder die Stunde der Wortradikalen, die naiv oder scheinheilig in allen möglichen Tonlagen auf die zwanzigtausend Lobbyisten in Brüssel schimpften. »Nur die Pflicht-Registrierung für Lobbyisten kann Missbrauch und Korruption einschränken«, meinte zum Beispiel die Fraktionsvorsitzende der Grünen im EU-Parlament Rebecca Harms.[443]

Im wirklichen Leben aber bleibt die ehrenwerte EU-Gesellschaft bei der Aufklärung von Bestechungsfällen offenbar am liebsten unter sich. So untersagte das EU-Parlament dem Europäischen Amt für Betrugsbekämpfung (OLAF) zunächst den Zutritt zu Strassers Büro. Bewacht wurde das Büro nach Angaben des unabhängigen EU-Abgeordneten Martin Ehrenhauser ausgerechnet von der Sicherheitsfirma G4S Security Services, bei deren österreichischem Ableger Ernst Strasser bis vor kurzem im Aufsichtsrats gesessen habe. Ehrenhauser dazu: »Das ist so, als würde man einen Hund auf eine Wurst aufpassen lassen. Das Unternehmen G4S hat schließlich Strasser während seiner Tätigkeit als Parlamentarier regelmäßig Geld überwiesen.«[444]

Stilecht und harmonisch ins Gesamtkunstwerk namens EU passen auch die Dankeschönjobs für frühere EU-Kommissare:

- Die Österreicherin Benita Ferrero-Waldner (Außenbeziehungen und Europäische Nachbarschaftspolitik) ging als Aufsichtsrätin zum Versicherungsriesen Münchener Rück.
- Der Ire Charlie McCreevy (Binnenmarkt und Dienstleistungen) wurde Aufsichtsrat beim Billigflieger Ryanair.
- Die Bulgarin Meglena Kuneva (Verbraucher) wechselte zur französischen Bank BNP Paribas.
- Der Deutsche Günter Verheugen (Industrie) wurde Chefberater und stellvertretender Vorsitzender für den Bereich Global Banking und Markets der Royal Bank of Scotland.[445]

Derartige Jobs hätten auch die jetzt Erwischten erwartet – oder erwarten sie jetzt erst recht. In manchen Kreisen gilt ja das Auffliegen wegen Korruption als ebenso ehrenvoll wie unter Militärs eine Frontverletzung. Und sollten sie, was Gott Mammon verhüten möge, einmal an ihrem Schmiergeld ersticken, dann wird an ihrem Grab statt Ludwig Uhlands »Ich hatt' einen Kameraden« Reinhard Fendrichs »Tango Korrupti« intoniert.

Aber zum Glück gibt es ja das Ethikkomitee, und das fordert mit aller Entschiedenheit von den Frontenwechslern, interne Informationen aus ihrer EU-Zeit nicht für ihre neuen Arbeitgeber zu nutzen. Zu dumm nur, dass diese Auflage weder zu kontrollieren ist noch bei Verstoß irgendeine Strafe droht.

Die scheinbar naive Hilflosigkeit des Ethikkomitees erscheint aber schlagartig verständlich bei einem Blick auf die Besetzung. So wechselte anno 2008 der Vorsitzende Michel Petite persönlich von seinem EU-Beamtenjob als Generaldirektor des Juristischen Diensts der EU-Kommission direkt zur Anwaltssozietät Clifford Chance: Eben noch hatte er gegen Kartellsünder ermittelt – nun vertritt er sie mit der international agierenden Kartellspezialistin Clifford Chance auch gegen die EU.

Um diesem korrupten Gewurstel wenigstens einen kleinen Riegel vorzuschieben, fordert *LobbyControl* gemeinsam mit dem europäischen Antikorruptionsnetzwerk ALTER-EU vom Kommissionspräsidenten José Manuel Barroso die Einführung einer dreijährigen »Abkühlphase« für wechselwillige EU-Kommissare, außerdem das Verbot des Überlaufens in den Finanzsektor.[446]

Vor diesem Hintergrund ist es nur folgerichtig, dass sich Lobbyismus in der EU und in Deutschland wie siamesische Zwillinge gleichen, sich gegenseitig bedingen und befördern.

2. Wir sind nicht korrupt, weil wir nicht korrupt sind

»Die Hauptstadtflüsterer« nennt *Spiegel Online* die rund fünf-tausend Lobbyisten, die die Volksvertreter umschwirren wie der Versicherungsdrücker den Altersdementen. »Das Machtgeflüster an der Spree ist längst ein Geschäft der Profis. Und jeder will mit-mischen: Sogar der Deutsche Schaustellerbund, die Interessen-vertretung der Kirmesbudenbesitzer, der zum Beispiel gegen das Fahrverbot in Umweltzonen kämpfte.«[447]

»Bei vielen … ist nicht einmal bekannt, wessen Interessen sie ver-treten«, echauffiert sich die grüne MdB Lisa Paus.[448]

Umso erstaunlicher oder bezeichnender, dass es in Deutschland bisher nicht einmal über die außerparlamentarischen Interessen-vertreter ein echtes Lobbyregister gibt.

Die seit 1972 bestehende staatsamtliche *Öffentliche Liste über die beim Bundestag registrierten Verbände und deren Vertreter*[449] kann trotz ihrer 2129 Einträge von *ABDA – Bundesvereinigung Deutscher Apothekerverbände* bis *Zweirad-Industrie-Verband e.V. (ZIV)* getrost unter dem Stichwort »Scherzartikel« abgelegt werden: Sie enthält nämlich nur Verbände, aber keine Unterneh-men, Lobbyagenturen, Lobbykanzleien oder gar Politiker oder Parteien. Ebenso fehlen Informationen über Budgets, Kunden oder bearbeitete Themen und die Namen der tätigen Lobbyisten. Zudem ist die Liste freiwillig. Kurzum: Das Wichtige und Auf-schlussreiche fehlt natürlich.[450]

Anders in den USA. Dort gibt's natürlich ein verbindliches Lobby-register. Die Lobbyisten sind zu genauen Angaben über ihre Auf-traggeber, die betroffenen Gesetzgebungsvorhaben und geleistete Honorare gesetzlich verpflichtet; und für Falschaussagen wandern die Korruptionskünstler für bis zu fünf Jahre dorthin, wo sie auch bei uns hingehörten: ins Gefängnis.[451] Beschämender geht's nicht: Selbst das Mekka des Lobbyismus, wo bekanntlich sogar die Präsi-denten de facto in den Vorstandsetagen der Megakonzerne und auf den Cocktailpartys der Multimilliardäre bestimmt werden, hat zu-mindest auf dem Papier strengere Gesetze als wir!

Deshalb fordert LobbyControl auch für Deutschland »ein verpflichtendes Lobbyregister, damit überhaupt einmal klarwird, wer eigentlich für wen und mit welchem finanziellen Aufwand Lobbyarbeit betreibt. Dadurch würden auch versteckte Kampagnen erschwert werden.« Es gebe »Fälle, bei denen scheinbar unabhängige Institute oder vermeintliche Bürgerinitiativen auftreten, die – im Sinne ihrer Auftraggeber – mit mehr Glaubwürdigkeit wahrgenommen werden sollen. Zum Beispiel beauftragte die Biokraftstoff-Lobby 2008 eine PR-Agentur, um angeblich unabhängige Umfragen in den Medien zu lancieren oder Leserbriefe und Diskussionsbeiträge in Onlineforen zu verfassen, die scheinbar von »echten« Bürgern geschrieben waren.«[452]

Eine ehrliche und strafbewehrte Information der Öffentlichkeit fürchten gewisse Unternehmen, Politiker und Parteien natürlich, und sie ist auch vorerst nicht in Sicht, da sie nicht gerade im Interesse der trauten überparteilichen Lobbyistengemeinde im Bundestag liegt.

So wurde am 7. April 2011 der von der SPD unterstützte Antrag von Linkspartei und Grünen auf Einrichtung eines Lobbyregisters von den Hauptbetroffenen, nämlich Union und FDP, empört abgeschmettert. Zur Begründung sagte der Verwaltungsvollzugsbeamte und frühere Automechaniker und Gastwirt Manfred Behrens (CDU) büttenredenreif, die bisherige Pseudoliste reiche aus, denn sie sei »achthundert Seiten stark. Wo fehlt es da an Transparenz? Sie können Anschriften in Erfahrung bringen. Sie bekommen Namen von Geschäftsführern geliefert. Sie erhalten sogar Telefonnummern und E-Mail-Adressen.«[453] Selbst Nacktfotos der Geliebten und Sternzeichen des Hundes würden eine Liste, in der die entscheidenden Fakten verschwiegen werden, nicht aussagekräftiger gemacht. Aber informativer und transparenter darf sie ja auch um alles in der Welt nicht werden! »Die Finanzierungsquelle lässt aus meiner Sicht nicht darauf schließen, ob ich gute oder schlechte Gespräche führe. Ich werde meine Gespräche weiterhin offen, frei, unvoreingenommen und mit der nötigen sachlichen Distanz führen«, behauptet Scherzkeks Behrens allen Ernstes. »Dass beim unabhängigen Abgeordneten am Ende das beste Argument zählt und nicht die Interessen, die dahinterstecken«, und »dass Geld keine Rolle dafür spielt, wie gut ein Unternehmen oder Verband seine Interessen vertreten kann«, trifft laut LobbyControl »in der Realität nicht zu«.[454]

Tatsächlich haben die weitaus meisten Lobbyisten die rhetorische Begabung von Hauptschulabbrechern. Ihre einzigen, dafür ungeheuer überzeugenden Argumente sind Geld, Karrierevorteile, spätere Dankeschönjobs und wieder Geld für die »unabhängigen« Volksvertreter. Und nicht wenige von denen wiederum planen das meist illegale Zubrot so fest in ihr Einkommen ein wie der Kellner das Trinkgeld.

Wie im ehrlichen Leben muss natürlich auch im formal legalen oder kriminellen Korruptionsgeschäft das Preis-Leistungs-Verhältnis stimmen. Schließlich soll ja ein Deal zwischen käuflichen Politikern und spendablen »Marktteilnehmern« beide Seiten zufriedenstellen und möglichst nicht der letzte gewesen sein. Und man will ja als »guter Geschäftspartner« weiterempfohlen werden. Nun mögen Käuflichkeit und Loyalität wie ein Widerspruch erscheinen, aber auch hier gilt die »Ganovenehre«: Wer engagiert schon gern einen Killer, der sich vom Zielobjekt abwerben lässt und einen selbst umlegt? Zudem denken beide Partner auch an die Zukunft, also an den »Dankeschönjob«. Der Politiker ist endgültig gegen Altersarmut abgesichert, das Unternehmen profitiert auch weiter von dessen meist weitverzweigtem Beziehungsgeflecht und von der Korruptionsroutine.

Bis vor kurzem zeigte sich schon rein äußerlich, wer im Bundestag tatsächlich das Sagen hat. Während ehrbare und unbescholtene Bürger vor Betreten des Reichstags wie Schwerstkriminelle mit groben Handgriffen durchsucht werden, konnte eine Horde von fünfzehnhundert halbseidenen Lobbyisten dank Hausausweis ohne Sicherheitskontrollen kommen und gehen, wann sie wollten. Erst Ende Mai 2011 wurden ihnen die Ausweise nicht mehr verlängert.[455]

Sogar Gesundheitsminister Daniel Bahr (FDP) schlug ungewohnte Töne an, zeigte sich gegenüber der Pharmalobby ganz »unliberal« und warf sie im Juli 2011 aus allen Gremien, die bis dato seiner Behörde in Fragen des Arzneimittelrechts mindestens mit Rat und Tat zur Seite gestanden hatten. »Die Branche ist empört und fühlt sich ein weiteres Mal von der angeblich wirtschaftsfreundlichen FDP düpiert«, meinte Peter Thelen vom *Handelsblatt* mitfühlend. »Hier soll eine über drei Jahrzehnte gut funktionierende sinnvolle Kooperation einfach aufgekündigt werden«, schäumte auch prompt Elmar Kroth, Geschäftsführer Wissenschaft des Bundesverbands der Arzneimittelhersteller (BAH).

Schließlich »berieten« Pharma-Vertreter seit 1978 in fünf Expertenkommissionen gemeinsam mit irgendwelchen Pharmakologen, Ärzten und Krankenkassenvertretern die jeweiligen Minister zum Beispiel dabei, ob ein Medikament apotheken- oder gar rezeptpflichtig sei. Auch über die Zulassung vor allem pflanzlicher oder homöopathischer Arzneien durften die Konzerne ein (häufig entscheidendes) Wörtchen mitreden.

Doch damit machte Bahr nun »im Hinblick auf die notwendige Unabhängigkeit der Gremien in rein fachspezifischen Fragen« zumindest verbal vorläufig Schluss. Die Industrie könne ja ihre Kritik in den Anhörungen des Bundesrats vortragen, der sämtlichen Verordnungen zum Arzneimittelrecht zustimmen muss.

Pharmamann Kroth erhofft sich insgeheim vom Lobby-Rausschmiss mehr Bürokratie. »Bislang haben wir ein unkompliziertes einstufiges Verfahren, bei dem alle Argumente auf dem Tisch liegen.«

In Koalitionskreisen beteuerte man gegenüber der Pharmabranche zunächst katzbuckelig, über Bahrs Plan sei das letzte Wort noch nicht gesprochen. Es sei vielleicht »keine gute Idee, ein Instrumentarium aufzugeben, das sehr lange reibungslos funktioniert habe, nur um den Anschein der Unabhängigkeit zu erreichen.« An Letzterem könnte sogar etwas dran sein.

Das *Handelsblatt* gab sich jedenfalls optimistisch: »Daniel Bahrs Countdown läuft.«[456] Hätte nur noch gefehlt: »Wir von der Wirtschaftspresse werden jedenfalls unser Möglichstes tun.«

Tatsächlich kam es, wie es immer kommt, wenn es um das unveräußerliche Grundrecht der Reichen und Mächtigen auf hemmungslose Ausplünderung der Bevölkerung geht: »Die Koalition ruderte prompt zurück«, stellte LobbyControl im Juli 2011 fest. »Daniel Bahr wurde vom Koalitionspartner zurückgepfiffen, und die Vorschläge wurden ›schubladisiert‹, wie Johannes Singhammer, CSU, den Vorgang bildlich umschrieb.«

Auch der CDU-Pharmaexperte Michael Hennrich verteidigte den offenen Zugang der Pharmalobby zu Expertengremien: Man wolle, »dass transparent entschieden wird und alle Argumente und Fakten auf den Tisch kommen«.[457]

Außerdem ist da ja noch der Gesundheitsausschuss: Fünfzehn der siebenunddreißig Mitglieder haben mindestens einen Nebenjob, der ihnen Lobbyismus ermöglicht, die drei Rechtsanwälte, die ja unter dem Mantel der Schweigepflicht auch Pharmakonzerne als Mandanten haben können, gar nicht mitgerechnet.

Mögliche und wirkliche Lobbyisten im Gesundheitsausschuss
CDU/CSU: 9 von 14
Rudolf Henke: Ärztebeirat Allianz Private Krankenversicherungs-AG, München; Beirat Deutsche Ärzteversicherung-AG, Köln
Michael Hennrich: Beirat DUK-Versorgungswerk
Rolf Koschorrek: Beirat Aristo Telemed AG, Oberhaching; Beirat Barmenia Versicherungen, Wuppertal; Beirat Damp Holding AG, Hamburg; Gesundheitsausschuss Paracelsus Kliniken Deutschland GmbH & Co. KGaA, Osnabrück. Außerdem Vorträge: Astra Zeneca GmbH, Wedel; BKK Gesundheit, Balingen; Bundesinnungsverband für das Orthopädiemechaniker- und Bandagisten-Handwerk, Dortmund; Bundeszahnärztekammer, Berlin; Cognomed Gesellschaft für Fortbildung im Gesundheitswesen mbH, Berlin; GlaxoSmithKline, Hamburg; Novartis Pharma, Berlin; Pfizer Pharma GmbH, Berlin; Roy von der Locht, Mittelständische Pharma Holding AG, Berlin; Schwarz Pharma Deutschland GmbH, Monheim; Verband der Deutschen Dental-Industrie e.V. (VDDI), Köln; Verband Deutsche Nierenzentren (DN) e.V.,

Düsseldorf; Verband Deutscher Zahntechniker-Innungen (VDZI),
Frankfurt / Main
Karin Maag: Beirat Barmenia Krankenversicherungen, Wuppertal
Lothar Riebsamen: Aufsichtsrat, Kliniken Landkreis Sigmaringen
GmbH, Sigmaringen, ehrenamtlich
Erwin Rüddel: Geschäftsführer und Berater Senioren-Residenz
Arolsen gemeinnützige GmbH, Bad Arolsen
Jens Spahn: Aufsichtsrat mosaiques diagnostics and therapeutics
AG, Hannover; Aufsichtsrat SIGNAL IDUNA Pensionskasse AG,
Hamburg
Max Straubinger: Generalvertreter Allianz Beratungs- und Ver-
triebs AG, München
SPD: 4 von 9
Bärbel Bas: Aufsichtsrat Gesellschaft für Wirtschaftsförderung
Duisburg mbH, Duisburg.
Karl Lauterbach: Aufsichtsrat Rhön-Klinikum AG, Bad Neustadt /
Saale
Steffen-Claudio Lemme: Verwaltungsrat AOK Plus – Gesundheits-
kasse Sachsen / Thüringen
Marlies Volkmer: Vortrag, 2010, Stufe 1 Roche Pharma AG,
Grenzach-Wyhlen
FDP: 2 von 6
Lars Lindemann: St. Joseph-Krankenhaus Berlin-Weißensee
GmbH, Berlin; Beteiligung Ärztehaus am Potsdamer Stadtschloss
GmbH & Co. KG, Potsdam, und Weststrand Beteiligungsgesell-
schaft mbH, Teltow
Erwin Lotter: Beteiligung Gemeinschaftspraxis Dr. Lotter GbR,
Aichach
Linkspartei: 0 von 4
Bündnis 90 / Die Grünen: 2 von 4
Birgitt Bender: Beirat Deutsche Gesellschaft für Medizinische
Rehabilitation e. V.
Harald Terpe: Vorstand Ärztekammer Mecklenburg-Vorpommern,
Rostock

Auf den ersten Blick »clean« sind also nur neunzehn Mitglieder. Und es wäre ja nicht das erste Mal, dass von der Industrie als »Beiräte« oder für »Vorträge« hochbezahlte unabhängige Volksvertreter auf eigene Faust die Interessen ihrer Finanziers in den Ausschüssen durchsetzen und damit bereits die Weichen für die Parlamentsentscheidung stellen. Aber dazu später mehr.

3. Vorzeigelobbyisten

Es gibt Lobbyisten, bei deren bloßer Erwähnung einem eigentlich sämtliche unverdauten Nahrungsmittel hochkommen müssten, denen man aber – vielleicht gerade wegen ihrer routinierten Unverfrorenheit – irgendwie nicht böse sein kann. Die ganze Sache hat etwas von jener Faszination des Grauens, die uns zuweilen sprach- und aggressionslos macht.

Der christliche Lobbyist: Norbert Röttgen

Den bislang originellsten, allerdings gescheiterten Versuch, die Arbeit im Bundestag mit dem Job eines Wirtschaftsfunktionärs zu verbinden, unternahm der heutige Umweltminister Nobert Röttgen. Mitte 2006 wollte er allen Ernstes Hauptgeschäftsführer beim Bundesverband der Deutschen Industrie (BDI) werden und gleichzeitig sein Bundestagsmandat behalten. Besonders peinlich für den smarten Ehrgeizling, dass dieser grundgesetzfeindliche Plan – ein Volksvertreter hat ausschließlich dem Volk zu dienen und seinem Gewissen zu folgen – nicht an der Einsicht Röttgens oder seiner Partei scheiterte, sondern am Unverständnis der Öffentlichkeit.

Letzter Auslöser war wohl die barsche Kritik in einem offenen Brief ausgerechnet der früheren BDI-Präsidenten Michael Rogowski und Hans-Olaf Henkel. Vor seinem Amtsantritt als Hauptgeschäftsführer des BDI müsse Röttgen sein Bundestagsmandat niederlegen, sonst werde »die Glaubwürdigkeit des Industrieverbandes weiteren Schaden nehmen«.[458]

Im Juli 2006 verzichtete Röttgen auf seinen BDI-Job. Dabei kann man der damals gerade einundvierzigjährigen rheinischen Frohnatur nicht einmal einen Vorwurf machen – außer den der naiven Ehrlichkeit. Denn wenn gerade seine jesuschristliche Partei unablässig predigte, die Interessen des Volkes seien mit denen der Wirtschaft identisch (»Nur wenn's der Wirtschaft gutgeht, geht's auch dem Pöbel gut.«), dann war es doch geradezu vorbildlich, für beide gleichzeitig zu arbeiten. Dass aber in der irdischen Wirklichkeit auf Gottes Erden Wirtschaft und Bevölkerung zwar in einem Boot sitzen, aber in entgegengesetzte Richtung rudern, dass die Leute immer ärmer und die Konzerne immer reichen werden – woher sollte das einer wissen, der im idyllischen Rheinbach das Gymnasium und in der Jeckenprovinz Bonn die Uni besuchte und in der Jungen Union lernte, dass vor Jesus die Linken die Bösen und die Vermögenden die Guten sind? Wie konnte er ahnen, dass das Hamburger »Problemviertel« Mümmelmannsberg keine Anhöhe in der Sesamstraße ist und Neukölln nicht der mittelalterliche Name der Klüngelstadt am Rhein war?

Frechheit schlägt Argument: Reinhard Göhner

»Röttgen soll Göhner als Beispiel dienen«, empfahl *Spiegel Online* am 23. Juli 2006 zum Thema Diener zweier Herren[459], aber, wie der Berliner fragt, kann man mit einer Kuh französisch reden?

Denn Reinhard Göhner ist ganz und gar nicht so ein »Weichei« wie Röttgen. Ihm schien die aufopferungsvolle Parteinahme für die Arbeitgeber gegen die Bevölkerung schon in die politische Wiege gelegt. Nicht dass ihn dies von vielen anderen aus der politischen Klasse unterscheide, aber die Offenheit – um die Vokabel »Dreistigkeit« zu vermeiden – des Fachanwalts ausgerechnet für Arbeitsrecht, mit der er diese moralische Grundhaltung demonstriert und auslebt, sucht selbst in der deutschen Politik ihresgleichen. Von 1983 bis 2007 vertrat er im Bundestag offiziell »das Deutsche Volk«, gleichzeitig aber fast unterunterbrochen die Industrie. So war er von 1982 bis 1990 Geschäftsführer des Fachverbandes der Serienmöbelbetriebe, von 1994 bis 1996 Hauptgeschäftsführer des Verbandes der Deutschen Polstermöbelindustrie, des Verbandes der Westfälischen Holzindustrie und Kunststoffverarbeitung sowie des besagten Serienmöbelverbandes. Seit dem 1. Oktober 1996 war er Hauptgeschäftsführer der Bundesvereinigung der Deutschen Arbeitgeberverbände (BDA). Von 1991 bis 1994 gab's eine Zwangspause, weil er als Staatssekretär für Justiz und dann für Wirtschaft beim besten Willen nicht auf der Gehaltsliste eines Wirtschaftsverbandes stehen durfte. Göhner selbst, so schreibt Wikipedia[460] »sah sich mit der Doppelfunktion als Abgeordneter und Verbandsfunktionär als Vorbild für andere«.

Diese Meinung aber hatte er selbst in Wirtschaftskreisen exklusiv. Sogar der damalige FDP-Generalsekretär Dirk Niebel bezeichnete Norbert Röttgens Verzicht auf das Amt beim BDI als eine Warnung an alle hauptamtlichen Verbandsfunktionäre im Bundestag. Auch andere Arbeitgeberfunktionäre bei der Union und zahlreiche SPD-Gewerkschaftsfunktionäre im Bundestag seien hauptamtliche Lobbyisten, bei denen sich das unabhängige Abgeordnetenmandat und die abhängige Verbandsarbeit nicht vertrügen. »Sie sollten eines ihrer beiden Ämter ruhen lassen«, forderte Niebel.[461]

Auch der ehemalige BDI-Chef Hans-Olaf Henkel forderte Göhner zum Verzicht auf eines der Ämter auf: »Beim BDA hat man doch den unmöglichen Spagat gesehen, den Göhner bei Themen wie dem Anti-Diskriminierungsgesetz vollführen musste: Die CDU war dafür, der BDA dagegen und er bei der Abstimmung [am 29. Juni 2006; T.W.] abgetaucht«.[462]

Ebenso verfuhr er kurz zuvor beim »Spagat-Alarm« bei der Bundestagsabstimmung über die Mehrwertsteuererhöhung am 25. Mai 2006. Zu großer Verwirrung führte jedoch die Tatsache, dass sich seine Stimmkarte dennoch in der Urne befand. Die Abstimmung wurde trotz dieser Unregelmäßigkeit nicht wiederholt. »Er stimmte mit Ja und war gar nicht da«, dichtete *bild.de*.[463]

Am 6. Juli 2007 hatte Göhner wohl selbst Angst, den Bogen zu überspannen, und legte endlich sein Bundestagsmandat nieder. Als Grund nannte er seinen neuen Job als Aufsichtsratsvorsitzender der Paderborner Unternehmensberatung CentConsult, an der er selbst eine Beteiligung hält. Kleine Pointe am Rande: Für ihn rückte über die NRW-Landesliste ein gewisser Cajus Julius Caesar nach, ein Namensvetter also jenes Römers, der (wie eingangs erwähnt) eines der ersten Antikorruptionsgesetze in der Geschichte der Menschheit schuf.

Warum überraschte es den kritischen Bürger eigentlich nicht, als er im November von Nachforschungen der Bundestagsverwaltung über die mögliche Zweckentfremdung von Steuergeldern durch Göhner erfuhr? Unter anderem ging es um den Verdacht, er habe über Jahre eine Mitarbeiterin aus seinem Bundestagsbüro für seine private Korrespondenz und Banküberweisungen für sein Pferdegestüt in Nordrhein-Westfalen eingesetzt und auf Kosten des Bundestags Stalljungen beschäftigt. Göhner gab natürlich die Unschuld vom Lande: Die Mitarbeiterin habe alles außerhalb der Dienstzeiten erledigt und keiner seiner Bundestagsangestellten sei jemals auf seinem Hof beschäftigt gewesen.[464] Fälle wie dieser dürften für viele gutwillige Bürger der parlamentarische Tick zu viel sein; der Tropfen, der das Fass der Politikerverdrossenheit zum Überlaufen bringt und frustrierte Noch-Wähler zu Nichtwählern macht.

Ist der Ruf erst ruiniert …: Volker Hoff

Der hessische Ex-Europaminister Volker Hoff (CDU) wird im Februar 2010 Chef-Lobbyist bei Opel, um bei den Regierungen Europas Millionen aus den Taschen ehrlicher Steuerzahler für den abwrackreifen Rüsselsheimer Pleitekonzern lockerzumachen, denkt aber zunächst nicht im Traum daran, sein ebenfalls vom Steuerzahler großzügig finanziertes Landtagsmandat niederzulegen. TI-Vorstand Jochen Bäumel findet derlei Interessenkollision bei hemmungslosem Abkassieren gar nicht komisch: »Lobbyisten haben in Parlamenten nichts zu suchen.« Mandatsträger würden voll bezahlt, damit ihr Mandat im Mittelpunkt ihrer Tätigkeit stehe.[465]

Andererseits ist Hoff die Idealbesetzung für einen typischen deutschen Großkonzern: 2009 kam er nicht wieder als Minister in die Landesregierung, weil laut *Frankfurter Rundschau* »durch seine ehemalige Firma ZHP rund zehn Millionen Euro illegale Geldtransaktionen des mittlerweile wegen Betrugs zu über elf Jahren Haft verurteilten Managers Aleksander Ruzicka geflossen und danach verschwunden waren«.[466]

Erst nach massivem Druck des Koalitionspartners FDP trennte sich Hoff zwei Tage vor dem Wechsel von seinem Mandat.[467]

Da rümpft sogar das *manager magazin* die Nase: »Der CDU-Politiker bewegt sich seit Jahrzehnten zwischen Partei und privaten Geschäften« und habe zu Roland Kochs berüchtigter *Tankstellen-Connection* gehört: »Die damaligen Mitglieder der Jungen Union in Hessen, darunter auch der heutige Innenminister Volker Bouffier und Finanzminister Karlheinz Weimar, halfen einander beim Aufstieg in der Partei.«[468]

Der Schumi des Lobbyismus: Guido Westerwelle

Was Michael Schumacher für den Formel-1-Zirkus, das ist Guido Westerwelle für den deutschen Lobbyismus: schon zu Lebzeiten eine Legende, der Inbegriff dieser Sportart. Selbst wenn sie mal vom Wettkampf ausgeschlossen sind – Schumi damals für ein paar Rennen wegen Unsportlichkeit, Guido derzeit vom offenen Lobbyismus wegen seines Ministerpostens, kratzt das nicht an ihrem strahlenden Image.

Beeindruckend, jedenfalls schier endlos ist die Liste seiner veröffentlichungspflichtigen Nebeneinkünfte in der 16. Wahlperiode (2005–2009).[469] Was und wie viel der Bonner Strahlemann und Ex-Chef der »Fundraising-Dinner-Partei« *(Süddeutsche*[470]*)* wirklich kann, sei dahingestellt; aber eines beherrscht er: das Vielreden, wie sich an der Aufzählung seiner gebührenpflichtigen Vorträge zeigt:

Agentur Schenck, Berlin, August 2008, Stufe 3
Aspecta HDI Gerling Lebensversicherung AG, Mainz, Februar 2007, Stufe 3
AXA-Krankenversicherung AG, Köln Januar 2006, Stufe 3
BCA AG, Bad Homburg, März 2009, Stufe 3
Close Brothers Seydler AG, Frankfurt / Main, Juni 2008, Stufe 3
Congress Hotel Seepark, Thun / Schweiz, September 2007, Stufe 3
CSA Celebrity Speakers GmbH, Düsseldorf, Oktober 2008, Stufe 3, März 2009, Stufe 3
Dr. Schnell Chemie AG, München, Januar 2009, Stufe 3
DS Marketing GmbH, Brühl, März 2006, Stufe 3
econ Referenten-Agentur, Straubing, Mai 2006, Stufe 3, Juli 2007, Stufe 3
EDEKA Handelsgesellschaft Nordbayern-Sachsen-Thüringen mbH, Rottendorf, Juli 2006, Stufe 3
EDEKA Zentrale AG & Co. KG, Hamburg, Juni 2009, Stufe 3
EUTOP Speaker Agency GmbH, München, Juli 2007, Stufe 3, Vorträge, 2006, Stufe 3
Fertighaus WEISS GmbH, Oberrot, September 2006, Stufe 3
Flossbach & von Storch Vermögensmanagement AG, Köln, Mai 2007, Stufe 3
Gemini Executive Search, Homburg, Oktober 2007, Stufe 3
Genossenschaftsverband Frankfurt, Frankfurt, Oktober 2005, Stufe 3
Hannover Leasing GmbH & Co. KG, Pullach, Juni 2006, Stufe 3, Oktober 2008, Stufe 3
Lazard Asset Management Deutschland GmbH, Hamburg, Januar 2007, Stufe 3
LGT Bank AG, Zürich / Schweiz, April 2007, Stufe 3

Lupus Alpha Asset Management GmbH, Frankfurt / Main,
November 2008, Stufe 3
MACCS GmbH, Berlin, November 2007, Stufe 3
Maritim Hotelgesellschaft mbH, Bad Salzuflen, November 2005,
Stufe 3
Movendi GmbH, Lohmar-Honrath, Oktober 2008, Stufe 3
Rednerdienst & Persönlichkeitsmanagement Matthias Erhard,
München, Oktober 2006, Stufe 3, Vorträge, 2009, Stufe 3
Sal. Oppenheim jr. & Cie. KGaA, Köln, März 2006, Stufe 2
Serviceplan Agenturgruppe für innovative Kommunikation
GmbH & Co. KG, München, Februar 2007, Stufe 3
Solarhybrid AG, Brilon, Vorträge, Juni 2008, Stufe 3
Team Event Marketing GmbH, Rosbach v.d.H., Mai 2007, Stufe 3
Vincero Holding GmbH & Co. KG, Aachen, September 2007,
Stufe 3
Wolfsberg – The Platform for Executive & Business Development,
Ermatingen / Schweiz, September 2008, Stufe 3

Die Vorträge seien ihm und seinem Publikum ja gegönnt, aber die
Korruptionstheorie wertet sie neben »Beraterverträgen« als be-
liebteste Möglichkeit zur Tarnung »kleiner Aufmerksamkeiten«.[471]
Unkomplizierter und ungefährlicher als die Bargeldübergabe ist
ein gut bezahltes Referat allemal. Interessanter noch sind allerdings Westerwelles damalige Posten in einem Aufsichtsrat und in
drei Beiräten.

ARAG Allgemeine Rechtsschutz-Versicherungs-AG, Düssel-
dorf, Aufsichtsrat, jährlich, Stufe 3
DVAG Deutsche Vermögensberatung AG, Frankfurt / Main,
Beirat, jährlich, Stufe 3
Hamburg-Mannheimer Versicherungs-AG, Hamburg, Beirat
(bis 31.12.2008)
TellSell Consulting GmbH, Frankfurt / Main, Beirat, 2006,
Stufe 3

Im vierköpfigen TellSell-Beirat soll Westerwelle laut *sueddeut-sche.de* sogar bis zum 1. Oktober 2009 gesessen haben. Und auf der Firmenhomepage sei nachzulesen:»Unsere Beiräte öffnen für Sie Türen und bringen Sie mit relevanten Ansprechpartnern zusammen.«[472] Weiter heißt es: »Konsequent bauen wir unsere Kontakte zu Entscheidern in den Bereichen Wirtschaft, Politik, Wissenschaft und Medien immer weiter aus. So profitieren Sie von einem starken Chancen- und Wertschöpfungsnetz!«[473]

Die korrupte Konstellation springt geradezu ins Auge. Jemand macht ständig Propaganda für die Privatisierung und für private Versicherungen – und erhält Geld von privaten Versicherungen. Und das ist keinesfalls »Schnee von gestern«. Die Pointe nämlich ist: So ziemlich alle diese Kontakte dürfte Westerwelle kaum schlagartig abgebrochen haben, kann sie also nach Ende seiner Regierungsmitgliedschaft unverzüglich – und finanziell unterfüttert – wieder aufnehmen.

Doch selbst diese Zeit, die noch kürzer sein könnte, als er wohl ohnehin denkt, mochte er nicht abwarten. So war er am 23. Februar 2010 als Außenminister und Vizekanzler Ehrengast und – natürlich – gefeierter Redner auf dem *Vermögensberater-Tag 2010* seines ehemaligen und womöglich bald wieder künftigen Nebenarbeitgebers DVAG in der Kölner Lanxess-Arena. Wie ein Video auf *Youtube*[474] dokumentiert, wurde er von den fünfzehnhundert Vermögensberatern mit stehenden Ovationen begeistert bejubelt. Gäbe es neoliberale Gassenhauer, wären sie mit Sicherheit von den ekstatischen Massen aus voller Kehle und schunkelnd gegrölt worden.

Die Gastgeber von der DVAG zeigten ihre große Zufriedenheit über die Show unseres Repräsentanten im Ausland eher still. Sie ließen nicht Blumen, sondern Euros sprechen. Im Juli 2010 spendeten sie der FDP 75 000, im August 65 000 und im November noch einmal 60 000 Euro. 200 000 Euro – dafür hätte die DVAG auch die *Rolling Stones* samt den *Bläck Fööss* bekommen. Aber die haben ja kaum Einfluss auf die bundesdeutsche Regierungspolitik.[475]

»Einmal ist keinmal« – das kann man in diesem Fall nicht sagen: »Amtsmissbrauch?«, fragte das *Hamburger Abendblatt* am 12. März 2010 gleich in einer Überschrift. »Guido Westerwelle: Minister unter Freunden«.

Westerwelle hatte auf seine China- und Japanreise im Januar 2010 in seiner nur zehnköpfigen Wirtschaftsdelegation seinen Freund und FDP-Großspender Cornelius Boersch mitgenommen, der zudem auch Geschäftspartner seines Lebenspartners Michael Mronz ist und außerdem Geschäftsführer einer Firma, an der Westerwelles Bruder Kai Westerwelle beteiligt ist. »Hat Guido Westerwelle die geschäftlichen Interessen seiner eigenen Familie unterstützt?«, fragte das *Abendblatt* unverblümt.[476]

4. Der Ausschuss entscheidet, das Plenum nickt ab

Frontenwechsler haben ständig Stress wegen Rückfallverdacht, zum Beispiel der Herausgeber der *Welt*-Gruppe[477] Thomas Schmid, der früher nach dem Motto »Ich war jung und brauchte den Zoff« als Mitbegründer der Gruppe *Revolutionärer Kampf* im Opel-Werk Rüsselsheim die Arbeiterklasse den Aufstand lehren wollte und später für den autonomen *Pflasterstrand* literarisierte. Verständlich also, wenn so einer nun bei jeder Gelegenheit »unsere Demokratie« bis ins lächerlichste und allgemein kritisierte Detail verteidigt. So erläuterte der Ex-Revoluzzer im Fachblatt *journalist* der Forumsgemeinde von *Welt Online*, wann man die Grenzen der Meinungsfreiheit überschreite: »Das ist zum Beispiel der Fall, wenn das Parlament als ›Schwatzbude‹ bezeichnet« wird.[478]

Als ein solcher, von wichtigen Richtungsstreits, Sachdiskussionen oder gar echten Meinungsbildungsprozessen weitestgehend freier Debattierclub, eine Art Megatalkshow mit Drehbuch, erweist sich aber bei genauerem Hinweise zumindest das Plenum des Bundestags, also genau jenes Parlamentsgremium, das das Wahlvolk in aller Regel als einziges in den Medien bestaunen darf.

Trotz dieser teilweise vorabendserienreifen Inszenierungen erliegen nur noch ausgesucht naive Bürger der Illusion, im Plenum werde erbittert um »Wahrheitsfunken« und politische Überzeugungen (was ist das überhaupt?) und Entscheidungen gerungen. Schon allein der Fraktionszwang sagt dem halbwegs klar denkenden Menschen, dass das offene »Umschwenken« von Volksvertretern aufgrund einer Bundestagsdebatte seltener sein *muss* als ein Schneesturm auf Tahiti.

Es sind die Ausschüsse, in denen in Wahrheit all das an Weichen gestellt und an Entscheidungen getroffen wird, was nach den »Kamingesprächen« zwischen Politik und Wirtschaft sowie den oft sogar ausformulierten Gesetzesvorlagen der Konzernvorstände überhaupt noch übrig ist.

Zwar sieht die Geschäftsordnung der Deutschen Bundestages in den Ausschüssen lediglich »vorbereitende Beschlussorgane«, im politischen Alltag aber »haben ihre Beschlüsse faktisch zumeist Entscheidungscharakter«.[479] Auch das Bundesverfassungsgericht stellt klar: »Die Ausschüsse bereiten Verhandlungen und Beschlüsse des Plenums vor … arbeiten also stets auf die endgültige Beschlussfassung durch das Plenum hin und nehmen damit zugleich einen Teil des Entscheidungsprozesses entlastend vorweg.«[480] Es leuchtet also ein, dass die eigentlichen Arbeitsplätze der Lobbyisten die Ausschüsse sind. Wie aber schaffen sie es, sich in diese wichtigen Gremien hineinzudrängeln? Konzernpropaganda gegen gutes Geld als »Beirat« oder »Gastredner« ist schließlich ein begehrtes Geschäft und oft lukrativer als der Abgeordnetenjob selbst.

Der Weg ist allem Anschein nach viel simpler und profaner als sowieso schon angenommen. »Persönliche Neigungen und Karriereinteressen spielen eine große Rolle, ebenso die Intention von Verbänden und Interessengruppierungen der Fraktionen«, schreibt der Parlamentsforscher Wolfgang Ismayr, obwohl ja eigentlich auch die »fachliche und kommunikative Kompetenz … gewährleistet«[481] sein soll. Eigentlich …

Es liegt also auf der Hand, dass für Lobbyisten die Ausschüsse ähnlich anziehend sind wie für Fliegen die Abwasserkanalisation oder wie für Schnäppchenjäger der Schlussverkauf.

5. Die Maulwürfe in der Regierung – selbst ist der Konzern

Es gibt Mitbürger, die trauen nur dem eigenen Werk: der Statistik, die sie selbst gefälscht haben, dem selbstgekochten Kaffee, dem eigenhändig gewechselten Reifen. Zu dieser Spezies gehören offenbar auch unsere Topmanager. Infolge von »Spenden« und ähnlichen Maßnahmen wohlgesinnte Parteien, Politiker und Regierungen, deren gekaufte »Berater« und bezahlte Kampagnen eines Teils der Medien – da sollte es doch klappen mit den gewünschten Gesetzen und Beschlüssen.

Dummerweise ist aber bei den mehr oder minder reich Beschenkten zwar der gute Wille vorhanden, nicht aber das Können. Die himmelschreiende Inkompetenz unserer Politiker und ihrer Berater ist auch in den Augen der Bürger längst keine hirnverbrannte Verschwörungstheorie mehr, sondern wird einem nahezu tagtäglich aufs Neue bewiesen. Ob es um die Gemeinde geht, die Region oder das ganze Land, ja sogar die EU und die globalisierte Welt, also um »urbi et orbi«: Im ganzen Land hört man ständig von »Fehlkalkulation« und »unerwarteter Kostenexplosion«, »handwerklichen Fehlern«, »Nachbesserungsbedarf« und ähnlichen Bankrotterklärungen.

Nicht alles, was die Armen ärmer macht, das haben längst auch die Wirtschaftseliten begriffen, macht auch die Reichen reicher. Und deshalb schleusen sie seit geraumer Zeit und wie selbstverständlich ihr eigenes Personal auf eigene Kosten in die Ministerien, auf dass dort alle wichtigen Gesetze und Beschlüsse »nach Maß« geschrieben werden – nur als »Vorlage«, versteht sich. Richtig abstimmen und beschließen werden Parlament und Regierung ja wohl noch können, selbst wenn einige nicht einmal ahnen, worum es überhaupt geht.

Übertrieben? Natürlich gehört es sich nicht, unsere Volksvertreter als Dumpfbacken hinzustellen. Ist auch nicht nötig, denn das besorgen sie selbst, wie zwei bereits legendäre Klassiker zeigen: Im Wahlkampf 2002 legten Reporter des MDR-Magazins *Fakt* dem damaligen Finanzminister »Hans, der kann's« Eichel eine Textstelle aus dem CDU-Wahlprogramm als angebliches Zitat aus dem SPD-Programm vor – und Eichel lobte das Unionskonzept über den grünen Klee.

Eichel war so etwas wenigstens noch peinlich, Ulla Schmidts Gesundheitsstaatssekretärin Marion Caspers-Merk dagegen verteidigte ihre komplette Inkompetenz ganz lässig. Als sie im Oktober 2006 im Bundespresseamt zur Gesundheitsreform gefragt wurde, ob sie genau wisse, was der Risikostrukturausgleich sei, giftete sie selbstbewusst: »Nein, das weiß ich nicht. Ich muss es auch nicht wissen, denn ich kann Politik!«[482]

Insofern ist es verständlich, dass die Konzerne zeitweise über hundert Mitarbeiter in der Schaltzentrale der politischen Macht sitzen haben. Was macht es da schon, dass der Bundesrechnungshof bereits im Jahr 2008 »erhöhte Risiken von Interessenkonflikten« feststellte. Daher sollten die Gastarbeiter höchstens sechs Monate statt derzeit bis zu fünf Jahren herumschnüffeln und erst recht keine Gesetzentwürfe formulieren oder gar »Leitungs- oder Kontrollfunktionen« in den Ministerien wahrnehmen. Keinesfalls aber dürften sie im Namen des Staates ihr eigenes Unternehmen »kontrollieren«, geschweige denn öffentliche Aufträge vergeben und Funktionen ausüben, in denen sie ihrem Konzern Gutes tun könnten. Vor allem aber, so betonten die Rechnungsprüfer nachdrücklich, dürfe nicht vertuscht werden, wer beim Staat und wer bei den Konzernen auf der Gehaltsliste stehe.[483]

Nun konnten aber selbst die abgefeimtesten Wirtschaftsbosse diese Invasion ihrer Mitarbeiterschwärme nicht auf eigene Faust durchführen, sondern nur auf ausdrückliche Einladung durch die Politik.

Erfinder dieses unmittelbaren Zugriffs der Wirtschaft auf die Gesetzgebung und deren Umsetzung war – fast möchte man sagen:

natürlich[484] – die rot-grüne Bundesregierung. Unter dem Titel *Seitenwechsel – Schreibtisch tauschen* wurde die Idee auf der Homepage der Bundesregierung im Sommer 2006 der staunenden Öffentlichkeit vorgestellt. Ausgeheckt hatten den Coup laut *Monitor* Otto Schily und der damalige Personalvorstand der Deutschen Bank, Tessen von Heydebreck[485], und schon bald hatte fast jeder Wirtschaftsriese seine Leute in irgendeinem Ministerium, manche sogar in mehreren.

Die Organisation LobbyControl zeigt auf ihrer Internetseite eine ständig aktualisierte atemberaubende Liste, auf der man sehen kann, welche Unternehmen Mitarbeiter in welche Ministerien eingeschleust haben.

Lobbyisten nach Branchen[486]
Chemie und Pharma
- BASF: Finanzministerium; Presse- und Informationsamt; Umweltministerium; Wirtschaftsministerium
- Bayer: Umweltministerium; Wirtschaftsministerium
- EUROIMMUN AG: Robert Koch-Institut (Geschäftsbereich des Gesundheitsministeriums)
- Henkel: Umweltministerium
- Lanxess: Wirtschaftsministerium
- VDI Technologiezentrum: Bildungsministerium
- Verband der Chemischen Industrie: Wirtschaftsministerium
- Verband Forschender Arzneimittelhersteller: Wirtschaftsministerium
- Werbe- und Vertriebsgesellschaft Deutsche Apotheker: Gesundheitsministerium

Energie und Wasser
- Alstom: Wirtschaftsministerium; Entwicklungsministerium
- ABB: Wirtschaftsministerium; Entwicklungsministerium
- Berliner Wasserbetriebe: Entwicklungsministerium
- BP: Auswärtiges Amt
- Bundesverband der deutschen Gas- und Wasserwirtschaft: Wirtschaftsministerium

- EFET Deutschland: Wirtschaftsministerium
- E.ON: Auswärtiges Amt
- Laubag: Wirtschaftsministerium
- LichtBlick: Wirtschaftsministerium
- Thyssengas: Wirtschaftsministerium
- Verband kommunaler Unternehmen: Wirtschaftsministerium
- Wingas: Wirtschaftsministerium
- Wintershall: Auswärtiges Amt
- Wuppertaler Stadtwerke: Wirtschaftsministerium

Finanzen

- Bundesverband Deutscher Banken: Finanzministerium
- Bundesverband Investment und Asset Management (BVI): Finanzministerium
- Bundesverband Öffentlicher Banken Deutschlands (VÖB): Verkehrsministerium; Finanzministerium
- Commerzbank: Wirtschaftsministerium
- Deutsche Ausgleichsbank: Bildungsministerium
- Deutsche Bank: Arbeitsministerium; Bildungsministerium; Finanzministerium; Gesundheitsministerium; Innenministerium
- Deutsche Bank Research: Wirtschaftsministerium
- Deutsche Börse: Finanzministerium
- Deutsche Zentral-Genossenschaftsbank AG (DZ Bank AG): Finanzministerium
- Dresdner Bank: Finanzministerium
- HSH Nordbank: Finanzministerium
- Industrial Investment Council: Verkehrsministerium
- Kreditanstalt für Wiederaufbau: Bundeskanzleramt; Finanzministerium; Verkehrsministerium; Wirtschaftsministerium
- Landesbank Berlin: Wirtschaftsministerium
- Morgan Stanley: Wirtschaftsministerium
- Zentraler Kreditausschuss: Finanzministerium

Gewerkschaften

- DGB: Auswärtiges Amt
- IG Metall: Arbeitsministerium

Kommunikation und Elektronik

- BGS: Verteidigungsministerium
- CC CompuNet: Verteidigungsministerium
- Deutsche Telekom: Wirtschaftsministerium; Finanzministerium
- ESG: Verteidigungsministerium
- IBM: Wirtschaftsministerium; Verteidigungsministerium; Finanzministerium
- SAP: Auswärtiges Amt
- SEAR: Verteidigungsministerium
- Siemens: Auswärtiges Amt
- Teleplan: Verteidigungsministerium

Sonstiges

- Deutscher Akademischer Austauschdienst (DAAD): Auswärtiges Amt
- Deutsche Forschungsgemeinschaft (DFG): Auswärtiges Amt
- Deutscher Fußballbund: Bundeskanzleramt
- Goethe-Institut: Auswärtiges Amt
- InWEnt: Entwicklungsministerium
- Max-Planck-Gesellschaft: Auswärtiges Amt
- Naturschutzbund Deutschland: Bundesamt für Naturschutz (nachgelagerte Behörde)
- Wissenschaftsgemeinschaft Gottfried Wilhelm Leibniz e.V.: Bildungsministerium

Soziales

- Arbeitsgemeinschaft der Evangelischen Jugend: Familienministerium
- Arbeitsgemeinschaft für Kinder- und Jugendhilfe e.V.: Familienministerium
- Deutsche UNESCO-Kommission (DUK): Auswärtiges Amt
- Deutscher Verein für öffentliche und private Fürsorge: Familienministerium
- Deutsches Rotes Kreuz: Bundesamt für Bevölkerungsschutz und Katastrophenhilfe (nachgelagerte Behörde)
- Deutsches Institut für Jugendhilfe und Familienrecht: Familienministerium
- Johanniter-Unfall-Hilfe: Bundesamt für Bevölkerungsschutz und Katastrophenhilfe (nachgelagerte Behörde)

Stiftungen & Denkfabriken

- Bertelsmann Stiftung: Gesundheitsministerium
- Deutsche Gesellschaft für Auswärtige Politik: Auswärtiges Amt
- Hessische Stiftung für Friedens- und Konfliktforschung: Auswärtiges Amt
- Institut für Angewandte Wirtschaftsforschung: Wirtschaftsministerium
- Kulturstiftung der Länder (KSL): Einsatzort unbekannt
- Robert-Bosch-Stiftung: Auswärtiges Amt

Unternehmensberatung

- CONET: Verteidigungsministerium
- PricewaterhouseCoopers: Entwicklungsministerium; Wirtschaftsministerium
- Roland Berger: Verteidigungsministerium
- weisser und böhle: Verteidigungsministerium

Verkehr

- DaimlerChrysler: Wirtschaftsministerium; Auswärtiges Amt; Verkehrsministerium
- Deutscher Aero Club: Verkehrsministerium
- Deutsche Flugsicherung: Verkehrsministerium
- Deutsches Zentrum für Luft- und Raumfahrt (DLR): Auswärtiges Amt; Bildungsministerium; Gesundheitsministerium; Wirtschaftsministerium
- EADS: Auswärtiges Amt
- Flughafen Köln/Bonn: Verkehrsministerium
- Fraport: Verkehrsministerium
- Lufthansa: Auswärtiges Amt
- Schenker: Verteidigungsministerium

Versicherungen

- Allgemeine Ortskrankenkasse (AOK): Bundeskanzleramt; Gesundheitsministerium
- Betriebskrankenkasse (BKK): Bundeskanzleramt
- Deutsche Angestellten Krankenkasse (DAK): Gesundheitsministerium
- Euler Hermes: Wirtschaftsministerium
- Techniker Krankenkasse (TKK): Gesundheitsministerium

- Verband der Angestellten-Krankenkassen e.V.: Einsatzort unbekannt
- IKK-Bundesverband: Gesundheitsministerium
- Kassenärztliche Vereinigung Bayerns (KVB): Gesundheitsministerium

Weitere Wirtschaftsverbände

- Bundesverband der Deutschen Industrie (BDI): Auswärtiges Amt; Wirtschaftsministerium
- Deutscher Industrie- und Handelskammertag (DIHK): Wirtschaftsministerium
- Hauptverband der Deutschen Bauindustrie: Verkehrsministerium
- Verband Deutscher Maschinen- und Anlagenbau (VDMA): Wirtschaftsministerium

Weitere Dienstleister und Normung

- Bosch & Partner: Bundesamt für Naturschutz (nachgelagerte Behörde)
- BwFuhrparkService GmbH (BwFPS): Verteidigungsministerium
- Deutsches Institut für Normung (DIN): Wirtschaftsministerium
- Deutsches Rechnungslegungs Standards Committee (DRSC): Justizministerium
- DW – Media Services: Auswärtiges Amt
- EuroNorm: Wirtschaftsministerium
- Fernleitungs-Betriebsgesellschaft mbH (FBG): Einsatzort unbekannt
- IABG: Verteidigungsministerium
- TÜV Süd: Wirtschaftsministerium
- Vivento: Wirtschaftsministerium
- Wels: Verteidigungsministerium

Nun ist es – zum Glück für die Regierungen – kaum möglich, den wahren Umfang des Schadens in konkrete Zahlen zu fassen, den die Plünderung des Staates durch diese Art von Lobbyismus seit Jahren anrichtet. Man kann aber getrost von einem mindestens dreistelligen Milliardenbetrag ausgehen.

Denken wir nur an die Zulassung der halbseidenen »Heuschrecken« und deren Ergebnis: die unendliche Geschichte der *Rettungsschirm* genannten zwölfstelligen Geschenke der ehrlichen

Steuerzahler an die ehrenwerte Gesellschaft der Finanzzocker. Und an jener Lizenz zur Abzocke, dem *Investmentmodernisierungsgesetz*, schrieb laut *Stern* eine Hausjuristin des *Bundesverbands Investment und Asset Management (BVI)* von Januar bis August 2003 an ihrem noblen Schreibtisch in der Abteilung »Nationale und Internationale Finanz- und Währungspolitik« des Finanzministeriums eifrig mit.[487]

Zwar wird von Zeit zu Zeit hoch und heilig wenigstens ein bisschen mehr Integrität versprochen: So erließ das Bundesinnenministerium auf besonders geduldigem Papier bereits am 17. Juli 2008 die *Allgemeine Verwaltungsvorschrift zum Einsatz von außerhalb des öffentlichen Dienstes Beschäftigten (externen Personen) in der Bundesverwaltung.*[488]

Aber die Praxis sieht anders aus. So musste das Entwicklungsministerium (BMZ) auf eine Kleine Anfrage der Fraktion *Die Linke* zugeben, von 2010 bis 2012 einen Mitarbeiter des Bundesverbandes der Deutschen Industrie (BDI) als externen Mitarbeiter zu beschäftigen. Ein Personalaustausch zwischen BMZ und BDI diene dazu, Wirtschaftsvertreter für Entwicklungspolitik und BMZ-Mitarbeiter für Wirtschaftsthemen zu sensibilisieren.[489]

So wie von 1972 bis 1974 DDR-Spion Günter Guillaume als persönlicher Referent des Bundeskanzlers Willy Brandt für bundesdeutsche Regierungspolitik »sensibilisiert« wurde?[490]

6. Regierungskriminalität

Es war einmal ein Staatsanwalt, nennen wir ihn Hillinger, der gegen die eigene Regierung wegen Korruption ermittelte. Da macht man sich natürlich nicht nur Freunde. Und dann passiert ihm auf der Fahrt zu einem entscheidenden Gespräch mit seinem Dienstvorgesetzten Folgendes: »Gegen 13 Uhr stieg er in seinen weißen Opel Astra. Der Wagen war auf den Tag genau vier Wochen alt und hatte gerade einmal 1200 Kilometer auf dem Tacho … Hillinger fuhr auf der kerzengeraden Strecke … plötzlich Schlangenlinien … bekam seinen weißen Opel nicht mehr unter Kontrolle, geriet auf die Gegenfahrbahn und prallte frontal mit einem entgegenkommenden Lkw zusammen. Er war auf der Stelle tot.«[491] Diese Szene in einem US-Krimi, und der Zuschauer winkt gelangweilt ab: »Mord, na klar. Aber schon x-mal gesehen.« Dies als Nachrichtenmeldung aus Russland oder Italien: »Mord, ja gut. Ist bei diesen korrupten Regierungen ja üblich.« Aber das im Freistaat Bayern, vor dem Hintergrund von Ermittlungen, die sich später allen einschlägigen »demokratischen« Methoden zum Trotz zur CDU-Parteispenden-Affäre ausweiteten? Und doch kam der Leitende Staatsanwalt Jörg Hillinger genau so am 26. April 1999 zu Tode.

»Experten schließen Mordanschlag auf Staatsanwalt aus«, posaunte *Welt Online* am 27. Juni 2001 in die Welt hinaus. Unwiderlegbare, hochkompetente Quelle: »Kfz-Experten«![492] Ob diese »Kfz-Experten« Familien hatten, war dem Artikel nicht zu entnehmen.

Die Glanzlichter der deutschen Demokratie

Bekanntlich wollen unsere Politik und Wirtschaft relativ dringend hochqualifizierte Arbeitskräfte aus dem Ausland nach Deutschland locken. Sollte man da nicht die Vorzüge unseres schönen Vaterlandes noch deutlicher hervorheben? Insbesondere müssten in den Werbebroschüren – einmal ganz abgesehen von den national befreiten Zonen und den Sarrazin-Fanclubs – die Highlights unserer funktionierenden Demokratie in leuchtenden Farben gemalt werden, jene Momente, in denen unsere Politiker und Parteien zu wahrer Hochform aufliefen.

Noch heute schnalzen einige Politveteranen genießerisch mit der Zunge, wenn sie an ihre großen Coups denken, nämlich die fälschlich als »Skandale« bezeichneten Geniestreiche um die Spenden des Unternehmers Flick (betraf Union / FDP), die Berliner Bank (CDU / SPD), den Kölschen Klüngel (SPD), das hessische Schwarzgeld (CDU), die Parteispenden (Union), den Leuna/Minol-Deal (Union/FDP) und den Panzerverkauf an Saudi-Arabien (Union/FDP). »Korruption bis zum Abwinken«, raunen sich die alten Frontkämpfer dann augenzwinkernd und schulterklopfend zu. Das waren noch ganze Kerle, nicht solche Weicheier, die zu feige zu Gesetzesbruch und Betrug waren.

Und kein einziger aus der Regierung hat auch nur eine Sekunde im Knast verbracht! Nur einer holte sich ein blaues Auge: Am 16. Februar 1987 wurde Otto Graf Lambsdorff gemeinsam mit dem Flick-Manager Eberhard von Brauchitsch sowie dem vormaligen Bundeswirtschaftsminister Hans Friderichs wegen Steuerhinterziehung rechtskräftig verurteilt.[493] Lambsdorff, der als amtierender Wirtschaftsminister erst bei Anklageerhebung zurückgetreten war, erhielt eine Geldstrafe in Höhe von 180 000 Mark. Vom Vorwurf der Bestechung bzw. Bestechlichkeit wurde das Trio criminale nur mangels Beweisen freigesprochen.[494]

Aber die politische Klasse lässt die Ihren nicht verkommen, auch wenn sie vorbestrafte Steuerverbrecher sind: Das Bundeswirtschaftsministerium spendierte dem Grafen 515 000 Mark Prozesskostenhilfe zur Deckung seiner Anwaltskosten. Das muss man sich mal vorstellen: Da wird einer als mieser Steuerbetrüger verurteilt, und seine Prozesskosten trägt der Betrogene, nämlich der Steuerzahler.

Daraufhin fragte der Rechtsanwalt und Notar Johann Hermann Husmann beim Petitionsausschuss des Bundestages nach, »ob es ein Gesetz gibt, nach welchem ein vermögender Minister oder Beamter solch hohe Beträge aus der Staatskasse als Prozesskostenhilfe beanspruchen kann«.[495] Natürlich weiß jeder Jurastudent im ersten Semester, dass ein solches Gesetz nicht existiert …

Trotz oder vielleicht wegen seiner illegalen Aktionen avancierte Lambsdorff in der Partei zum Idol und Vorbild. 1988 wurde er zum FDP-Chef, 1993 sogar zum Ehrenvorsitzenden gewählt.

Der Saudi-Panzerdeal

»Never change a winning team«, lautet eine alte Fußballweisheit. Gilt sie auch für die Methoden von Regierungskriminalität? Direkt gefragt: Hat Schwarz-Gelb dasselbe von Korruption, Kriminalität und Gewissenlosigkeit durchsetzte Ding von 1991 noch einmal durchgezogen?

Die Vorgeschichte

Hätte ein grundgesetzbewusster Bürger noch im Juni 2011 einen schwarzen oder gelben Politiker auf den bei kritischen Menschen noch heute unvergessenen Schmiergeldskandal um den Verkauf von sechsunddreißig ABC-Spürpanzern der Bundeswehr an Saudi-Arabien im Jahre 1991 angesprochen, so hätte er nur mitleidige Häme geerntet. Schließlich hatten Schwarz-Gelb, Rot-Grün und Schwarz-Rot in fliegendem Wechsel über Jahre unser Bildungssystem systematisch zur blamablen Verblödungseinrichtung heruntergewirtschaftet, so dass junge Menschen von heute ein Amtsgericht für ein behördliches Kantinenessen und Kristina Schröder für die Urlaubsvertretung von Marge Simpson halten. Wie sollen diese vermeintlichen Volltrottel je etwas von einer zwanzig Jahre alten Affäre gehört haben?

Dabei ging es seinerzeit um unvorstellbare Summen: Bei einem Auftragsvolumen von 446 Millionen Mark sollen 220 Millionen Mark als Schmiergelder an die arabischen Auftraggeber, die Waffenhändler Schreiber und Rolf Wegener sowie an Manager des Thyssen-Konzerns geflossen sein.

Einer der Hauptakteure war ein bis dato bedeutender und einflussreicher deutscher Spitzenpolitiker: Ludwig-Holger Pfahls (CSU), von 1985 bis 1987 Präsident des Bundesamtes für Verfassungsschutz und danach bis 1992 beamteter Staatssekretär im Bundesverteidigungsministerium.

Am 13. Juli 2004 wurde Pfahls in Paris festgenommen und am 20. Januar 2005 an die deutschen Behörden ausgeliefert. Vom Landgericht Augsburg war ein Haftbefehl erlassen worden. Beim

Prozessauftakt am 28. Juni 2005 gestand Pfahls den Erhalt von 3,8 Millionen Mark von Waffenhändler Karlheinz Schreiber beim Verkauf von sechsunddreißig ABC-Fuchs-Panzern an Saudi-Arabien 1991 – für »Lobbyarbeit«, nicht für Bestechung. Letzteres bestätigte am 3. August 2005 Kanzler Helmut Kohl persönlich durch die Aussage, er sei für den Panzerdeal verantwortlich gewesen. Am 12. August 2005 erhielt Pfahls vom Landgericht Augsburg wegen Vorteilsannahme und Steuerhinterziehung zwei Jahren und drei Monate Haft.

Pfahls, den die CSU im Jahr 2000 ausschloss – wegen rückständiger Beiträge; der Schmiergeldskandal machte ihn ja parteiintern eher zum Vorbild –, hätte eigentlich schon Jahre früher eingebuchtet werden können. Aber einen Haftbefehl der Staatsanwaltschaft Augsburg vom April 1999 setzte die Generalstaatsanwaltschaft in München außer Kraft, so dass Pfahls Anfang Mai zunächst nach Taiwan türmen konnte und dann fünf Jahre lang rund um die Welt gejagt werden musste.[496]

Das Déjà-vu

Und nun das Ganze noch mal von vorn, nur dass die Schmierer und Geschmierten vermutlich andere sein dürften. Aber immerhin: wieder Schwarz-Gelb – wer sonst? Einmal menschenverachtend – immer menschenverachtend?

Frieden gefährdet Arbeitsplätze.
Klaus Staeck, Verleger und Grafiker[497]

Aber dies können Demokraten und Humanisten kritisieren; die rot-grüne Opposition hingegen sollte über die Ausfuhr von tödlichem Kriegsgerät lieber schweigen: Laut *Spiegel* »haben sich auch die aus den rot-grünen Jahren stammenden Exportrichtlinien als nicht gerade restriktiv erwiesen«. Im Gegenteil:

* »Elf Jahre nach Verabschiedung der Richtlinien ist Deutschland nach Recherchen des anerkannten Stockholmer Friedens-

forschungsinstituts Sipri vom fünften auf den dritten Platz im internationalen Rüstungshandel vorgerückt.

- Innerhalb der vergangenen zehn Jahre hat sich der deutsche Rüstungsexport verdoppelt.

- Der Weltmarktanteil der Deutschen stieg für den Zeitraum 2006 bis 2010 auf rund elf Prozent – darunter viele Rüstungsgeschäfte, die noch von der rot-grünen Bundesregierung durchgewinkt wurden. Nur noch Amerikaner (30 Prozent) und Russen (23 Prozent) exportieren mehr.«

Nur folgerichtig billigte Anfang Juli 2011 der Bundessicherheitsrat, eine geheimbündlerische Ministerrunde zur Genehmigung »prekärer« *(Spiegel)*, also nach Völkerrechtsbruch und Korruption stinkender Rüstungsgeschäfte in Krisenregionen, grundsätzlich den Export von zweihundert Panzern des Typs *Leopard 2A7+* an das Massenmörderregime Saudi-Arabiens, für einige aus dem rechten politischen Sumpf vermutlich ein Vorbildstaat auch für Deutschland.

»Ausgerechnet jetzt?«, fragt *Spiegel*-Autor Sebastian Fischer. »Mitten im arabischen Frühling wollen die Deutschen einem autoritären Regime in der Region Hightech-Waffen liefern? Als die Revolution im Februar das kleine Nachbarland Bahrain erreichte, schickten die saudischen Ölfürsten Truppen hinüber nach Manama, um den Aufstand niederzuschlagen.«

Dies war natürlich auch die Stunde der Berufsempörten. »Die Regierung agiert nach dem Motto illegal scheißegal«, polterte Grünen-Chefin Claudia Roth und prophezeite der Regierung ein »Glaubwürdigkeitsdesaster«.[498]

Islamwissenschaftler Guido Steinberg wird noch deutlicher: »Dass deutsche Panzer genutzt werden könnten, wenn saudi-arabische Truppen künftig einmal die Zivilbevölkerung des eigenen Landes oder eines der kleinen Nachbarstaaten bekämpfen, macht das Geschäft mit dem *Leopard* so fragwürdig, ... weil man den Eindruck gewinnen könnte, dass die Bundesregierung hier Partei für die Diktatoren ergreift.«[499]

213

Wählerwirksam erstattete der Parlamentarische Geschäftsführer der Grünen, Volker Beck, Strafanzeige gegen den Panzerhersteller Krauss-Maffei Wegmann (KMW), um die Bundesregierung zur Auskunft über die angebliche Lieferung von zweihundert Leopard-Panzern zu zwingen. Solange sie schweige, bestehe zumindest ein Anfangsverdacht, dass das Panzergeschäft gegen das Kriegswaffenkontrollgesetz verstoße.

Grünen-Ikone Hans-Christian Ströbele äußerte gar den sensationellen Verdacht, bei dem Geheimgeschäft könnten Schmiergelder an Politiker oder Parteien geflossen sein. Er habe es bis 1999 nicht für möglich gehalten, »dass man aus solchen Panzer-Deals Millionen an eine der hier staatstragenden Parteien, Manager oder Mitglieder der Bundesregierung zahlt«. Im Parteispenden-Untersuchungsausschuss habe er dann erfahren, »dass solche Sachen Realität sind«.

Die Union wies den Verdacht mit routinierter Empörung zurück. »Ich finde diese Unterstellung ganz unerhört«, schäumte CDU/CSU-Fraktionsgeschäftsführer Peter Altmaier. Ströbele habe »keinen einzigen Anhaltspunkt dafür vorweisen können«. Man beachte die Wortwahl: »Sie können mir nichts beweisen« – sagt das nicht auch immer der Täter im *Tatort*?

Sogar der frühere Leiter der Münchener Sicherheitskonferenz und Ex-Berater von Altkanzler Kohl, Horst Teltschik, kritisierte den Deal als »mehr als bedenklich«; Saudi-Arabien müsse als Krisenregion eingestuft werden. Die dortige Regierung wehre sich massiv gegen den Veränderungsprozess in der arabischen Welt.[500] Kurzum: Das Szenario wirkt wie das Remake eines Politkrimis. Wobei wie bei allen Neuverfilmungen die Frage bleibt, wie genau sich der Regisseur an das Original halten wird.

Teil V Stimmt so – die Wirtschaft lässt sich nicht lumpen

Man kann unseren Konzernen bestimmt eine Menge vorwerfen, aber nicht Undankbarkeit oder gar Geiz gegenüber der Politik. Wann immer unsere Volksvertreter und Parteien Gutes tun gegenüber ihrem Nächsten, der Wirtschaft, wird es ihnen reichlich vergolten, und zwar nicht erst dereinst im Himmel, sondern bereits jetzt und häufig zeitnah auf Erden.

1. Landschaftspflege

Häufig wird den bundesdeutschen Eliten aus Politik und Wirtschaft die sträfliche Vernachlässigung der Landschaftspflege vorgeworfen. »Situation in der Landschaftspflege ist ein Trauerspiel«, heißt es zum Beispiel in einer gemeinsamen Erklärung *des Bundes für Umwelt und Naturschutz* (BUND), des *Naturschutzbundes* (NABU) und des *Landesnaturschutzverbandes* (LNV) Baden-Württemberg.[501]
Damit jedoch tut man unseren Eliten bitter Unrecht. Mag ja sein, dass Wälder veröden, Parks verrotten und Biotope verschwinden – schließlich braucht die Regierung das Geld für wichtigere Dinge wie die Steuergeschenke für Konzerne und Superreiche –, aber dafür werden wir um unsere *politische Landschaftspflege* von der ganzen Welt beneidet. Dieser dem erwähnten Manager Eberhard von Brauchitsch (»Pflege der Landschaft«[502]) zugeschriebene Fachbegriff[503] bezeichnet den pfleglichen, ja geradezu liebevollen Umgang unserer Wirtschaft mit unseren Politikern und Parteien.

Pastorentöchter unter sich

Worum es dabei geht, schildert in seltener Offenheit der frühere Chef der Rechtsabteilung der Thyssen AG, Hans Joachim Klenk, am 12. Oktober 2000 vor dem Untersuchungsausschuss »Parteispenden«. Hier ein Protokollauszug:

»Vorsitzender Volker Neumann: Was bedeutet ›nützliche Aufwendungen‹?

Zeuge Dr. Klenk: Das bedeutet das, was sich weltweit dahinter verbirgt, dass irgendwelche Interessenten aus dem Umfeld des Käufers erwarteten, dass sie im Zusammenhang mit so einem Geschäft auch in irgendeiner Weise begünstigt würden.

Vorsitzender Volker Neumann: Kann man sagen, das sind Bestechungsgelder?

Zeuge Dr. Klenk: Das ist ein etwas unfeiner Ausdruck (Heiterkeit). Ob das Bestechungsgelder sind, darüber kann man streiten … Wenn Sie mich danach fragen, wer nützliche Aufwendungen erhielt – dann kann ich Ihnen auch viele Politiker nennen – nicht zuletzt auch aus dem SPD-Bereich –, die der Industrie geholfen haben, Geschäfte zu machen, und die erwarteten … dabei auch persönlich irgendwelche Vorteile.«

Besonders betont Klenk die Bedeutung der Parteispenden:

»Wir hatten bei uns eigene Bundestagsabgeordnete … Das sind SPD-Mitglieder gewesen. Sie versuchten dann, auf irgendeinen Menschen der Verwaltung einzuwirken, damit der Auftrag hierherging. Gut, diesen Wünschen wurde Rechnung getragen. Das führte dazu, dass sich die Firmen verpflichtet fühlten, sich auch den Parteien durch Spenden oder Ähnliches erkenntlich zu zeigen. Das ist doch nichts Besonderes.«[504]

Ausdrücklich hebt er die Alltäglichkeit der Bestechung der Politik durch die Wirtschaft hervor: »Wir unterhalten uns ja hier nicht zwischen Jungfrauen. Ich denke einmal, das ist ein Thema, das jedem verständigen Deutschen geläufig sein müsste.«[505]

Klenks Aussage und insbesondere die Formulierung »eigene Abgeordnete« deuten auf ein Beziehungsgeflecht hin, das zuweilen mit der Redewendung »auf jemandes Gehaltsliste stehen« umschrieben wird: Ein Politiker zieht dauerhaften Vorteil daraus, dass er sich für ein Unternehmen einsetzt; und dieser Vorteil muss keineswegs immer materieller Natur sein. Fest steht: Eine Beziehung in der von Klenk beschriebenen Art ist Korruption; und wenn sie »nichts Besonderes« ist, dann macht sie dies nicht harmloser: Wird eine Brandstiftung für eine Stadt dadurch harmloser, dass sie nur eine von zweitausend Brandstiftungen pro Nacht ist? Im Gegenteil: Man wird eine solche Stadt als »Brandstifter-Stadt« bezeichnen und eine »Brandstifter-Mafia« vermuten.

Geschenk macht leibeigen.
Volksmund

Wie diese »Landschaftspflege«, also die kleine Aufmerksamkeit der Wirtschaft für die Politik ohne die Erwartung oder als Bezahlung irgendeiner konkreten Gegenleistung, konkret aussieht, schildert *Stern*-Mitarbeiter Hans-Martin Tillack: »Wenn Vattenfall Abgeordnete an die Austernbar bittet, dann geht es freilich nie ums schnöde Geschäft, jedenfalls nicht offiziell. Kein Wort von Kohlendioxid, Klima, Kernkraft. Jeden Monat stellt der Energiekonzern seinen Gästen die Vernissage eines anderen Malers vor.«[506] Der Bauer als Edelmann, der Banause als Kunstkenner, der MdB als Bildungsbürger.
Man sollte diese Art des Gutwettermachens nicht mitleidig belächelt. Zuweilen ist sie außerordentlich wirkungsvoll, vor allem psychologisch. Hat sich nicht schon fast jeder in einer Situation befunden, in der er einem »sympathischen Menschen« schwer etwas abschlagen konnte? Und gleicht nicht die Vergabe öffentlicher Aufträge einer so scheinbar völlig unterschiedlichen Sache wie der Wahl des Lieblingslokals? Wiegt nicht die Freundschaft zum Wirt meist schwerer als Preis und Qualität seiner Speisen

und Getränke? Gibt es nicht immer wieder Gefälligkeitsaussagen bis hin zu falschen Alibis zugunsten von »netten Menschen«? Und ebenso kann selbst scheinbar harmlose und materiell unbedeutende Landschaftspflege eine positive Grundstimmung erzeugen – oder manch ein Volksvertreter im Zweifelsfall die besten »Landschaftspfleger« bevorzugen. Und zwar nicht (nur), weil es bei denen Austern und Edelschampus umsonst gibt, sondern weil »das so nette Leute« sind.

Eine Salzburgfahrt ist lustig ...

Ausgesprochen »nett« fanden es wohl auch die rund neunzig Bürgermeister und Landräte aus der Odenwaldregion, dass der Energiekonzern HSE ihnen als »Beiräten« dreitägige Reisen nach Salzburg und St. Moritz sowie Tagesausflüge nach Grasellenbach und Pforzheim spendierte. Rein zufällig hatte das reiselustige Völkchen über Konzessions- und Strombezugsverträge mitzuentscheiden. Das Ganze ist allerdings Usus in Deutschland und wäre demzufolge auch unter den Teppich gekehrt worden, hätte nicht eine hundsgemeine anonyme Anzeige die Öffentlichkeit alarmiert. Resultat: 400000 Euro Strafe für HSE sowie Strafbefehle zwischen 50000 und 200000 Euro gegen fünf Manager.
Die Gratistouristen wussten aber, dass selbst reichlich beschenkte Politiker bei uns traditionell meist ungeschoren davonkommen. Die meisten Amtsträger stimmten einer Verfahrenseinstellung gegen Zahlung läppischer Geldauflagen zu. Doch damit das Vertuschen nicht zu offensichtlich wurde, musste wenigstens einer symbolisch vor Gericht; und die Verhandlung vor dem Amtsgericht Michelstädt dürfte so ähnlich verlaufen sein wie die TV-Prozesse einer RTL-Gerichtsklamotte. Das Verfahren gegen den unwahrscheinlich integren Altbürgermeister Reinhold Ruhr wegen Vorteilsnahme im Amt wurde – natürlich – gegen 9000 Euro Geldbuße eingestellt.[507]

Eine ähnliche Nummer, nur bedeutend größer und spektakulärer, hatte im Jahr 2006 bundesweites Aufsehen erregt. Es soll Leute geben, die kaufen echte Schweizer Uhren im Rotlichtviertel für 50 Euro, obwohl sie sich denken können, dass es sich um Diebesgut handelt. Ebenso soll es Politiker geben, die lassen sich alles Mögliche spendieren, obwohl sie genau wissen, dass sie es – eigentlich – nicht dürften. Aber einem geschenkten Gaul ... das gilt erst recht für einen Gratistrip in die ewigste aller Städte, die man als verschnarchter, vom Volk versehentlich gewählter Provinzdepp höchstens aus der Tourismuswerbung kennt.

Auf Einladung der E.ON Ruhrgas residierte der Aufsichtsrat der NRW-Gasgesellschaft Aggertal, meist Provinzpolitgrößen der neun angeschlossenen Stadt- und Kreisräte, im Jahre 2001 samt Begleitung in einem römischen Nobelhotel. Offiziell als Arbeitsbesuch getarnt, soll sich das Programm aber weniger um *Gas*wirtschaft als vielmehr um *Gast*wirtschaft gedreht haben. Die Reisekosten von etwa 90 000 Euro teilte man fast fifty-fifty: Zwei Drittel übernahm der Gönner direkt, den Rest gab zunächst die lokale Gas-GmbH dazu. Später füllte der Konzern durch Lieferrabatte die Kasse der Aggertaler wieder auf.

Dieser Ausflug in die Metropole Berlusconiens beschäftigte fünf Jahre später die Kölner Staatsanwälte im Rahmen eines gigantischen Korruptionsverfahrens gegen den Energieriesen: Schließlich redete die freigehalte Lokalprominenz in den Stadtwerken bei der Auftragsvergabe entscheidend mit. Ermittelt wurde gegen rund dreißig Aufsichtsräte kommunaler Energieversorger in ganz NRW. Unter dem Aktenzeichen 114 JS 34/05 hatten die Korruptionfahnder in der *Lustreisenaffäre* bereits einhundertneunundfünfzig Bürgermeister, Ratspolitiker und Gasmanager auf ihrer Beschuldigtenliste. Vom rheinischen Leverkusen bis in den tiefsten Ruhrpott herrschte nackte Panik in den Rathäusern.

Die Gasquellen von Barcelona

Aber sogar diese Orgie der Peinlichkeiten hatte ihr Gutes: Seit der
»Liberalisierung« der Energiemärkte steigt nach Beobachtung der
Korruptionsjäger die Empörung über immer höhere Gaspreise
ebenso wie das Interesse an der Aufklärung der entsprechenden
»politischen Landschaftspflege« ständig an – und die Politprolls
aus NRW hatten dazu reichlich Material für die Geschichtsbücher
geliefert.
Auch hier brachte eine anonyme Anzeige die Ermittlungen ins
Rollen, diesmal gegen den Aufsichtsrat in Burscheid nahe Köln.
Trotz öffentlichen Stirnrunzelns waren die Stadtfürsten im Jahr
2005 zu einem Drei-Tages-Ausflug auf eine Förderplattform in
die norwegische Nordsee gejettet. Vom Mäzen Ruhrgas kommen
seit Jahrzehnten vier Fünftel des Bedarfs der knapp 20 000 Einge-
borenen. Der Rest wird jährlich »frei« ausgeschrieben, und der
Gewinner war stets – na, wer schon? Der Essener Gasgigant habe
eben »das günstigste Angebot« gemacht, redeten sich die lokalen
Stadtwerke-Bosse heraus.
Bei einer staatsanwaltlichen Besichtigung der Essener Ruhrgas-
zentrale kam ein praller Reiseprospekt zutage. Demnach lud E.ON
örtliche Entscheidungsträger mit Gemahlin oder wem auch immer
zum Beispiel nach Barcelona oder in die Breughelstadt Brügge ein.
»Anstandshalber besuchten sie etwa im Gourmet-Paradies Elsass
eine Gasverdichterstation, bevor es zu Tisch ging«, kommentierte
der *Focus* genüsslich. »2002 schlemmten die Essener Stadt-Gran-
den im Sterne-Tempel ›Schloss Lerbach‹«. Ein E.ON-Trostpflaster,
weil der 150 000-Euro-Trip nach St. Petersburg ausgefallen war.
Kein Grund, sich zu schämen, gestand ein Politiker im Verhör: ›Bei
der Arbeit ist so etwas ein nettes Zubrot.‹«[508]
»Bisher jedoch hat niemand in Barcelona oder im Elsass Gasquel-
len entdeckt«, lästerte der legendäre Fernsehjournalist Franz Alt.
Er vermutet, dass bundesweit Tausende Politiker »am Tropf der
alten Energiewirtschaft« hingen »wie ein Junkie an der Nadel«.[509]

Sylter Nordseebrisen sind gesund

Unmittelbar vor dem Treffen der Ministerpräsidenten zum Glücksspielstaatsvertrag vergnügten sich vier Spitzenpolitiker von Union und FDP bei einer zweitägigen »Fachkonferenz« auf der Nobelurlaubsinsel Sylt – und ließen sich laut *Spiegel* die Übernachtungen in einem Luxushotel bezahlen. Schirmherren waren die Chefs der schleswig-holsteinischen Regierungsfraktionen, Christian von Boetticher (CDU) und Wolfgang Kubicki (FDP). Ebenfalls mit von der Partie waren der Kieler CDU-Fraktionsvize und Glücksspielexperte Hans-Jörn Arp sowie Niedersachsens Wirtschaftsminister Jörg Bode (FDP).

Wie die Einladung des Sportwirtschaftsblattes *SPONSORs* versprach, »wollen wir in einem sehr exklusiven Kreis die Weichen für die Zeit eines politisch liberalisierten Marktes für Sportwetten und Online-Poker stellen.« Einige Branchen hätten »jetzt die einmalige Möglichkeit, von diesem neuen Milliardenmarkt zu profitieren – und dessen Ausrichtung mitzugestalten«.[510]

Offenbar war der Nordseetrip sehr erfolgreich. Nachdem die Ministerpräsidenten einen Vertragsentwurf beschlossen hatten, der wegen der begrenzten Anzahl von Lizenzen für Sportwettenanbieter, der Sperrung von Websites und der Nichtberücksichtigung von Online-Poker auf den wütenden Protest von Zockerindustrie, Pokerbranche und marktliberaler EU-Kommission gestoßen war, kündigten die auf Sylt so fürstlich Bewirteten für den 1. Januar 2012 eine eigene Regelung an. Hauptpunkte: keine Marktabschottung, zwanzig Prozent Steuern auf den Rohertrag der Casinoanbieter, und bereits im EU-Wirtschaftsraum lizenzierte Anbieter können direkt eine Lizenz erhalten.[511] Über kleine Aufmerksamkeiten für Politiker in Spielhöllen oder Rotlichteinrichtungen steht in dem Kieler Entwurf nichts, aber einen schwarz-gelben Regierungsbeschluss über die Sylter Sause gab es ja auch nicht.

2. Regierungssponsoring –
»Dieser Haushalt wurde unterstützt von ...«

Es ist wie im wirklichen Leben: Lässt sich ein aufrechter Kontaktbeamter von einer einsamen Seniorin zu einer Tasse Kaffee einladen, dann runzelt man in der internen Revision die Stirn. Gibt's dazu auch noch ein Stückchen selbstgebackenen Kuchen, herrscht Alarmstufe Rot, und beim zweiten Stück drohen dem Staatsdiener Suspendierung oder fristlose Entlassung wegen Korruption.

Geht es dagegen um kleine Aufmerksamkeiten für unsere Regierung, drückt man sogar drei Augen zu: Da würde manch ein Volksvertreter – wie weiland die *Bonusmeilen*[512] – am liebsten auch gleich die silbernen Löffel mitgehen lassen. Und umgekehrt ist unserer Wirtschaft für ihre wertvollsten inoffiziellen Helfer nichts zu teuer, schließlich hat man ja an Steuergeschenken sowie bei kostspieligen Nebensächlichkeiten wie den Löhnen, der sozialen Absicherung der Arbeitnehmer (»Lohnnebenkosten«), der Arbeitssicherheit, dem Umweltschutz, der Landschaftspflege und der Bildung so viele zig Milliarden gespart, dass die Summe gar nicht genau zu ermitteln ist.

93,4 Millionen Euro ließ sich laut einem Bericht des Innenministeriums vom 7. Juli 2011 unsere in Sachen Integrität und Unbestechlichkeit weltweit vorbildliche Regierung an (so natürlich niemals bezeichnetem) »Dankeschön«-Sponsoring allein in den Jahren 2009 / 10 verschämt aufdrängen.[513] Das ist immerhin eine Menge mehr als die 55,2 Millionen in den Jahren 2003 / 04, die 80,3 Millionen Euro 2005 / 06 und die 78,2 Millionen in den Jahren 2007 / 08[514].

»Polit-Sponsoring – Geschwiegen und verschleiert«, titelte der *Spiegel* dazu. So habe Hamburg als einziges Land präzise Zahlen zum Sponsoring offengelegt. Besonders dubios: Parteien könnten Sponsoring-Gelder als »sonstige Einnahmen« verbuchen, und für Unternehmen sei Sponsoring steuerlich absetzbar. Erinnert das nicht verteufelt an jene als »nützliche Aufwendungen« steuerlich absetzbaren Bestechungszahlungen ausländischer Politiker und Manager? Erst die OECD-Konvention zur Bestechung ausländischer Amtsträger machte dem zumindest offiziell ein Ende. Sie wurde von der Bundesrepublik Deutschland im Dezember 1997 unterschrieben und mit Wirkung zum 15. Februar 1999 durch das Internationale Bestechungsgesetz (IntBestG) in deutsches Recht umgesetzt.[515]

Wie ausgelassen es auf solchen gesponserten Gratisfesten zugeht, schildert exemplarisch der *Spiegel* anlässlich zweier Parteigelage Anfang Juli 2011:

Die Stallwächterparty der Landesvertretung von Baden-Württemberg, von der grün-roten Landesregierung angekündigt als »gesellschaftliches Highlight vor der parlamentarischen Sommerpause«, bot den geladenen Gästen einen bekömmlichen Abend. Bei »Schweinebäckle aus Gärtringen« und »Schwäbischem Flachswickel« konnten sie der weichen Stimme der Soul-Sängerin Joy Denalane lauschen.

Und das Beste: Keiner der rund zweitausend Besucher musste für die Berliner Sommersause zahlen. Sogar die Gastgeber kamen günstig davon, die Rechnung übernahmen zu großen Teilen Sponsoren – darunter auch jene Deutsche Bahn, die in Stuttgart mit den Grünen erbittert um den neuen Bahnhof streitet.

Überraschende Allianzen schloss auch die SPD-Bundestagsfraktion am vorigen Dienstag auf ihrem »Hoffest« im Berliner Haus der Kulturen der Welt. Für das Wohl der 1700 Gäste kamen Unternehmen auf, die von Sozialdemokraten an anderen Tagen oft hart kritisiert werden; zum Beispiel die Atomkonzerne Vattenfall, RWE und EnBW oder der Verband der Zeitarbeitsfirmen IGZ. Wer wie viel bezahlte, wollten die Veranstalter dieser Feste indes nicht sagen.

Wenn es um die eigenen Finanzen geht, haben es Parteien wie Parlamentarier nicht so mit der Transparenz. Da wird geschwiegen und verschleiert und mit kreativer Buchführung camoufliert.[516]

Einen kritischen Bericht des Europarats über Geld und Politik mit praktischen Vorschlägen zur Reform der Parteienfinanzierung nahm das Partyparlament ebenfalls Anfang Juli höflichkeitshalber »zur Kenntnis«. Aber Änderungen an der Praxis? Aus welchem Mustopf kommen Sie denn? Noch nie was von Parteiendemokratie gehört?

Der Düsseldorfer Parteienrechtler Martin Morlock fordert, die Offenlegungsregeln für Spenden auch auf das Sponsoring zu übertragen; denn, wie der Juraprofessor schon früher betont hatte: »Beim Sponsoring haben wir das Problem, dass das nicht als Spende gewertet wird, sondern als wirtschaftlicher Tausch für Leistungen.«[517]

TI-Deutschland-Chefin Edda Müller findet es »höchste Zeit, dass die Zahlen auf den Tisch kommen, wie viel die Parteien bei Veranstaltungen oder für Anzeigen in ihren eigenen Zeitungen kassieren«. Sie ist stinksauer, dass die vor mehr als einem Jahr versprochene Neuregelung des Parteien-Sponsorings noch immer nicht entschieden sei.[518]

Dabei kann das Tempo der Parteien fast Lichtgeschwindigkeit erreichen, wenn es um das hemmungslose Vollstopfen der eigenen Taschen auf Kosten der Steuerzahler, der menschenwürdigen Versorgung Alter, Kranker und Armer oder der Renovierung verrottender Stadtviertel und Landstriche geht: »Für die Diätenerhöhung brauchte man gerade mal zehn Tage«, stellt Müller fest.

Und der *Spiegel* notiert: »Während die Stallwächterparty[519] begann, saßen gerade mal etwa 50 der 620 Bundestagsabgeordneten im Parlament. Unter Tagesordnungspunkt 18 verabschiedeten sie um 19.30 Uhr die Erhöhung ihrer Diäten in zwei Stufen um 600 Euro pro Monat sowie neue Millionenzuschüsse für ihre Parteien. Sie steigen von 133 Millionen Euro auf 141,9 Millionen in diesem und 150,8 Millionen im nächsten Jahr. Mithin über 13 Prozent Aufschlag in zwei Jahren.«[520]

3. Eine kleine Spende für notleidende Parteien

Eine Spende in Ehren kann niemand verwehren. Wirklich nicht? Auch Parteispenden »an sich« erscheinen auf den ersten Blick als nichts Unanständiges, und es wäre absurd anzunehmen, die Unterstützer würden sich von ihrer Spende nichts versprechen. Natürlich hofften im Jahre 1969 die Millionen von Kleinspendern für Willy Brandt, dass er als erster sozialdemokratischer Bundeskanzler die Aussöhnung mit Polen und den anderen Ostblockstaaten vorantreibe und die Republik von der Bildung über den Arbeits- und Sozialbereich bis hin zu den demokratischen Rechten umfassend reformiere. Dennoch hätten selbst die politischen Gegner Willy Brandt nicht einmal im Traum für korrupt gehalten, weil er das Geld der »kleinen Leute« angenommen und ihnen als Gegenleistung eine derartige Politik versprochen hatte.

Wenn aber alles so simpel und einleuchtend ist, dann ist es doch erst recht merkwürdig, dass Parteispenden ein Dauerbrenner für Justiz, Medien und Bevölkerung sind und fast alle heutigen Bundesparteien ihre Parteispendenskandale hatten.

Lieber von Bankstern abhängig als vom verhassten Staat?

Parteispenden, von den rührenden Minibeträgen weniger betuchter Bürger einmal abgesehen, haben im günstigsten – also formal legalen – Fall natürlich keinen anderen Sinn als Landschaftspflege. Der Spender erhofft, erwartet oder »erpresst« eine Gegenleistung. Eine Art unausgesprochene »Erpressung« sind sie dann, wenn sie regelmäßig erfolgen, sich die Partei daran gewöhnt hat und sie in ihre Finanzplanung mit einbezieht. Sie wird sich also dreimal überlegen, eine gegen die Interessen des Spenders gerichtete Politik zu betreiben und damit den Verlust »regelmäßiger Einkünfte« zu riskieren.

Einen wenn auch nur groben und oberflächlichen Eindruck vermittelt ein Blick auf die größten Parteispender des Jahres 2010.[521]

Dabei ist allerdings zu berücksichtigen, dass nur Spenden ab 50 000 Euro sofort – unter anderem auf der Homepage des Bundestages – veröffentlicht werden müssen, ab 10 000 Euro erst in den späteren Rechenschaftsberichten der Parteien – wenn womöglich »Gras über die Sache gewachsen« ist, also der Zusammenhang von Spende und Gegenleistung längst vergessen oder nie deutlich geworden ist.

1. *BMW:* insgesamt 477 874 Euro (kostenlose Fahrzeugüberlassung)
CSU: 148 718, SPD 140 035, CDU 133 236, FDP 55 886
2. *Deutsche Vermögensberatung AG (inkl. Allfinanz Deutsche Vermögensberatung AG):* insgesamt 400 000 Euro
CDU und FDP je 200 000
3. *Verband der Bayerischen Metall- und Elektroindustrie:* insgesamt 380 000 Euro
CSU 300 000, FDP 80 000
4. *Daimler AG:* insgesamt 300 000 Euro
CDU und SPD je 150 000
5. *Allianz SE:* insgesamt 290 005 Euro
CDU, CSU, SPD und Grüne je 60 001, FDP 50 001
6. *Verband der Metall- und Elektroindustrie Baden-Württemberg:* insgesamt 275 000 Euro
CDU 200 000, FDP 75 000
7. *Verband der Metall- und Elektroindustrie NRW:* insgesamt 220 000 Euro
CDU 160 000, FDP 60 000
8. *Privatspende:* Linke 175 000
9. *Berenberg Bank und Würth AG:* jeweils CDU 100 000

Wie wir sehen, sind längst nicht alle Konzerne so dämlich, ihre Traumregierung in Form von Parteispenden kundzutun. So gibt Daimler den beiden Großen gleich viel; und die Allianz bedenkt sogar vier Parteien mit derselben Summe; als kleiner Gag am Rande erhält die fünfte Partei, ausgerechnet die Wirtschaftspartei FDP, 10 000 Euro weniger. Kein leichtes Spiel also für intellektuell leichtgewichtige, scheinradikale Jusos oder die Nervensägen von der »Kommunistischen Plattform« in der Linkspartei.

Die meisten Topmanager werden ohnehin – frei nach Franz Josef Strauß – denken: »Ist uns doch wurscht, wer unter uns Kanzler ist.«

Aber der eigentliche Clou: Nach § 18 des Parteiengesetzes[522] erhalten die Parteien »0,38 Euro für jeden Euro, den sie als Zuwendung (Mitglieds- oder Mandatsträgerbeiträge sowie rechtmäßig erlangte Spenden) erhalten haben. Dabei werden jedoch nur Zuwendungen bis zu 3300 Euro je natürliche Person berücksichtigt«.[523]

Mit anderen Worten: Auf die 19 800 Euro, die ein Millionenerbe im Namen seiner sechsköpfigen Familie für eine Politik gegen das Volk springen lässt, legt ebendieses Volk noch 7524 Euro drauf. Dasselbe gilt natürlich auch für die Aufstockung der NPD-Spenden von Sarrazin-Jüngern durch steuerzahlende türkische Gemüsehändler.

Das ist doch echte Demokratie! Dafür sind Millionen Menschen im Kampf gegen das NS-Regime gestorben, und dafür haben die DDR-Bürger die SED-Diktatur gestürzt.

In diesem Zusammenhang ist noch zu erwähnen, dass die Parteien bei Europa-, Bundestags- und Landtagswahlen 0,70 Euro für jede für ihre jeweilige Liste abgegebene gültige Stimme erhalten.[524] Für die ersten 4 Millionen Stimmen erhöht sich der Wert auf 0,85 Euro.

Geld bekommt aber nur, wer bei der letzten Bundestags- oder Europawahl mindestens ein halbes Prozent oder bei einer der jeweils letzten Landtagswahlen mindestens ein Prozent der gültigen Stimmen erhalten hat. Diese Einschränkung gilt nicht für Parteien nationaler Minderheiten.

Die Obergrenze der vom Staat jährlich gezahlten Gesamtsumme wurde auf Empfehlung des Bundestags-Innenausschusses (6. Juli 2011) von bislang 133 auf 141,9 Millionen Euro für 2011 und 150,8 Millionen Euro für 2012 angehoben.[525]

Ganz offensichtlich soll diese Obergrenze, die als absolute Zahl

willkürlich erscheint, symbolisch klarmachen, dass der Gesetzgeber den Parteien ihre Finanzierung möglichst selbst überlassen
will. Noch eindeutiger wird dies in § 18 Absatz 5 betont, wonach
die Höhe der staatlichen Teilfinanzierung bei einer Partei die
Summe ihrer selbst erwirtschafteten Einnahmen wie Mitglieds-
beiträge oder Parteispenden nicht überschreiten darf.[526]
Mit dieser Bestimmung wird klargestellt, dass die Vertretung spe-
zifischer Interessen von Wählern, Sponsoren, aber auch der Parteibasis geradezu erwartet wird.
Erinnern wir uns an die banale Tatsache, dass die meisten Bürger
und Unternehmen nur spenden, weil sie sich etwas davon versprechen. Die Sozialhilfeempfängerin für ihre 2 Euro ebenso wie
der Pharmariese für seine 2 Millionen Euro. Der Unterschied ist
nur der, dass die Sozialhilfeempfängerin mit ihren 2 Euro kaum
etwas bewirken kann, der Pharmariese mit seinen 2 Millionen
Euro dagegen schon: Er betreibt »Landschaftspflege«.
Ohne auch nur ansatzweise eine ganz und gar staatliche Parteienfinanzierung zu fordern, können wir aber festhalten: In der sogenannten *freien Wirtschaft* ist der Arbeitgeber für gewöhnlich
darauf bedacht, dass der Angestellte seinen Lebensunterhalt
durch sein Gehalt und nicht durch Nebentätigkeiten bestreitet,
weil Letztere immer die Gefahr des korrupten Tausches in sich
bergen. Dass dies vom »Arbeitgeber« Staat umgekehrt gehand-
habt wird, erklärt sich nicht hauptsächlich aus der Sorge um die
Unabhängigkeit demokratischer Parteien im demokratischen
Staat – wäre ja auch der Gipfel an Verlogenheit, weil de facto die
Abhängigkeit vom Staat durch die von irgendwelchen dubiosen
Privatspendern ersetzt wird. Zu berücksichtigen ist dabei auch,
dass »der Gesetzgeber« ja seinerseits keineswegs »der Staat«, geschweige denn das Volk, sondern nur ein Team von »Angestellten« des Staates ist – und auch der Universalprokurist ist eben
nicht der Eigentümer. Zieht man dann noch den Umstand hinzu,
dass bis auf Linke und Grüne *sämtliche* Bundestagsparteien
Hauptakteure von Parteispenden- und Korruptionsskandalen waren, dann drängt sich die unbefangene Frage auf, aus welchen

Motiven die Bedeutung der Parteispenden, die in dieser Form per se mögliche Bestechung sind und immer bleiben werden, derart engagiert verteidigt wird.

Auch das System der Parteienfinanzierung dient nicht erkennbar der Abwehr von Korruptionsgefahren – es fördert sie geradezu.

Spenden und spenden lassen

Schon fast tragikomische Züge trägt jener Fall, von dem im Februar 2011 die *Süddeutsche Zeitung* berichtete und der – wieder einmal – in Sachen Korruptionsverdacht die CDU in Verlegenheit brachte.

Das Blatt hatte aufgedeckt, dass der Glücksspiel-Unternehmer Paul Gauselmann seit 1990 verdeckt mehr als eine Million Euro an die großen Parteien gespendet hatte. Der Firmenchef hatte seine Mitarbeiter aufgefordert, Abgeordnete und Parteien finanziell zu unterstützen. In Wahljahren sollen bis zu 70 000 Euro zusammengekommen sein. Zudem hätten Familienmitglieder Gauselmanns noch beträchtliche Summen lockergemacht.

Logischer-, aber auch dummerweise tauchten diese Spenden in den Rechenschaftsberichten der Parteien wegen der vielen Einzelspenden unterhalb der Rechenschaftsgrenze von 10 000 Euro nicht auf. Selbstverständlich stritt die Unternehmensleitung empört ab, mit den milden Gaben politischen Einfluss zu bezwecken. Spendenschecks seien immer mit einem Begleitbrief des Unternehmens verschickt worden. Die Höhe der Spenden habe sich nach der steuerlichen Absetzbarkeit gerichtet.

Die FDP gab zu, Familienmitglieder hätten der Partei binnen zehn Jahren 74 836 Euro gespendet. Der Vorwurf der versuchten Einflussnahme entbehre bei dieser Größenordnung »jeder Grundlage«.

Die CDU dagegen erstattete vorsorglich Selbstanzeige beim Bundestagspräsidenten. Laut Paragraph 23 b des Parteiengesetzes nämlich muss eine Partei dem Bundestagspräsidenten schriftlich anzeigen, wenn sie von möglichen »Unrichtigkeiten in ihrem bereits frist- und formgerecht eingereichten Rechenschaftsbericht« erfahren hat.

Transparency International Deutschland forderte eine Untersuchung durch den Bundestagspräsidenten und verschärfte Regeln zur Parteienfinanzierung, insbesondere eine Senkung der Veröffentlichungspflicht für Spenden in den Rechenschaftsberichten der Parteien von 10 000 auf 2000 Euro. »Die Vorstellung, hier wäre ohne erwartete Gegenleistung gespendet worden, ist naiv«, betont die TI-Vorsitzende Edda Müller.[527] Ihr Vorstandskollege Jochen Bäumel verlangt außerdem, Parteispenden und -sponsoring ab 10 000 Euro in Deutschland sofort und nicht erst im Jahresbericht zu veröffentlichen. Zudem sollten die Zuwendungen an Parteien pro Unternehmen oder Person auf 50 000 Euro im Jahr begrenzt werden.[528]

Dankeschönspenden

Wird die Gegenleistung dagegen zeitnah erbracht, so haben wir es mit der rührenden Geste der *Dankeschönspende* zu tun. Gerade in einer Zeit, in der es immer mehr Mitbürger verlernt haben, selbst beim Bäcker oder am Zeitungskiosk »bitte« und »danke« zu sagen, geben gerade unsere Politiker mit ihren Freundschaftsdiensten und die Begünstigten mit ihren finanziellen Aufmerksamkeiten ein leuchtendes Beispiel des respektvollen Umgangs miteinander.

Lebt denn der alte Klüngel noch – ja, er lebt noch

Die letzten Akten des Klüngelskandals waren noch nicht geschreddert, die letzten Zeugen noch nicht bezahlt, da erschütterte erneut Ungeheuerliches Nordrhein-Westfalens SPD.

Ausgerechnet der für Recht, Ordnung und die Bekämpfung der Kriminalität zuständige Innenminister und Duisburger Parteichef Ralf Jäger soll 2008 der Anwaltskanzlei seines Parteifreundes Lothar Vauth 17 374 Euro zugeschustert und dafür 9000 Euro Dankeschönspenden kassiert haben. Die Aufträge kamen von der städtischen »Gesellschaft für Bildung« (GfB), deren Aufsichtsratschef Jäger ist, und beliefen sich auf fünf Rechtsgutachten.[529]

Na schön, werden manche sagen, da haben also mal wieder Politiker öffentliche Aufträge an Privat vergeben und dafür Schmiergelder in Form von Parteispenden erhalten. Na und? Richtig ist, dass unsere politisch interessierte Jugend mit Korruption aufwächst wie kalifornische Teens und Twens mit dem Surfbrett. Dennoch hat der Fall Jäger / Vauth einen gewissen Unterhaltungswert. So sollen die Spenden unter falschen Namen überwiesen worden sein. Aber die angeblichen Spender protestierten bei der SPD Duisburg gegen falsche Spendenquittungen, und so überwiesen die Genossen im März 2009 schweren Herzens das (im Geiste vielleicht schon für eine wilde Party verplante) Geld an die Kanzlei Vauth zurück.«[530]

Und dann erst die »Gutachten«: *Der Westen*, das Portal der *WAZ*-Mediengruppe, dokumentierte am 24. Mai ausführlich und unwiderlegbar, dass die angeblichen »Gutachten« fast vollständig aus einer Pressemitteilung des Bundesarbeitsgerichtes im Internet kopiert waren.[531] »Es geht nicht um zwei Sätze, sondern um Dutzende Sätze, deren Satzbau nur minimal verändert wurde. Inhaltlich ist fast alles abgekupfert.«

Aber das ist nicht alles in Sachen Jäger und NRW-SPD: Laut *Süddeutscher Zeitung* soll Jäger geduldet haben, dass sich die SPD-Kandidaten zur Kommunalwahl 2009 vor ihrer Nominierung schriftlich zu einer Parteispende von bis zu 800 Euro verpflichten mussten. Inzwischen hat die Bundes-SPD deshalb »höchst vorsorglich« Selbstanzeige bei dem für die Parteienfinanzierung zuständigen Bundestagspräsidenten Norbert Lammert (CDU) erstattet.[532]

Großkonzerne verlangen in Stellenausschreibungen für Führungskräfte häufig Erfahrung in Ausland oder im höheren Management. Würde die SPD NRW ihre Spitzengenossen per Inserat suchen, so sollte dort fairerweise als wichtige Qualifikation *Korruptionsroutine* erwähnt sein.

Ein Mann spendet sich nach oben
»Kann man Freunde kaufen, Herr Maschmeyer?«, fragte *Bild am Sonntag* im Januar 2011 in gewohnter Direktheit. »Ich möchte etwas bewegen, Nutzen stiften«, verriet Finanzjongleur Carsten Maschmeyer ebenso frei von der Leber weg. »Ich habe Freude am Gutsein.«
Boah ey!
Dann wurde der Gründer des umstrittenen Finanzdienstleisters AWD besinnlich: »Bekannte sind wie scheue Vögel: Ist der Erfolg weg, fliegen sie weg. Freunde bleiben, egal was ist.« – *BamS:* »Darunter Spitzenpolitiker wie Gerhard Schröder und Christian Wulff ...« – Carsten Maschmeyer: »Gerhard und Christian sind enge und langjährige Freunde, auch Ursula von der Leyen gehört zum Freundeskreis.«[533]
Dumm nur, wenn die wahren inneren Werte solcher Freundschaften öffentlich bekannt werden. So kochte erst Ende April 2011 wieder hoch, dass der Carsten im Landtagswahlkampf 1998 Niedersachsens damaligem Ministerpräsidenten Gerhard für schlappe 650 000 Mark eine Anzeigenkampagne finanziert hatte. Und das Politmagazin *Panorama* hatte am 28. April etwas Neues ausgegraben: Angeblich soll diese männliche Antwort auf Mutter Teresa dem Freund Schröder zum Bundestagswahlkampf 1998 über einen Strohmann 150 000 Mark spendiert haben.
Laut *Panorama* bestätigte Bettina Raddatz, damals Führungskraft in der Staatskanzlei, sowohl die Vorgänge selbst als auch die Echtheit entsprechender Dokumente. Kurz vor der Wahl seien von dem Geld ganzseitige Wahlkampfanzeigen der *Initiative Handwerk und Mittelstand für Gerhard Schröder* in *FAZ*, *Welt* und *Welt am Sonntag* geschaltet worden. Im Mai 1999 habe Maschmeyer auf Einladung von Schröders Nachfolger in Hannover, Gerhard Glogowski, an einem Dankesessen für die Unterstützer

der Initiative teilgenommen und sich später schriftlich für den »angenehmen Abend« bedankt.[534]

Maschmeyer nutzte das Abendessen laut *abgeordnetenwatch.de* »allerdings nicht allein zum Small Talk mit den handverlesenen Gästen, sondern hatte ein dringliches Anliegen«, wie im Brief an Glogowski deutlich werde: »Hoffentlich habe ich die Tischgespräche mit meinen Anmerkungen zum derzeitigen Thema Nr. 1 ›Scheinselbständigkeit‹ nicht belastet.«

Das Schriftstück sei ein Beispiel dafür, »wie weit die Symbiose zwischen Lobbyisten und Politikern inzwischen vorangeschritten ist: Ein umtriebiger Unternehmenslenker unterstützt großzügig die Wahlkampftätigkeiten eines Ministerpräsidenten, der womöglich auch dank der gesponserten Großanzeigen zum Bundeskanzler gewählt wird. Seine finanzielle Unterstützung macht sich in Form einer Art Passierschein zum Hofe des neuen Machthabers an der Leine, Ministerpräsident Glogowski, bezahlt – politisches Sponsoring wird zum Einfallstor für einen Lobbyisten.«

Fazit der Politkontrolleure: »Die Zuwendungen an Gerhard Schröder erweisen sich rückblickend als gute Investition für Carsten Maschmeyer. Einige Jahre nach dem Wahlsieg von 1998 wird es die Schröder-Regierung sein, die der Finanzdienstleisterbranche mit der Einführung der staatlich geförderten Riester-Rente ein Milliardengeschäft beschert. Der Erfinder dieser privatisierten Altersvorsorge, Arbeitsminister a. D. Walter Riester, zieht daraufhin nicht nur als gutbezahlter Werber für die Riester-Rente durch die Lande, sondern steht auch dem Vertreiber der Riester-Rente, Maschmeyers AWD, zu Diensten.«[535]

Und genau hier setzte ebenfalls im April 2011 eine harsche Kritik von *Transparency International* an. TI-Deutschland-Chefin Müller nannte die Geschäftsbeziehungen Riesters und des ehemaligen Wirtschaftsweisen Bert Rürup zu Maschmeyer »eine sehr unanständige Verhaltensweise und eine sehr fragwürdige Praxis. Das ist aus unserer Sicht ein Beispiel für politische Korruption.« Rürup und Riester wirkten auf sie wie »Werbefiguren für die Finanzprodukte von Maschmeyer«.

Rürup war unter Maschmeyer für AWD tätig und ist heute im Vorstand der MaschmeyerRürup AG. Riester ist als »Experte« mit von der Partie.

»Rürup dürfte keinerlei politische Beratungsfunktionen mehr bekommen«, fordert Müller laut *Frankfurter Rundschau.* »Wenn man gewusst hätte, dass er der Wirtschaft zu Diensten steht, hätte er als Wissenschaftler niemals diese Glaubwürdigkeit gehabt.« Auch Riesters Zusammenarbeit mit Maschmeyer sei »eine unzulässige Interessenverquickung, die eines ehemaligen Bundesministers unwürdig und unanständig ist«, so die Transparency-Vorsitzende. »Riester hätte schon vor Jahren sein Bundestagsmandat niederlegen müssen.«

Aber Riester – von 1993 bis 1998 war er Zweiter Vorsitzender der IG Metall und danach bis 2002 Bundesarbeitsminister – gilt als *Mister Gewerkschaft* schlechthin und als leuchtendes Vorbild für Tausende von Gewerkschaftsfunktionären und Betriebsratsbonzen auf dem Weg zum großen Geld. Vor seinem Ausscheiden aus dem Bundestag im Jahr 2009 veröffentlichte Riester laut *Frankfurter Rundschau* neunundsechzig bezahlte Nebenjobs. »Rund 50 dieser Nebentätigkeiten betrafen die höchste Stufe (ab 7000 Euro Verdienst). Demnach hat Riester für Vorträge bei verschiedenen Versicherungsfirmen in den vergangenen Jahren mindestens 404000 Euro erhalten.« Auch bei AWD habe Riester mehrfach für Geld geredet.

»Maschmeyer scheint erkannt zu haben, dass sein Geschäftsmodell von den politischen Rahmenbedingungen abhängig ist«, stellte Müller fest. »Die Politik von Riester und Rürup war ein warmer Regen für diese Branche.«

Und auch das passt zu Deutschlands Lobbyisten: »Rund 500000 Euro habe die Universität Hildesheim im Jahr von Maschmeyer erhalten, berichtete die *Hildesheimer Zeitung* im Mai 2008. Jetzt hat sich der großzügige Spender zu erkennen gegeben. Es ist der Chef des in Hannover ansässigen Finanzdienstleisters AWD, Carsten Maschmeyer. Er gebe diesen Betrag, ›weil ich mich meiner Hildesheimer Heimat sehr verbunden fühle und weil ich die Arbeit der Stiftung Universität Hildesheim in diesem Bereich sehr wichtig finde‹.«

Am 14. August 2009 verlieh ihm ebendiese Uni die Ehrendoktorwürde. Bei der Feierstunde gab Präsident Wolfgang Uwe Friedrich offen zu: »Wir ehren heute einen sehr erfolgreichen Vertreter der deutschen Finanzwirtschaft wegen seines Mäzenatentums.« Kommentar von Edda Müller: »Man müsste die Universität Hildesheim fragen, was man für einen Doktortitel bei ihr tun muss«.[536]

Die Demokratie als Geldfrage

Das eigentliche Problem der Parteispenden liegt aber gar nicht einmal in deren Missbrauch. Die erwähnten »Dankeschöns«, selbst die größten Skandale um die Parteispenden für Union, SPD und FDP sind – wenn auch äußerst milde, unzureichend und hart an der Vertuschungsgrenze – geahndete Verstöße gegen Regeln und Gesetze eines Systems, das als »im Großen und Ganzen okay« verkauft wird.

Wäre dem aber wirklich so, dann könnte man bestimmte, immer wieder angewandte Methoden nur schwer erklären. Wenn zum Beispiel gegen Millionenspenden von Privatpersonen oder Unternehmen nichts einzuwenden ist und diese quasi zur Demokratie gehören wie der Ketchup zur Currywurst, wieso dann diese ständige Heimlichtuerei, Spendenstückelung oder Nutzung von Strohmännern? Warum, könnte man naiv fragen, musste die bereits erwähnte berüchtigte »Kofferspende« in bar erfolgen? Warum kann eine ehrliche, legale Spende nicht ganz normal überwiesen werden? Und wenn schon der Spender Dreck am Stecken hat, wieso lässt sich ein Politiker oder eine Partei auf so etwas ein? Selbst im Buchladen sind ja die wenigsten Händler bereit, Pornoschmöker auf der Rechnung als »Fachliteratur« auszuweisen.

Offenbar fürchten viele Politiker und Parteien geradezu, dass die Bürger über die Geber und Höhe der Spenden informiert sind.

Dabei dürfte den Parteistrategen doch eines langsam klar sein: Die meisten Bürger ahnen längst, dass nur krimineller, korrupter Abschaum etwas gegen die Offenlegung von Parteispenden haben kann. Solche Politiker und Parteien hassen die Transparenz aus denselben Gründen, aus denen der Ladendieb den Kaufhausdetektiv, der Schwarzfahrer den Kontrolleur und der Einbrecher die Alarmanlagen hasst.

Genau genommen verabscheuen die Heimlichtuer die Offenheit vor allem wegen des gesunden Menschenverstandes der meisten Bürger. Natürlich stellt das gemeine Volk quasi reflexartig Zusammenhänge her zwischen Spenden von Konzernen und Milliardären und Steuergeschenken für Konzerne und Milliardäre, zwischen Spenden von Pharmakonzernen und der staatlichen Duldung astronomischer Arzneimittelpreise, zwischen Spenden der Automafia und den umweltschädlichen CO_2-Emissionsgrenzen. Und weil Faktenwissen der Bürger neben fundierter Allgemeinbildung ein natürlicher Todfeind gewisser politischer Kreise ist, deshalb wehren sich manche Politiker gegen die Veröffentlichung gewisser Spenden so verbissen, als sollten Actionfilme mit ihnen und ihren Lieblingshetären als Hauptdarsteller bei *Youtube* gezeigt werden.

Irgendwie ist es ja auch menschlich verständlich, dass kein Politiker, keine Regierung als von der Industrie oder »den Reichen« geschmiert dastehen will. Und umgekehrt sind die großzügigen Spender wohl kaum darauf erpicht zu demonstrieren, dass Geld die Welt regiert und die Politik der gewählten Volksvertreter bestimmt.

4. Glauben Sie nicht, wen Sie vor sich haben

Mal angenommen, wir haben einen Betrieb mit siebzig Mitarbeitern und wollen Volksvertreter dazu bewegen, im Parlament unsere Interessen zu vertreten, also uns Subventionen und Staatsaufträge zuzuschanzen oder für vernünftige Gesetze und Verordnungen einzutreten, zum Beispiel bei Fragen des Umweltschutzes, des Arbeitsrechts, der Steuern oder Sozialabgaben. Im Idealfall handelt es sich bei diesen Volksvertretern um Bekannte aus der Schul- oder Studienzeit, aus Tennisverein, Golfclub oder ganz normaler Seilschaft; aber auch wenn wir sie noch gar nicht kennen, macht das gar nichts. Dann lernen wir sie eben kennen und überzeugen sie mit Angeboten, die sie nicht ablehnen können.

Wieso aber lassen wir ihnen – und zwar ganz persönlich und nicht allgemein der Partei – unsere finanzielle Aufmerksamkeit zukommen? Überweisungen oder Schecks – womöglich mit dem Verwendungsvermerk *Eine Hand wäscht die andere* oder *Schmiergeld* – könnten falsch verstanden werden, und eine Geldkofferübergabe kann ja leicht schiefgehen, wie das Beispiel Schäuble / Schreiber bewiesen hat.

Wir müssen also einen Grund für die Bezahlung unserer Leute im Parlament erfinden, eine legale Leistung, die wir ihnen ebenso legal bezahlen. Die simpelste Methode ist die Beschäftigung als Mitarbeiter. Ein Schreibtisch mit PC und Telefon sowie irgendeine dubiose Arbeitsaufgabe wie »Präventivberatung« oder »Strukturanalyse« – fertig. Als Profifußball bei uns noch verboten war, hatte Tausende »Amateure« Scheinjobs bei Sponsorenfirmen: Ein analphabetischer Torwart als Versicherungsdrücker, ein Stürmer mit Baumschulabschluss als Buchhalter – so was wird doch wohl heute auch noch funktionieren.

Und das tut es auch.

Einzelsponsoring – Codewort »Karriereförderung«

Mit dem Einzelsponsoring ist das so eine Sache. Nicht nur, dass es in der Regel rechtswidrig und ein gefundenes Fressen für die politischen Gegner ist: Entspricht das korrupte Abgreifen nicht der innerparteilichen Hackordnung, so droht Ungemach auch und besonders von der neidzerfressenen innerparteilichen Konkurrenz.

Die gezielte Förderung einzelner Politiker, um sie in möglichst einflussreiche Positionen zu hieven, geht natürlich von der Hoffnung oder Erwartung aus, dass die Gesponserten sich später einmal revanchieren: So können sie dem Unternehmen vorteilhafte institutionelle Rahmenbedingungen schaffen, Subventionen, Steuergeschenke oder andere Vorteile verschaffen. Vor allem aber bringen sie jene spezifischen Insiderkenntnisse und Kontakte mit, die auch für weitere korrupte Geschäfte zwischen dem Unternehmen und der Politik von Vorteil sind.

Umgekehrt dürfte für den Unterstützten außer den Eigennutz Kriterien »Prestige« und »Macht« auch der finanzielle Aspekt beträchtlich sein, so dass bei genauerer Betrachtung diese Art Bezahlung etwa durch Scheinarbeitsverhältnisse einer Entlohnung nur durch »schnöden Mammon«, womöglich noch in schwarzen Aktenkoffern, vorzuziehen ist.

Und nicht zuletzt ist auch das Risiko des Auffliegens vergleichsweise gering. Ein Geldbote oder Korruptionsmanager (»Berater«) könnte auspacken. Aber selbst wenn beispielsweise ein Konzernmanager hinterher behauptete, man habe den Minister XY lediglich als Belohnung dafür eingestellt, dass er damals die Konzerninteressen im Kabinett vertreten habe, so könnte er das kaum beweisen. Der Siegener Politikprofessor Jürgen Bellers stellt in diesem Zusammenhang fest: »Es gibt ... eine schwer erforschbare Grauzone zwischen Einfluss (und dessen verbandlicher Ausformung in Gestalt des Lobbyismus) einerseits und Korruption andererseits. Was ist es beispielsweise, wenn ein Beamter dem Drängen eines bestimmten Interessenverbandes stets nachgibt, mit dem Ziel, die Karriereleiter hochzusteigen?«[537]

Eine besondere Variante Ehrfurcht einflößender politischer Unbestechlichkeit repräsentiert Hildegard Müller, seit Oktober 2008 Hauptgeschäftsführerin des Bundesverbands der Energie- und Wasserwirtschaft, uns allen aber noch als mitreißende Bundestagsrednerin, brillante Analytikerin und exzellente Vordenkerin der Union bekannt. Diese anbetungswürdige Mischung aus Ingrid Steeger, Mutter Beimer und Sarah Connor ist laut Wikipedia eine »deutsche Lobbyistin und Politikerin der CDU«, und ihre Vita liest sich so, als hätte sie seit ihrer Jugend auf dieses Ziel hingearbeitet.

Hildegard Müller,[538] geboren 1967 in Rheine (Westfalen), seit 1986 in der CDU, von 1987 bis 1989 Lehrling bei der Dresdner Bank, danach bis 1994 Studium zur Diplomkauffrau, seit 1995 Abteilungsdirektorin der Dresdner Bank, von 1998 bis 2002 JU-Chefin, von 1998 bis 2000 im Vorstand, dann im Präsidium der CDU. Sie war auch im Aufsichtsrat der Hamburger NOVA-Versicherung sowie seit Januar im Beirat der Wuppertaler Barmenia-Versicherungen[539] – also eine ganz gewöhnliche Lobbyistin, gleichsam ein wandelnder Barmenia-Prospekt.

Von 2002 bis 2008 war sie im Bundestag, ab 2005 außerdem Staatministerin bei der Bundeskanzlerin. Müllers gebetsmühlenartige Kritik an der *Planwirtschaft* – im Jahr 2004 unterstellte sie sogar Horst Seehofer »Neigung zur Planwirtschaft«[540] – entbehrt nicht einer gewissen Komik. Äußerst planmäßig nämlich baute ein Finanzgigant sie als Lobbyistin auf. »Die CDU-Politikerin Hildegard Müller kann seit Beginn ihrer Karriere als Politikerin auf kräftige Unterstützung der Dresdner Bank zählen«, schrieb der *Spiegel.* »Schon als JU-Chefin erhielt sie finanzielle Hilfen ihres Arbeitgebers.«[541]

Laut *Berliner Zeitung* beschloss der Vorstand am 15. August 2000, ihr für drei Jahre je 20 000 Mark pro Jahr für eine Halbtagsstelle bei der Jungen Union zur Verfügung zu stellen, weil »Frau Müller als jüngstes Präsidiumsmitglied der CDU ein sehr positiver Imageträger für unser Haus in der Politik ist«. Zudem werde ihr »eine sehr gute Verbindung zu Frau Merkel zugesprochen«.[542] Genauso lange soll ihr die Bank sogar eine Sekretärin für ihre politische Arbeit bezahlt haben.[543]

Noch 2005, also im dritten Bundestagsjahr, kassierte Müller laut *Frontal 21* bis zu 2000 Euro im Monat[544] für »wichtige Sonderaufgaben«: den Wiederaufbau der Dresdener Frauenkirche sowie die auf eine Stiftung übertragene Aufarbeitung der Geschichte der Dresdner Bank insbesondere während der NS-Zeit. Für diese epochalen und systemrelevanten Lebenswerke habe der Architektur- und Geschichtsexpertin Müller laut Bankauskunft ein eigenes Büro in den repräsentativen Berliner Räumlichkeiten des Instituts am Pariser Platz zur Verfügung gestanden.[545] Wie viele Arbeitsstunden bzw. -minuten Müller monatlich für ihr Geld geleistet hat, wurde nicht bekannt.

Neben Frau Müller beschäftigte die Bank, allerdings ohne Gehalt beurlaubt, vier weitere Mandatsträger: drei Abgeordnete der Landtage von Schleswig-Holstein, Sachsen und Thüringen und den FDP-MdB Daniel Bahr.[546]

Als Amateursatiriker versuchte sich der damalige BDI-Präsident, der die Aufbesserung des Lebensstandards von Politikern durch die Konzerne vehement verteidigte. »Die Unternehmen sollen weiterhin ihre Mitarbeiter unterstützen, wenn sie für einige Zeit politische Mandate übernehmen«, gab er völlig ernsthaft zum Besten. Es sei wünschenswert, dass Abgeordnete einen Bezug zur Praxis hätten. Allerdings will er nicht nur seine Klienten zur Kasse bitten, sondern auch die Steuerzahler. Die finanzielle Unabhängigkeit der Abgeordneten sei wünschenswert, »deshalb müssen wir unsere Abgeordneten entsprechend ihrer großen Verantwortung besser bezahlen«.[547]

Dagegen nannte es der FDP-Vize Rainer Brüderle unanständig, wenn man Gehalt beziehe und nichts dafür tue. Tja, aber andererseits gebe es ohne die Freiberufler oder Leute aus der Wirtschaft nur noch Gewerkschaftsfunktionäre und Beamte im Parlament: »Das kann es auch nicht sein.«[548]

Gehalt in der Geschenkpackung?

Manche Konzerne allerdings machen sich gar nicht erst die Mühe, irgendwelche idiotischen »Arbeitsaufgaben« für die Gehaltszahlungen an bei ihnen »angestellte« Politiker zu erfinden.

Einen gleichermaßen typischen wie peinlichen Fall deckte der SWR-Enthüllungsjournalist Thomas Leif auf. Der Gründer, »Übervater« *(Süddeutsche)* und langjährige Chef (2001 bis 2011) von *Netzwerk Recherche*[549] hatte Anfang 2005 öffentlich gemacht, dass der CDU-Spitzenfunkionär Hermann-Joseph Arentz ohne die geringste Gegenleistung 60000 Euro jährlich von der RWE Power AG eingestrichen hatte. »Die Empörung galt vor allem dem süßen Nichtstun, der Abzockermentalität eines moralisierenden Politikers ausgerechnet vom Sozialflügel der Union.«[550] Arentz war tatsächlich nicht irgendwer: Seit 2001 war er Chef der CDU-Sozialausschüsse (CDA) und Fraktionsvize in NRW, von 2000 bis 2004 im CDU-Präsidium. Für Leif erfüllte Arentz »nahezu das Idealprofil eines Lobbyisten. Als Mitglied in den Spitzengremien der CDU verfügte er über alle relevanten internen Vorlagen und Informationen zur Personal- und Strategieplanung. Ein ideales Frühwarnsystem für einen großen Energiekonzern, der von Lobbyisten den wertvollen Rohstoff ›Information‹ aus erster Hand kauft. Arentz kannte auch den parlamentarischen Betrieb wie seine Westentasche.« Zudem habe er die »richtigen Leute« im Parlament und in der Ministerialbürokratie gekannt und auf diese Weise »Direktkontakte zum politischen Spitzenpersonal … schnell und geräuschlos« vermitteln können.

Für RWE-Vorstandschef Harry Roels sei die Enthüllung »ein Ärgernis« gewesen, »zumal der Energiekonzern die Klaviatur des politischen Lobbying nahezu perfekt beherrscht. Mehr als zweihundert RWE-Mitarbeiter sind für RWE in der Politik aktiv; wer im Europaparlament, dem Bundestag oder den Landtagen dient und durch die Übernahme des Mandats hinter der RWE-Einkommensentwicklung zurückbleibt, erhält sogar einen Finanzausgleich. RWE bessert die Diäten auf.«[551]

Ein ebenso prominentes CDU-Herzchen war Laurenz Meyer, von 1990 bis 2002 im NRW-Landtag, von 1990 bis 1999 wirtschaftspolitischer Sprecher und ab Februar 1999 Chef der Fraktion. Von 2002 bis 2009 saß er im Bundestag und säße dort noch heute, wäre er nicht bei der Wahl 2009 am schlechten Listenplatz gescheitert. Vom 20. November 2000 bis zum 22. Dezember 2004 war er als Generalsekretär einer der mächtigsten Leute der Partei. Doch dann kam die Presse …

Ende 2004 schrieb *Spiegel Online*, der damalige CDU-Generalsekretär Laurenz Meyer solle von Juni 2000 bis April 2001 »nicht nur sein volles Gehalt vom Stromriesen RWE, das jährlich zwischen 130 000 und 200 000 Mark betrug, sondern zusätzlich im gleichen Zeitraum weitere Zahlungen in Höhe von mindestens 130 000 Mark erhalten haben«.[552] Pünktlich zur Wahl in den Landtag genehmigte ihm die RWE-Tochter VEW außerdem einen Dienstwagen mit Chauffeur. Meyer dazu: »Aufgrund meiner beruflichen Position als kaufmännischer Leiter der VEW-Bezirksdirektion Arnsberg hatte ich Anspruch auf einen Dienstwagen mit Fahrer.«[553]

Am 23. Dezember 2004 teilte RWE mit, die VEW habe im Juli 2000 an Meyer 160 000 von 250 000 Mark (81 807 von 127 823 Euro) zu Unrecht aufgrund eines »Kommunikationsfehlers« überwiesen.[554] Im März 2005 gab RWE bekannt, man habe das Arbeitsverhältnis mit Meyer rückwirkend zum 31. Dezember 2004 aufgehoben. Da das Verhältnis seit 1975 bestanden habe, erhalte Meyer 400 000 Euro Abfindung, erklärte ein Konzernsprecher gegenüber dem *Stern*. Die 81 000 Euro vom Juli 2000 zahle Meyer aber zurück.[555]

All das schadete seiner politischen Karriere aber kaum. Seit November 2005 war er Chef der Arbeitsgruppe *Wirtschaft und Technologie* und damit auch wirtschaftspolitischer Sprecher der CDU/CSU-Bundestagsfraktion.

Thomas Leif meint, wohl nicht ganz zu Unrecht, normalerweise wäre der Skandal gar nicht herausgekommen. »Mit gezielten Indiskretionen konnte ja niemand rechnen. Von den RWE-Geldtransfers erfährt der interessierte Bürger unter der Rubrik ›Veröffentlichungspflichtige Angaben‹ des Bundestages nichts. Immerhin informiert Meyer freiwillig über seine Aufsichtsratsmitgliedschaft beim ›Dachdecker Einkauf West eG,

Hamm‹ und seine Geschäftsführertätigkeit bei der ›Gesellschaft zur Verwertung von Grundbesitz der Erben Christian Nölle mbH‹.«[556]

In diesem Zusammenhang nennt der Politikprofessor Ulrich von Alemann den Fall Meyer »beispielhaft« dafür, dass die Forderung nach dem »gläsernen Abgeordneten ... immer in Zeiten von Negativbeispielen, wie den Verstrickungen einzelner Abgeordneter in Nebentätigkeiten, besondere Konjunktur erfährt«.[557]

Dazu noch eine vom *Stern* erzählte nette Anekdote: »Als Arentz, noch in allen Ämtern und Würden, auf dem Düsseldorfer CDU-Parteitag 2004 fragte: ›Was macht ihr bei mir so eine Welle?‹, schließlich verdiene der Finanzexperte Friedrich Merz, ein Anwalt, ja auch was nebenher, brüllte Merz ihn an und scheute nicht vor dem bösen Wort zurück: ›Was ich mache, ist Arbeit – was du machst, ist Korruption!‹«[558]

Nur »Ritter der Schwafelrunde«? – die Konzernbeiräte

Zu den letzten großen Geheimnissen der Menschheit gehört neben dem Rezept von Coca Cola sowie den schwarzen Löchern im Universum und dem Gedächtnis korrupter Politiker auch die Frage, was die Beiräte von Konzernen eigentlich das liebe lange Jahr über tun.

Tobias Romberg von *Zeit Online* nennt sie respektvoll »Ritter der Schwafelrunde«[559]; und für Brigitte Young, Professorin für Internationale Politische Ökonomie an der Uni Münster, ist ihre Aufgabe »vielfach intransparent. Viele fungieren als Legitimität für Unternehmen, wenn beispielsweise Umweltkritiker in Energiekonzerne geholt werden.«[560]

In dem mit DAX-Vorstandschefs und Bundespräsident Walter Scheel bestückten Gemeinsamen Beirat der Allianz »versammeln sich Persönlichkeiten aus Wirtschaft und Wissenschaft zum regelmäßigen Gedankenaustausch«. Der Beirat der durch ihre »Sex-Orgie«[561] bekannten Ergo-Versicherung (früher Hamburg-

Mannheimer) berät den Vorstand »in wichtigen Fragen allgemein wirtschaftlicher Art«. Der Zentrale Beirat der Commerzbank pflegt »Informations- und Meinungsaustausch« und die »Begleitung der Bank«. So genau wollten wir das gar nicht wissen.

In Westerwelles »Hausfirma« DVAG zum Beispiel wimmelt es nur so von Elite-Veteranen, also von »a.D.«s: Kanzler Dr. Helmut Kohl, sein Intimus Horst Teltschik, der Rheinland-Pfälzer und danach Thüringer Ministerpräsident Bernhard Vogel, Hessens Finanzminister Karl Starzacher, Frankfurts Oberbürgermeisterin Petra Roth sind dort ebenso vertreten wie Deutsche-Bank-Vorstandschef Rolf Breuer, Österreichs Kanzler Wolfgang Schüssel sowie die noch aktiven Michael H. Westkamp, Vorstandschef der AachenMünchener Lebensversicherung AG und der AachenMünchener Versicherung AG, und zur Krönung DFB-Präsident Theo Zwanziger. Im Aufsichtsrat hocken zudem die Ex-Bundesminister Friedrich Bohl (Inneres) und Theo Waigel (Finanzen).[562]

»Die Politiker-Beiräte bei RWE sind faktisch Einrichtungen zur Bestechung der Kommunen«, kritisiert TV-Journalist Alt. Laut *Süddeutscher Zeitung* hat allein RWE Energy in Nordrhein-Westfalen vier »Regionalbeiräte« mit je fünfundzwanzig Landräten und Bürgermeistern eingerichtet. Diese bezögen vom Energiegiganten eine Jahresvergütung von 6650 Euro und Sitzungsgeld von 100 Euro.

»Auf solch großzügige Vergünstigungen können sich auch Hunderte von Landräten, (Ober-)Bürgermeistern und andere hauptamtliche Kommunalbeamte verlassen«, berichtet Korruptionsfahnder Leif. »Etwa dreimal jährlich kommen sie regional gestaffelt im ›Beirat RWE Energie AG‹ zusammen und kassieren dafür rund 4000 Euro. Hier sprechen sie über Tarifsysteme, Fusionen, Rabatte, Strombezugspflichten und Sammelleitungsverträge. Ganz privat. So sieht das jedenfalls das rheinland-pfälzische Innenministerium. Dies seien ›Nebentätigkeiten im privaten Bereich‹. Die kommunalen Spitzenpolitiker seien als ›Privatpersonen und nicht als Vertreter ihrer Dienstherren Mitglied im Beirat der RWE Energie AG‹.«

Und weil »die Mitglieder aufgrund ihrer besonderen Kenntnisse und Erfahrungen ›ad personam‹ berufen werden, müssen sie nach einem Beschluss des zuständigen Innenministeriums[563] das beträchtliche Zubrot nicht einmal abliefern. Leif zitiert einen Landrat dieses Beirats, der »über diese Grauzonen-Interpretation … nur schmunzeln« könne: »Umsonst ist der Tod … RWE investiert nur, wenn sich dadurch ein Vorteil erzielen lässt. Alles andere widerspricht der Lebenspraxis.«[564]

Aber das ist längst noch nicht alles. Im RWE-Aufsichtsrat säßen die Oberbürgermeister von Essen, Dortmund und Oberhausen, ebenso der jeweilige ver.di-Chef und der Vize der IG Metall. »Die politische Landschaftspflege lässt sich RWE etwas kosten. Über das System schweigt der Konzern sich allerdings aus.« Und: »Nur durch gezielte Indiskretion aus dem Unternehmen kam das Thema in die Schlagzeilen. Ansonsten gilt branchenintern der von einem Altana-Manager geprägte Leitsatz: ›Unsere Lobbyarbeit ist nicht öffentlichkeitsfähig.‹«[565]

RWE ist kein Einzelfall. Auch bei der zum E.ON-Konzern gehörenden Thüga AG werden an Beiräte offenbar pro Jahr 3750 Euro und 250 Euro Sitzungsgeld bezahlt.[566]

Für Korruptionsforscher Rügemer jedenfalls sind Beiräte »neue und nicht strafbare Formen der Korruption …, in die Politiker von Banken und Energiekonzernen berufen werden; ohne etwas Definiertes leisten zu müssen, erhalten die Mitglieder solcher Beiräte für gelegentliches und unverbindliches Zusammenkommen eine Zahlung«.[567]

5. Immaterielle Korruption

Bestimmte Menschen müssen nach oben,
weil sie unten Unheil stiften.
Dieter Hildebrandt

»Komm ich gezz im Feansehn?«, fragte Ingolf Lück als Frührent-
ner Herbert Görgens nach jeder idiotischen Idee den genervten
Reporter alias Bastian Pastewka. Aus diesem unvergesslichen
Running Gag der legendären Sat.1-*Wochenshow* wurde ein noch
heute beliebtes geflügeltes Hamewort für alle unterbelichteten
Mitbürger, die um buchstäblich *jeden* Preis in die Glotze wollen.
Die einen prügeln sich im Unterschichten-TV mit dem Ehegatten, andere saufen vor laufender Kamera eine Flasche Fusel auf ex
oder fordern einen Atomkrieg gegen Liechtenstein. Zu behaupten, sie machten sich »zum Affen«, wäre eine Beleidigung für unsere evolutionsgeschichtlichen Vorgänger. Zuweilen rümpfen Politiker, ebenfalls über den Äther, die Nase über diese erkennbar
grenzdebilen und kulturell verwahrlosten Hardcore-Exhibitio-
nisten.
Dabei haben *sie* es gerade nötig. Manche Volksvertreter nämlich
tun ebenfalls fast alles, um im medialen Mittelpunkt zu stehen.
Sachlich ausgedrückt: Es ist die Währung ihres Bestechungsloh-
nes.
Einer, der es wissen muss, ist der damalige Büroleiter und enge
Vertraute des Kanzlers Helmut Kohl, Wolfgang Bergsdorf: »Wer
sich für die Politik entscheidet«, betont der Journalist und Politologe, »darf nicht die Hoffnung haben, sein Einkommen maximieren zu können. Der größere Teil seines Honorars besteht in der
Teilhabe an der politischen Macht, die ihre eigene politische Ausstrahlung hat. Dazu gehört Publizität, die von vielen genossen
wird, auch politische Lebenserfahrung, die man in der Politik erwirbt, ob man es will oder nicht.«[568]
»Wer Politiker auf schnelle Autos reduziert«, betont auch *Zeit-*

Autor Patrick Schwarz, »unterschätzt ihre wahre Leidenschaft.«
Ex-Wirtschaftsminister Wolfgang Clement nimmt auch hier keine *Bild* vor den Mund: »Was ist das Brot des Politikers, woraus bezieht er Genugtuung? ... Für die Politik ist das die öffentliche Wahrnehmung.« Und wer den Schaden hat ... »Clement hat jetzt einen Laptop«, lästert Schwarz. »Tippen muss er erst wieder lernen.«
Auch Renate Schmidt outet sich in der hanseatischen Edelpostille: »Ich bin seit 1987 dran gewöhnt, wichtig zu sein ... Und bisher nahm die Wichtigkeit eher zu.« Politiker würden, »wenn sie wieder Bürger sind, nicht die Macht« vermissen, »sondern deren Widerschein: die Bedeutung. Haben sie ein Amt, haben sie eine Stimme.« Nun aber fehle ihnen das Echo: »Sie machen den Mund auf – und niemand reagiert.«[569]
An anderer Stelle sagt sie frei heraus: »Außerdem bin ich süchtig nach Selbstbestätigung.«[570]
Anekdoten über plötzlich des Glanzes und Glamours beraubte verlorene Seelen gibt's anstaltspackungsweise: »Der Minister, der, seines Dienstwagens beraubt, nicht mal mehr weiß, wie man in der U-Bahn eine Fahrkarte löst. Die Staatssekretärin, die tagelang vor einem Telefon ausharrte, das nicht mehr klingelt, seit sie ihr Amt verloren hat. Der Abgeordnete, der in die Depression rutscht, seit ihn keiner mehr grüßt.«[571]
Der Berliner Politologe Bert Große beschreibt in einer Rezension eines einschlägigen Buches des *Spiegel*-Autors Jürgen Leinemann[572] die Droge Politik und ihre Entzugserscheinungen: »Politik macht süchtig. Süchtig nach Macht, Erfolg, öffentlicher Anerkennung oder auch nur nach dem Gefühl, gebraucht zu werden. Und Politiker sind Abhängige. Unfähig, mit der Arbeit aufzuhören, fast nicht in der Lage, abzutreten, wenn die Zeit gekommen ist.«[573] Und es ist wie mit jeder Sucht. »Man muss sich der Berufspolitik entwöhnen«, meinte der frühere CSU-Staatsminister Peter Gauweiler, »genauso wie man sich von Alkohol oder Nikotin entwöhnen muss.«[574]
Kennzeichen einer Sucht aber ist die Bereitschaft, nahezu *alles*

für ihre Befriedigung zu tun. Und da drängt sich das Stichwort *Beschaffungskriminalität* geradezu auf. Manch ein Junkie überfällt Apotheken, manch ein Alki klaut Fusel im Supermarkt. Und manch ein Politiker rührt *gegen* seine Überzeugung – *aus* Überzeugung wäre ja moralisch noch abstoßender – die Werbetrommel für einen völkerrechtswidrigen Angriffskrieg wie den Kosovo-Überfall von 1999,[575] von dem er vorher schon weiß, dass er Hundertausende von ihm zynisch als *Kollateralschäden* bezeichnete zivile Opfer fordern würde. Hier ein Krankenhaus, dort ein Wohnviertel in Sofia (!)[576] – Aber es hätte ja schlimmer kommen können, wenn's beispielweise eine deutsche Millionärs- oder Volksvertretervilla in Starnberg, Blankenese oder Cannes getroffen hätte. Da aber die Propaganda für Völkerrechtsverletzungen zweifellos ebenso kriminell ist wie das Verbrechen selbst und da der Volksvertreter diese kriminelle Tat zwecks Befriedigung seinen Sucht nach der Droge Politik begeht, trifft das böse Wort *Beschaffungskriminalität* den Nagel auf den Kopf.

Nun ist es allerdings unwahrscheinlich, aber auch ebenso unwichtig, ob ein solcher krimineller Politiker dafür in den Bau wandert. Viel wichtiger sind immaterielle Sanktionen wie die moralische Ächtung des Delikts und ihrer Akteure: Legales Ausgrenzen im Wohnviertel zum Beispiel oder das Image eines Handtaschendiebes wären schon mal ein Anfang, den der Autor natürlich ebenso tief bedauern würde wie der Volksvertreter die *Kollateralschäden*. In Mafiastreifen übrigens zeigt die größte Anteilnahme und Erschütterung über die Ermordung einer ganzen Familie der Pate selbst – der diese Bluttat befohlen hat …

Obwohl also die immaterielle korrupte Leistung in der Diskussion durchaus als vollwertig anerkannt wird,[577] ist sie doch in der Praxis schwer nachzuweisen. »Macht«, »Ansehen«, »Bedeutung« oder »Karriere« sind subjektive Kategorien, so dass man nicht nur versucht ist, sondern sogar gut daran tut, auf die subjektivistische Wertlehre, insbesondere das persönliche Nutzenkalkül, zurückzugreifen. Hermann Heinrich Gossen schreibt dazu: »Für die Handlungsweise des Menschen folgt aus diesem Lebenszweck [höchstmögliche »Lebensqualität«; T.W.] die eine und darum Hauptregel: Der Mensch richte seine Handlungen so ein, dass die Summe seines Lebensgenusses ein Größtes wäre ...«[578] Das heißt: Im Grunde kann nur der Betroffene selbst beurteilen, »was sein Preis ist«. Dies können Dinge sein, die andere als bedeutungslos oder lächerlich empfinden, die man aber – zumindest er selbst – offiziell »für Geld nicht kaufen kann«, etwa eine Papstaudienz, die Ernennung zum Ehrenbürger oder ein Fernsehpreis.

Andererseits gibt es einen triftigen Grund, zumindest moralisch und in der öffentlichen Diskussion keinen Unterschied zu machen zwischen materiellem und immateriellem Korruptionslohn: Der Schaden für die Gesellschaft bzw. die jeweils Betroffenen nämlich ist derselbe. Man könnte auch sagen: *Korruption bleibt Korruption.*

6. Ein Dankeschön, das von Herzen kommt und Arbeit schafft

Eine der edelsten Empfindungen des menschlichen Wesens ist die Dankbarkeit, und eine der segensreichsten Gaben die Fähigkeit, sie zu zeigen. Auch hier gehen unsere Wirtschaftseliten einmal mehr mit gutem Beispiel voran. Ihre Dankbarkeit kommt von Herzen, was allerdings angesichts der Fülle wertvoller Geschenke und Gefälligkeiten auch kein Wunder ist. Folglich belassen sie es auch nicht bei Worten wie »Der Herrgott möge es euch vergelten« oder »Das werden wir Ihnen nie vergessen«, sondern lassen Taten sprechen. Vor allem zeigen sie sich erkenntlich durch Dankeschönjobs, wobei sie gleichzeitig ein gutes Werk tun: Sie geben jenen Mitbürgern, die der Politik aus Gründen des Alters, der Kompetenz oder der Integrität Lebewohl sagen mussten, das Gefühl, trotz allem noch immer gebraucht zu werden und eben noch nicht zum alten Eisen zu gehören oder zu nichts mehr nutze zu sein. Sie holen sie aus dem Altersheim oder von der Straße und geben ihnen Lohn und Arbeit. Damit verwirklichen sie jene göttliche Weisheit, die der Apostel Dagobert in seinem Brief an die Korinthenkacker den Kleinmütigen ins Scheckbuch schrieb: *Do ut des:* »Selig sind die Gebenden, denn ihnen wird ihre Großmut mit Zins und Zinseszins reichlich vergolten werden.« Dies aber ist gleichzeitig eine Mahnung an die noch politisch Aktiven: »Gehet hin und tuet desgleichen, und ihr werdet dereinst ebenso reichlich belohnt werden. Die Dankeschönjobs werden in Deutschland – ähnlich wie die hierzulande trotz ständiger nervtötender UNO-Nörgelei immer noch erlaubten Dankeschönspenden – als vollkommen unerwartete Gesten eines zufriedenen Unternehmens betrachtet. Ein Grund dieses tragischen Missverständnisses zwischen unseren Regierenden und der zivilisierten Welt sind irreführende Beispiele aus dem Alltag.

Besorgt eine aufgeweckte Schülerin zum Beispiel für die gebrechliche Nachbarin das Nötigste aus dem Supermarkt, so tut sie dies beim ersten Mal vermutlich, um der hochbetagten Dame eine Freude zu machen, und mit den zehn Euro »Trinkgeld« hätte sie nie und nimmer gerechnet. Gibt ihr die Seniorin zwei Wochen später für dieselbe Gefälligkeit erneut zehn Euro und wird das Ganze zur Gewohnheit, dann mutieren nette Geste und finanzielle Anerkennung zum »Deal«: Einkauf gegen Scheinchen. Selbstverständlich bedarf dieser Handel weder der Schriftform noch der notariellen Beglaubigung; und die geschäftstüchtige Schülerin spielt auch jedes Mal die grenzenlos Überraschte: »Aber das wäre doch nicht nötig gewesen …«

Nach genau diesem Strickmuster läuft es mit den Dankeschönjobs: Ein für die ständigen Nöte und Wünsche der Wirtschaft aufgeschlossener Spitzenpolitiker kann es als festen Bestandteil in seine Lebensplanung aufnehmen, nach seinem Volksvertreterleben für sein unermüdliches Wirken im Interesse der Reichen und Mächtigen mit irgendeinem prestigeträchtigen, finanziell attraktiven Job überreichlich belohnt zu werden. Großzügig sind sie ja – von unseren Steuergeldern.

Andererseits ist ein Großkonzern ja nicht der Samariterbund, und so erfolgt selbst die Dankeschön-Anstellung in der Hoffnung auf weitere gute Dienste der frischgebackenen Ex-Politiker. Natürlich nichts Fachliches: Was soll eine gelernte Sonderschullehrerin wie die »Expertin für Seitenwechsel«[579] Gunda Röstel, die vermutlich bestenfalls eine Mikrowelle von einer Dauerwelle zu unterscheiden vermag, zur Strategie von Energieriesen wie E.ON oder EnBW[580] beitragen können?

Soll sie gar nicht; Fachkompetenz ist so ziemlich das Letzte, was die neuen Mäzene von der Dankeschön-Crew erwarten. Aber die Politikprofis haben jede Menge Insiderwissen aus Regierung und Parteien, vor allem Kontakte. Und die können und sollen sie nutzen, und zwar nicht nur zur Informationsbeschaffung und Durchsetzung von Konzerninteressen, sondern nicht zuletzt zur Anwerbung von korruptem Nachwuchs. Da trifft dann der Ex-Minister Anton den alten Freund und Nochstaatssekretär Bert, schwärmt ihm vom herrlichen neuen Leben vor und davon, dass er jetzt fünfmal so viel wie früher verdient. »Das könntest du auch haben«, säuselt er dann. »Du musst nur dafür sorgen, dass Gesetzentwurf C vom Tisch kommt und stattdessen D verabschiedet wird.« Und Bert sieht Anton im roten Ferrari davonbrausen, eine junge Schönheit als Beifahrerin, auf dem Weg zu seiner neuen Meeresblickvilla in St. Tropez, und es beginnt in ihm zu arbeiten: »Warum eigentlich nicht? Was diese Flachzange Anton schafft, schaffe ich doch mit links.« *Willkommen im Dankeschönclub!*

Die Erstellung einer auch nur halbwegs vollständigen Dankeschönliste deutscher Spitzenpolitiker würde Generationen von Politologen und Archivaren beschäftigen. Deshalb hier nur eine winzige Auswahl.

Um nicht unsere äußerst unbestechlichen Damen und Herren Politiker auf dumme Gedanken zu bringen und in Sachen *Jobs mit Gschmäckle* erst auf den Geschmack zu bringen, ist die Liste nicht nach der Gschmäckle-Intensität, sondern nach den Parteien und dem Alphabet geordnet. Sie darf also nicht als »Ranking« der politischen Korruption missverstanden werden.

CDU: Gott gibt's den Seinen im Schlaf – die Konzerne auch.

Althaus, Dieter: Vorbestraft[581] wegen fahrlässiger Tötung einer Skifahrerin an Neujahr 2009,[582] wechselt Thüringens Ex-Regierungschef Anfang 2011 zu Austrias Autozulieferer *Magna*. Er soll VW betreuen und Kontakt zu Deutschlands Politik halten.[583] Für Verkehrssicherheit ist der Pistenkiller offenbar nicht zuständig.

Dautzenberg, Leo: Er wird Anfang 2011 vom finanzpolitischen Sprecher der Unions-Bundestagsfraktion zum Leiter der Abteilung Public Affairs, also Cheflobbyisten, des Essener Mischkonzerns Evonik (Chemie, Energie, Immobilien).

Hoff, Volker: Der »Affären-Mann der CDU«,[584] bis 2009 hessischer Minister für Bundes- und Europaangelegenheiten, verließ im Februar 2010 den Landtag und wurde Cheflobbyist bei Opel.[585]

Koch, Roland: Der ehemalige hessische Ministerpräsident verschwindet 2010 aus allen politischen Ämtern und wird Mitte 2011 Vorstandschef des Baukonzerns *Bilfinger Berger*. Kritiker sehen darin »ein nettes Dankeschön für den 80-Millionen-Auftrag« zum Bau der neuen Landebahn Nordwest und anderer Bauprojekte des teilweise landeseigenen Flughafens Frankfurt an seinen neuen Arbeitgeber.[586]

Kohl, Helmut: Er rief nach seinem Machtantritt die »geistig moralische Wende« aus: Je dümmer das Volk, desto pflegeleichter. Folglich starten 1984 die Sender RTL und Leo Kirchs Sat.1 ihre Verblödungsprogramme. Selbstverständlich damit gar nichts zu tun hatte Helmut Kohls Beratervertrag, für den ihm sein Freund Leo Kirch von 1999 bis 2002 insgesamt fast 900 000 Euro über welche Konten auch immer zukommen ließ.[587]

Ist eine Beschäftigung trotz Arbeitsvertrag nur vorgetäuscht, muss die Krankenversicherung nicht zahlen, entschied das Landessozialgericht Sachsen-Anhalt und nannte einen Versicherungsschutz bei Scheinarbeit »rechtsmissbräuchlich«.[588]

Lautenschläger, Silke: Die Ex-Gesundheitsministerin unter Roland Koch scheidet nach eigenen Angaben wegen dessen Rückzugs ebenfalls aus der Politik aus[589] und wird 2011 Vorstand der Deutschen Krankenversicherung (DKV).

Wissmann, Matthias: Bis 2005 Verkehrsminister, wechselt er Mitte 2007 in den Chefsessel des *Verbandes der Automobilindustrie*. Gerade in der Klimadebatte, so lästert die *Welt* über die Umschulung des Gärtners zum Bock, »fehlt es vor allem an einem eloquenten, Talkshow-affinen Außendarsteller und an einem Strippenzieher, der weiß, wie die Politik im Bund und auf europäischer Ebene läuft. Beide Aufgaben sind Wissmann wie auf den Leib geschneidert.«[590]

SPD: der spezialdemokratische Weg zur Kohle

Clement, Wolfgang: Ende 2002 liberalisiert er als Wirtschaftsminister per Gesetz den Zeitarbeitsmarkt und sitzt anschließend im Aufsichtsrat der Zeitarbeitsfirma Deutscher Industrie Service AG, außerdem der Dussmann-Gruppe, der Landau Media AG, der RWE Power AG und des DuMont-Verlages sowie im Beirat der US-Bank Citigroup. Clement habe in seiner Amtszeit als Minister ein Emissionshandelsgesetz ganz nach den RWE-Bedürfnissen durchgesetzt, kritisierte Greenpeace.[591]

Koch-Weser, Caio:[592] Er war von 1999 bis November 2005 Finanzstaatssekretär und ist seit Anfang 2006 Berater des Vorstandschefs (»Vice Chairman«) der Deutschen Bank, sprich: »Teuerster Frühstücksdirektor des Konzerns« *(Spiegel)*. Noch im Oktober 2005 zeichnet Koch-Weser eine Regierungsbürgschaft für Kredite der Deutschen Bank zur Finanzierung der Ostsee-Pipeline ab. »Ein Fall von Kumpanei?«, fragte *Spiegel Online* unverblümt.[593]

Müller, Werner (offiziell parteilos): Als rot-grüner Wirtschaftsminister genehmigt er trotz strikter Ablehnung durch das Bundeskartellamt die Fusion von E.ON mit der Ruhrgas und wird anschließend Chef der Ruhrkohle AG (RAG), die zu einem Drittel der E.ON gehört.

Schily, Otto: Als Innenminister kämpft er wie besessen für den

biometrischen Reisepass. Anschließend bekam er fette Aufsichtsratsposten bei den Biometrie-Unternehmen Byometric Systems
AG und SAFE ID Solutions AG.

Schröder, Gerhard: 2005 fördert er massiv die Ostsee-Pipeline
und sitzt kurz darauf im Aufsichtsrat der Betreiberfirma Nord
Stream AG, eines Gemeinschaftsunternehmens von E.ON, BASF
und Schröders Brötchengeber Gazprom.

Fischer, Birgit: Bis 2005 NRW-Gesundheitsministerin, verlässt
sie 2007 den Landtag und wird Vorstandsvize bei der Barmer Ersatzkasse. Anfang 2010 wird sie Vorstandschefin der Barmer GEK,
der Fusion von Barmer und Gmünder Ersatzkasse, seit Mai 2011
ist sie Hauptgeschäftsführerin im Verband Forschender Arzneimittelhersteller.

Tacke, Alfred: Er gibt 2002 als Müllers Staatssekretär die Minis-
tererlaubnis und wird danach Chef der RAG-Tochter Steag.
»Nicht illegitim, aber anrüchig«, findet das der *Spiegel*,[594] und die
wirtschaftspolitische CDU/CSU-Fraktionssprecherin Dagmar
Wöhrl fragt, ob die Fusionsgenehmigung »in irgendeinem Zusammenhang mit dem finanziell sicher äußerst lukrativen Be-
rufswechsel Tackes« stehe.

Grüne: »Erst Bio, dann Bimbes«[595]

Wolf, Margareta: Bis 2005 Schröders Staatssekretärin für Umwelt, Naturschutz und Reaktorsicherheit, seit Anfang 2007 Ma-
naging Director der Firmenberatung Deekeling Arndt Advisors
(DAA). Weil sie hier vor allem die PR der Kernenergie-Lobby
betreut, gibt es im Juli 2008 Ärger mit den Grünen, der mit Wolfs
Parteiaustritt endet.

Berninger, Matthias: Bis 2005 war er rot-grüner Staatssekretär
für Verbraucherschutz, Ernährung und Landwirtschaft, seit 2007
ist er beim Schokoriegel-Konzern Mars – und hier seit August
2008 weltweit für »Gesundheit, Ernährung und Nachhaltigkeit«
zuständig.

Fell, Hans-Josef: Seit 2002 war er in der Bundestagsfraktion
Bündnis 90/Die Grünen Sprecher für Energiepolitik. Dass »Mis-

ter Sunshine« *(Spiegel)* seine privilegierte Aufgabe als Parlamentarier mit seinem Engagement als stellvertretender Sprecher des bayerischen Solarenergieverbandes und als Vizepräsident von »Eurosolar« verbinden kann, ist Lobbyismus pur – direkt aus dem Parlament.

Schlauch, Rezzo: Bis 2005 Staatssekretär unter Wirtschaftsminister Clement, sitzt er seitdem im Beirat von EnBW. Dort gab es ein herzliches Wiedersehen mit alten Kumpels aus schwerer Zeit wie etwa Ex-Justizminister Klaus Kinkel (FDP) und Ex-Finanzminister Theo Waigel (CSU) oder den Managern Hartmut Mehdorn (Deutsche Bahn) und Klaus Mangold (DaimlerChrysler).

Tritz, Marianne: Ausgerechnet eine Ex-Bundestagsabgeordnete (bis 2005, danach Bürokraft bei MdB Fritz Kuhn) der Anti-Raucher-Partei Grüne wird 2008 Geschäftsführerin des Verbandes der Zigarettenindustrie (VCI), um die Qualmerei wieder hoffähig zu machen. Ihre Hauptaufgabe: das Image des Tabakgenusses wieder aufzupolieren.

Dass weder FDP noch Linkspartei auftauchen, mag sie moralisch ehren, kann aber unter neoliberalen Aspekten auch als blamables Armutszeugnis gewertet werden.

Um im ewigen und peinlichen Theater mit den Dankeschönjobs endlich den letzten Vorhang fallen zu lassen, plädiert Transparency International Deutschland e.V. schon seit Jahren für eine dreijährige Karenzzeit für Minister und Parlamentarische Staatssekretäre nach dem Ausscheiden aus ihrem Amt, sofern ein Zusammenhang zwischen ihrer bisher ausgeübten Tätigkeit und der nach dem Ausscheiden aus dem Dienst beabsichtigten Tätigkeit besteht. Vorstand Jochen Bäumel forderte bereits 2009 »umgehend Karenzzeiten für ehemalige Minister und Parlamentarische Staatssekretäre, die immer wieder den Eindruck vermitteln, in ihrer Amtszeit nicht ganz unabhängig gewesen zu sein. Allein Vermutungen darüber bringen die Politik in Misskredit – dagegen muss endlich etwas getan werden.«[596]

7. Gemeinsam sind wir stark – die Seilschaften

Zum Wesen einer Seilschaft gehört, dass sie offiziell gar nicht existiert, also reine Einbildung verfolgswahnsinniger Verschwörungstheoretiker wie zum Beispiel des US-Präsidenten Theodore Roosevelt ist.

> Hinter der sichtbaren Regierung sitzt auf dem Thron eine unsichtbare Regierung, die dem Volke keine Treue schuldet und keine Verantwortlichkeit anerkennt. Diese unsichtbare Regierung zu vernichten, den gottlosen Bund zwischen korruptem Geschäft und korrupter Politik zu lösen, ist die Aufgabe des Staatsmannes.
> *Theodore Roosevelt in seinem Wahlprogramm 1912*[597]

Oder aber es handelt sich um eine maßlos hochgespielte und überschätzte harmlose und lockere Verbindung wie etwa eine Skatrunde oder ein monatliches Kaffeekränzchen.
Nur durch unglückliche Zufälle, allzu große Sorglosigkeit, dumme Indiskretion oder das verbissene Nachforschen eifriger Enthüllungsjournalisten erfährt die Öffentlichkeit überhaupt von ihrer Existenz.

Merkel gibt der Wirtschaft einen aus

Nehmen wir zum Beispiel jenes konspirative Abendessen, zu dem Kanzlerin Merkel am 22. April 2008 zu Ehren des heimlichen Deutschlandkönigs Josef Ackermann die Reichen und Mächtigen ins Kanzleramt geladen hatte. »Die exklusive Runde zum 60. Geburtstag Ackermanns sei keine Geburtstagsfeier gewesen«, zitiert *Spiegel Online* genüsslich Merkels Vertuschungsakrobatik.[598] Ziel sei ausdrücklich das Gespräch von Vertretern der Wirtschaft, Kultur, Bildung und Forschung gewesen. »Ich bin jemand, der immer versucht, auch Gruppen, die normalerweise nicht zusammenkommen, zusammenzubringen.«[599] Ja, so ist sie eben, unsere Kanzlerin: immer gesellig, immer kommunikativ, immer gastfreundlich – vor allem, wenn nicht *sie* die Partyrechnung zahlen muss. »Ackermann feierte auf Staatskosten«,[600] stellte das Hamburger Nachrichtenmagazin trotz allem fest.

Am 25. August verriet *Bild* teilweise, »Wer bei der Feier im Kanzleramt dabei war«:[601]

Mathias Döpfner: Vorstandschef Axel Springer AG
Kai Diekmann: Chefredakteur und Herausgeber *Bild*
Wolfgang Schürer: Chef Stiftung Lindauer Nobelpreisträgertreffen
Klaus-Dieter Lehmann: Chef Goethe-Institut
Jürgen Hambrecht: Chef BASF
Annette Schavan: Forschungsministerin, Merkel-Komplizin
Maria-Elisabeth Schaeffler: Conti-Loser, verarmte Milliardärin
Friedrich von Metzler: Bankier
Arend Oetker: Cousin des Konzernchefs Richard Oetker[602]
Petra Roth: Oberbürgermeisterin Frankfurt am Main
Frank Schirrmacher: Herausgeber *FAZ*
Roland Berger: »Berater«
Gerhard Cromme: Chef Siemens-Aufsichtsrat
Tessen von Heydebreck: Ex-Vorstand Deutsche Bank
Michael Hilti: Hilti AG (Bau- und Befestigungstechnik)
Berthold Leibinger: Trumpf (Werkzeugmaschinen)
Howard Davis: London School of Economics
Lars-Hendrik Röller: European School of Management
Wolfgang Schürer: Organisator des Lindauer Nobelpreisträgertreffens
Frank Elstner: TV-Moderator

Fazit des *Bild*-Informanten Schirrmacher vom Zentralorgan des deutschen Halbbildungsbürgertums *FAZ:* »Ich habe sehr profitiert. Niemand schien betrunken.«[603] *Schien ...*

Warum also diese Geheimniskrämerei um die restlichen zehn Gäste? Weshalb sollte der Steuerzahler um keinen Preis die Identität der gesamten Schnorrerkompanie erfahren, die sich da auf seine Kosten durchgefressen und durchgesoffen hatte? Wieso musste erst das Berliner Verwaltungsgericht unter dem Aktenzeichen: *VG 2 K 39.10* die Kanzlerin zur Herausgabe der Gästeliste mit Sitz- und Tischordnung verdonnern?[604]

Vielleicht, weil es dort um weit mehr ging als um die für die Festgemeinde ohnehin alltägliche Luxusbewirtung auf Staatskosten, nämlich um Probleme und um Order der Wirtschaft an die Politik, die das gemeine Volk nichts angehen? Aus welchem Grund sonst waren bei der Offenlegung von Merkels vierseitiger Tischvorlage zwei Seiten geschwärzt, in denen es nach Angaben der Kläger um »die Rolle der Deutschen Bank in der Finanzkrise« ging?[605]

Immerhin nahmen mit Merkel, Ackermann und Cromme nach Recherchen des Enthüllungsautors Gerhard Wisnewski drei aus dem Feierzirkel schon mal an den obskuren Treffen der noch obskureren *Bilderberger* teil.[606]

Der *Bilderberg-Club* – »unsichtbare Weltregierung«?

Zur ersten Bilderberg-Konferenz lud im Mai 1954 der Altnazi und SS-Veteran Prinz Bernhard der Niederlande in sein *Hotel de Bilderberg* in Oosterbeek. Seitdem kamen zu den Treffen jeweils rund einhundertdreißig, über die Jahre insgesamt zweitausendfünfhundert wichtige Figuren aus rund dreißig Staaten und fünfzehn internationalen Organisationen; und seit 1972 lassen die Geheimbrüder sogar Frauen rein.[607]

Offiziell existiert der Bilderberg-Club gar nicht. Es gibt weder Mitglieder noch einen Gründungsvertrag.[608] »Angeblich sind die Treffen rein privater Natur«, frotzelte Detlef Grumbach 2010 im *Deutschlandfunk,* doch wenn die Mächtigen aus Wirtschaft und Adel Politiker zum geheimen Gespräch laden, wundern sich auch Menschen, die keinen Verschwörungstheorien anhängen.[609]

Und als der damalige Präsident Romano Prodi dem EU-Parlament auf eine Anfrage ernsthaft weismachen wollte, die »Drahtzieher der Macht« (Wisnewski) würden an diesen Zusammenkünften nur als »Privatpersonen« teilnehmen,[610] antwortete er wohl deshalb nur schriftlich, um nicht bei einem Live-Auftritt selbst einem Lachkrampf zu erliegen.

In Wahrheit sei die Bilderberg-Konferenz »ein diskretes Gremium der westlichen Machtelite, die unter Ausschluss der Öffentlichkeit über die Weltpolitik spricht«, schreibt Elitenforscher Marcus Klöckner.[611] »Bilderberg ist zwar keine ›geheime Weltregierung‹, wie manche mutmaßen. Dennoch versuchen die Teilnehmer, von denen gut zwei Drittel aus der Wirtschaft und der Hochfinanz kommen, durch Konsens eine gemeinsame Denk- und Handlungslinie zu erreichen. Daraus ergeben sich Konsequenzen.« Angeblich hatten die Bilderberger sogar bei der Mitgestaltung der Römischen Verträge zur Gründung der Europäischen Wirtschaftsgemeinschaft (EWG) und der Einführung des Euro ihre Finger mit im Spiel.[612]

2010 waren neben dem obligatorischen Josef Ackermann die Vorstandschefs von Siemens, Daimler und Airbus-SAS, Peter Löscher, Dieter Zetsche und Thomas Endres, sowie SPD-Vize Olaf Scholz dabei[613], 2011 Zeit-Chefkorrespondent Matthias Naß, SPD-Möchtegernkanzler Peer Steinbrück sowie wieder Löscher, Endres und – ach ja – Ackermann.[614]

Aufschlussreich ist auch, wer so alles im Laufe der Jahre ein Bilderberger war oder noch immer ist. In einer entsprechenden Liste des Enthüllungsprofis Wisnewski finden sich außer den bereits Genannten unter anderem[615]:

Ursula Engelen-Kefer (DGB-Vize), Mathias Döpfner, Josef Joffe und Theo Sommer (Zeit-Herausgeber), Hubert Burda, Hilmar Kopper (Aufsichtsratschef Deutsche Bank), Wolfgang Reitzle (Vorstandschef Linde), Jürgen Schrempp (Vorstandschef Daimler-Chrysler), Klaus Zumwinkel (Vorstandschef Post), Lothar Späth (Vorstandschef JenOptik), Ekkehard Schulz (Vorstandschef ThyssenKrupp), Jürgen Weber (Chef Bundesbank), Birgit Breuel (Treuhandchefin). Hinzu kommen Joschka Fischer (Außenminister), Volker Rühe und Rudolf Scharping (Verteidigungsminister),

Matthias Wissmann (Verkehrsminister), Wolfgang Schäuble und Otto Schily (Innenminister) und die Kanzler Helmut Schmidt, Helmut Kohl und Gerhard Schröder.

Selbst die *Süddeutschen Zeitung* nimmt den Einfluss der Bilderberger in ihrer Internet-Ausgabe durchaus ernst. »Enthüllte Agenda: Bilderberg-Gruppe plant ökonomische Depression«, heißt es im Mai 2009. »Bilderberger streiten offenbar über die Frage, ob die Wirtschaft schnell abgewürgt werden soll oder ob eine lange, schmerzhafte Depression besser wäre.«[616]

Nun wissen wir natürlich, dass selbst die Reichen und Mächtigen die ökonomischen Gesetze des Kapitalismus – auch nicht zu ihren Gunsten – nicht beeinflussen können, sondern umgekehrt von ihnen beherrscht werden. Dennoch können sie im Rahmen dieser Gesetze unermesslichen Schaden anrichten; man denke nur an die Millionen Opfer der US-Kriege in Korea, Vietnam, Afghanistan oder Irak, ganz zu schweigen von den unbeschreiblichen Greueltaten der ja ebenfalls von der Wirtschaft unterstützten NS-Verbrecher.

Jedenfalls scheinen diejenigen nicht ganz falschzuliegen, die in den Bilderberg-Konferenzen eine Art »Jahresbefehle« der Wirtschaft an die Politik vermuten, ganz unabhängig davon, ob sie umgesetzt werden können oder nicht. Die Bestechung durch die Wirtschaft hat hier meist die Form der Erpressung, etwa mit Arbeitslosigkeit oder Wirtschaftskrisen. Der korrupte Lohn für die Politik besteht in der Fortsetzung oder gar Beschleunigung der Karriere.

Der *Andenpakt* – Verschwörung der Muttersöhnchen

Kaum eine Seilschaft hat – bei aller koketten Konspiration – so unverhohlen eigennützig, aber auch so erfolgreich gearbeitet wie der legendäre *Andenpakt*, gegründet vor über dreißig Jahren von »Jungen Wilden« in der Jungen Union, die damals noch mehr als heute als heuchelchristliches Sammelbecken von rechtslastigen Muttersöhnchen und Papis Lieblingen galt.

Die Geburtsstunde dieser obskuren CDU-Männerseilschaft beschreibt der *Spiegel* wie eine Szene aus einem US-Vorabendkrimi: »Die Stimmung auf dem Nachtflug VA 930 von Caracas nach Santiago de Chile ist gereizt. Während unten die schneebedeckten Gipfel der Anden vorbeiziehen, diskutieren an Bord der vierstrahligen DC-8 zwölf junge Deutsche. ... Beschwingt vom Whisky, verfasst die Gruppe ein Manifest, gekrakelt auf einen Briefbogen der venezolanischen Fluggesellschaft Viasa. ›In Sorge um die hochkarätig besetzte Delegation und zum Schutze der Gesundheit schließen wir uns hiermit zum Pacto Andino Segundo zusammen.‹ Eine Kernforderung des Bündnisses lautet: ›Mehr Ambiente in der Politik‹. Es ist der 25. Juli 1979.«[617]

Im Sommer 2003 war aus der im doppelten Wortsinn »Schnapsidee« laut *Spiegel* »eine mächtige Seilschaft innerhalb der CDU« geworden, und bei seinem faktischen Aus im April 2007[618] konnte sich die Bilanz des Andenpaktes durchaus sehen lassen. Viele dieser anfänglichen Politwürstchen hievte er ziemlich weit nach oben:

- Fünf Ministerpräsidenten: Roland Koch und Volker Bouffier (Hessen), Christian Wulff (Niedersachsen), Günther Oettinger (Baden-Württemberg) und Peter Müller (Saarland)
- Zwei Bundesminister: Franz-Josef Jung (Verteidigung), Mathias Wissmann (Verkehrsminister)
- Friedrich Merz wurde Chef und Friedbert Pflüger außenpolitischer Sprecher der Bundestagsfraktion, Christoph Böhr immerhin CDU-Bundesvize, nicht zu vergessen Reinhard Göhner als Geschäftsführer des Arbeitgeberverbands BDA und Heinrich Haasis als Boss des Sparkassen- und Giroverbands.[619]

Dabei waren die Ziele noch ehrgeiziger gewesen: Bis zur CDU-Spendenaffäre – und erst recht nach der Wahlniederlage 1998 – ist für die Geheimbündler klar, dass sie allein Kohl und Schäuble beerben und die Macht unter sich aufteilen werden. »Doch dann kam ihnen Angela Merkel in die Quere ... und die schöne Karriereplanung der Geheimbündler stand in Frage.«[620]

Für die verklemmten Politburschenschaftler eine doppelte Katastrophe – zum einen war Merkel aus der »Zone«, zum anderen eine Frau; und Politik war für die Seilschaft natürlich reine Männersache: »Frauen dagegen haben im Andenpakt nichts verloren, es sei denn als Ehefrauen.«[621] Nur folgerichtig war sie quasi die natürliche Feindin des Andenpacks.

Und das hatte im Jahr 2002 zum ersten und letzten Mal auch Erfolg, als es für die Kanzlerkandidatur statt »Kohls Mädchen« jenen bajuwarischen Kauderwelschkönig Edmund Stoiber durchdrückte, der dann am Wahlabend etwas voreilig »ein Glas Champagner öffnen«[622] wollte.

Norbert Blüm ließ im September 2007 an der Karrieristenclique kein gutes Haar: »Wenn ich von Christian Wulff höre, dass es immer nur um die Sache geht, auch im sogenannten Andenpakt, kann ich nur lachen. Mehr Abkapselung als beim Andenpakt habe ich bei keiner anderen Vereinigung erlebt. Der Andenpakt war ein Geheimbund, in dem es darum ging, dass seine Mitglieder sich gegenseitig stützen beziehungsweise nicht in die Quere kommen.«[623]

Unter Brüdern und Vettern

Seilschaften gehören vermutlich zu jeder Gesellschaft wie der Abfall zum Haushalt. Besondere Bedeutung in kapitalistischen Marktwirtschaften haben aber naturgemäß die Vereinigungen der Reichen und Mächtigen. »Rotary und Lions Clubs können einem auch heute noch beim beruflichen Aufstieg nützen«, schreibt zum Beispiel *manager-magazin.de* unter dem bezeichnenden Titel »Netzwerke – Feine Gesellschaft« am 23. Januar 2007,[624] aber auch gewisse Golfclubs oder Burschenschaften sind keineswegs zu unterschätzen.

Solche Seilschaften gibt es als globale Netzwerke ebenso wie auf dem Dorf, etwa Schützen- oder Jagdvereine. Sie müssen auch nicht immer vorwiegend auf die Mehrung von Reichtum, Macht,

Ruhm oder Karriere orientiert, also gegen die Gesellschaft gerichtet sein, sind es aber in der Praxis meistens, sieht man einmal von den Anonymen Alkoholikern oder den Zeugen Jehovas ab.

Zu politischen Seilschaften gehört die Korruption ebenso zwangsläufig dazu wie die Kriminalität zur Mafia, ist aber gar nicht so einfach nachzuweisen. Untersucht man nämlich isoliert eine einzelne Handlung oder einen einzelnen Deal, so wird man häufig nichts moralisch oder strafrechtlich Anstößiges finden, denn der korrupte Charakter erschließt sich häufig erst aus der Betrachtung des »Gesamtkunstwerks«.

Nehmen wir zum Beispiel eine Diebesbande aus Kaufhausmitarbeitern. Die Tätigkeiten der einzelnen Bandenmitglieder bestehen u. a. darin, Waren zu beschädigen, schadhafte Waren billiger auszuzeichnen, an der Kasse falsch einzutippen oder Waren zu übersehen, Lagertüren offen zu lassen oder Schmiere zu stehen.

Offenkundig können die meisten Aktionen – für sich genommen – nicht unmittelbar als kriminell erkannt, als »Versehen« oder »Schlamperei« hingestellt und zudem häufig nicht bestimmten Personen zugeordnet werden. Erst wenn zwischen den Einzeltaten ein Zusammenhang deutlich wird, ist Kriminalität oder Korruption nachzuweisen.

Das deutsche Strafrecht umgeht diese Schwierigkeit mit dem Begriff *Kriminelle Vereinigung:* Nach § 129 StGB sind sowohl die Bildung einer solchen Vereinigung als auch die Mitgliedschaft strafbar. Und dann ist jeder dran, der in *irgendeiner* Form an den Aktionen der Bande beteiligt war.

In der deutschen Politik wurde schon aus Gründen der Staatsräson noch nie eine der etablierten Parteien oder ihrer Seilschaften von Amts wegen als kriminelle Vereinigung auch nur verdächtigt. Allerdings verleiht der Volksmund diesen Ehrentitel schon dann und wann – auf dem Höhepunkt von Spendenskandalen zum Beispiel – an CDU, SPD oder FDP.[625]

Eine ganz andere Frage ist dagegen, ob und inwieweit es sich bei einigen Seilschaften um »korrupte Vereinigungen« zumindest im wissenschaftlichen Sinne handelt. Unabhängig von der Strafbarkeit einzelner Aktionen sind ja die Volksvertreter – Amtsträger und Abgeordnete – dem deutschen Volk verpflichtet. Bevorzugt also ein Seilschaftsmitglied seine Kumpanen und wird im Gegenzug von ihnen bevorzugt, so ist dies zweifellos ein korrupter Tausch zu Lasten des Volkssouveräns. Der nämlich setzt auch bei der Gewissensfreiheit seiner Vertreter das »beste Wissen und Gewissen« voraus, auf dass die besten und fähigsten Köpfe an der Spitze des Staates stehen – und nicht die mit den besten Beziehungen und Netzwerken.

Seilschaften sind eine Art organisierter Vetternwirtschaft, und die kann nach Meinung des Korruptionsforschers Markus Dietz »als spezielle Art von Korruption aufgefasst werden«. Die Leistung des Bestechenden »erfolgt hier nicht direkt in Form einer Geldzahlung oder anderen Zuwendung«. Der Bestochene steht zum Bestechenden »in einer sozialen Beziehung und erhält für seinen Teil des Tausches einen allgemeinen Anspruch ... auf eine Gegenleistung«.[626]

Gerade weil eine *konkrete* Gegenleistung meist fehlt, ist Vetternwirtschaft in der Praxis so schwer nachzuweisen, zumal der Begriff selbst äußerst schwammig ist und geradezu dazu einlädt, »die Flöhe husten zu hören«. So ist es nur natürlich, dass Politiker, die sich »auf einer Wellenlänge« befinden, »Propaganda« füreinander machen, sich gegenseitig in bestimmte Gremien wählen oder sich zu Stammtischen, Zirkeln oder Connections zusammenschließen. Kritisch wird es erst, wenn der *gemeinsame Nenner* nicht die Übereinstimmungen über die beste Politik zum Wohl des Volkes sind, sondern das eigennützige Streben nach einer schnellstmöglichen Karriere sowie nach möglichst viel Einkommen, Macht und Ansehen.

Diese »Cliquen« und »Seilschaften« aufzudecken ist eine der wichtigsten Aufgaben der empirischen Forschung. Einfach formuliert: Die Bürger können kaum genug über die Politiker erfahren, von denen sie vertreten werden. Damit wird nicht dem »gläsernen Menschen« oder der »Paparazzi-Kultur« das Wort geredet. Aber allein die simple Frage, ob ein millionenschwerer

Staatsauftrag an einen Verwandten oder Kegelfreund eines der Entscheidenden ergangen ist, wäre für die Öffentlichkeit nicht uninteressant. Selbstverständlich wären derlei Informationen geradezu Einladungen zu Hetzkampagnen unseriöser Medien. Andererseits gilt im Falle der Politiker, was man in Bezug auf den Normalbürger mit äußerster Vorsicht genießen sollte: »Wer nichts zu verbergen hat, braucht nichts zu befürchten.«

Die Fraktion als Seilschaft

Kehren wir noch einmal zurück zu der durchaus richtigen Vermutung, dass in der deutschen parlamentarischen Demokratie eine politische Karriere praktisch unmöglich ist ohne eine Partei. Auch das Gastspiel des »parteilosen« Energiemanagers Werner Müller als rot-grüner Wirtschaftsminister (1998–2002) wäre ja ohne die Nominierung und Unterstützung durch die Schröder-Koalition undenkbar gewesen.

Nach der Logik von Leistung und Gegenleistung aber muss der Volksvertreter für sein Amt oder Mandat einen Preis zahlen, und dazu gehört in erster Linie der Fraktionszwang. Der aber schließt die im Artikel 38 des Grundgesetzes garantierte Gewissensfreiheit des Abgeordneten schon rein logisch aus. Gelegentliche Aufhebungen des Fraktionszwangs wie etwa weiland bei der Hauptstadtfrage (Bonn oder Berlin) oder beim Schwangerschaftsabbruch gleichen der ebenso seltenen »Lokalrunde auf Kosten des Hauses«.

Dass es sich beim Fraktionszwang in der Regel um eine Art Seilschaftskorruption handelt, wurde besonders deutlich bei der Verabschiedung des Wachstumsbeschleunigungsgesetzes, dessen wesentlicher Bestandteil die erwähnte Senkung der Mehrwertsteuer für Hotelübernachtungen vom 19 auf 7 Prozent war. Am 30. November 2009 stimmten dreihundertzweiundzwanzig Abgeordnete der Regierungskoalition für das Gesetz, zweihundertsechsundvierzig Abgeordnete der Opposition dagegen.[627]

Jede einzelne Jastimme entsprach dem Fraktionszwang, war also Teil der Gegenleistung des MdB für seine Politkarriere. Wer jetzt vorgibt, seine Zustimmung entspreche auch zutiefst seinem Gewissen, argumentiert wie ein Fußballschiedsrichter, der drei umstrittene Elfmeter für den FC Corruptia gibt, von ebendiesem FC Corruptia 100 000 Euro erhält und anschließend behauptet, er hätte die Elfer nach bestem Wissen und Gewissen auch ohne die Geldzahlung gegeben.

Nun wird der Fraktionszwang häufig damit begründet, ohne ihn sei ein halbwegs berechenbares und vernünftiges Regieren nicht machbar; zudem könnten unmöglich alle Abgeordneten über ein für eine eigenständige Meinungsbildung ausreichendes Detailwissen in allen Fachgebieten verfügen. Dies klingt einleuchtend, bedeutet aber letztlich: In unserem gegenwärtigen parlamentarischen System schließen geordnetes Regieren und die Einhaltung des Grundrechts auf Gewissensfreiheit einander aus.

Noch deutlicher: Mit diesem System kann man gar nicht auf dem Boden des Grundgesetzes regieren. Ohne Seilschaftskorruption keine praktische Politik.

Dass diese logische Folgerung ganz offenbar eine gefährliche Nähe zur populistischen These aufweist, dass »alle Politiker eine einzige korrupte Bande« seien, spricht nicht gegen die wissenschaftliche Korruptionsanalyse, sondern eher gegen unser *gegenwärtiges* parlamentarisches System. Nur am Rande sei erwähnt, dass zig andere Varianten des Parlamentarismus erfolgreich von anderen Staaten praktiziert werden, die wohl kaum auch nur einen Deut undemokratischer sein dürften als der selbsternannte »Demokratieweltmeister« Deutschland.

8. Die Mafia aus Finanzwelt und Politik

Was hat ein Zitronenfalter mit einem Kammerjäger und der EZB gemeinsam? Den irreführenden Namen: Ein Zitronenfalter faltet keine Zitronen, ein Kammerjäger jagt keine Kammern, und die

EZB ist nicht die Zentralbank der EU-Bürger, sondern ein tendenziell globales Instrument der Reichen und Mächtigen.

In einer Art Generalabrechnung in *Welt Online* liest Wolfgang Hetzer, seit 2002 als Chef der Abteilung »Intelligence: Strategic Assessment & Analysis« im Europäischen Amt für Betrugsbekämpfung (OLAF) in Brüssel »Europas oberster Korruptionsbekämpfer« *(Welt)*, der »Mafia aus Finanzwelt und Politik« gehörig die Leviten.[628] Die internationale Finanzkrise sei »keine satanische Verfluchung, sondern hat ihre Wurzeln in menschlichem Handeln«, man denke nur an die »Freigabe von Wetten mit hochspekulativen Finanzprodukten wie Derivaten« oder die fehlerhafte Aufsicht bzw. die Unterlassung, eine wirksame Aufsichtsstruktur zu etablieren. Schuld seien »die Täter in der Finanzindustrie, die diese Wetten abschließen«, und »ihre Helfer in der Politik, die ihnen diese Wetten ermöglichten und nichts unternehmen, um die Investmentbanker in die Schranken zu weisen«. Die Politik habe »zugelassen, dass Finanzunternehmen nicht alle ihre Geschäfte in der Bilanz aufführen, sondern verheimlichen …, dass Banken ihre Risiken nicht mit ausreichend Eigenkapital unterfüttern mussten …, dass Kreditrisiken bis zu 100 Prozent weitergegeben wurden«.

Mehr noch: »Oft genug überlässt sie die Gesetzesarbeit gleich den Finanzinstitutionen[629] … Weil offenbar nicht mehr die notwendige Kompetenz in der Ministerialbürokratie vorhanden ist, ließ die Regierung diese Gesetzgebung von den Anwälten der Finanzindustrie betreiben. Das heißt, die Politik gibt ihr wichtigstes Kerngeschäft auf, nämlich die sachverständige Gesetzgebung. Und dafür muss der Steuerzahler auch noch bezahlen …« Die Finanzwirtschaft habe die Politik »am Nasenring über die Weltbühne gezogen« und »ihre Interessen in Milliarden-Höhe bei der Politik durchgesetzt«.

Hetzer spricht von einer regelrechten »Leitkultur der Korruption«: »Korrupte Verhaltensweisen in den Vorstandsetagen der Wirtschaft und im Bereich der Politik (scheinen) zuzunehmen. Wirtschaftliche Rationalität hat abgedankt. Fachzwänge wurden suspendiert. Stattdessen hat sich eine einseitige Interessenpolitik etabliert.«

An dieser Stelle setzt Hetzer – gewollt oder nicht – den Kapitalismus mit der ehrenwerten Gesellschaft gleich: »Die Finanzwelt folgt der Logik der Mafia, nämlich der Orientierung am höchstmöglichen Gewinn bei minimiertem Risiko. Dazu werden alle Mittel eingesetzt, die Wirksamkeit versprechen, etwa in Kontakten mit Wirtschaft, Verwaltung und Politik. Die Vorstellung, dass die wirklich gefährliche Mafia sich durch Gewaltbereitschaft auszeichnet, ist naiv. Ihre große Gefahr ist ihr Einfluss, ihre Macht, indem sie Verbindungen aufbaut, korrumpiert, wirtschaftliche Gesetzmäßigkeiten zum eigenen, ungehemmten Vorteil umfunktioniert oder außer Kraft setzt. Das ist die Logik der Mafia.« Als Motiv nennt Hetzer »Gier«, »Selbstprivilegierung« und »erkauftes Wohlwollen«. Das Ergebnis sei ein Milieu, »in dem die erfolgreiche Teilnahme an Bereicherungsorgien alleiniges Ziel des Handelns ist. Wer nicht ein entsprechendes Ego mitbringt, der steigt gar nicht in die Vorstände der Finanzwelt auf. Das sind Leute, die sich dauernd vergleichen wollen, die krankhafte Vorstellungen von Erfolg haben, sonst würden sie bestimmte Dinge gar nicht tun.« Die Globalisierung ermögliche ihnen, »so viele und große Räder gleichzeitig zu drehen, dass sie sich selbst mit dem lieben Gott verwechseln. Goldman-Sachs-Chef Lloyd Blankfein hat es ja wörtlich so gesagt: ›Wir verrichten das Werk Gottes.‹ Leider verschwenden sie keinen einzigen Gedanken daran, was man mit dem ganzen Geld Sinnvolles tun kann.«

In diesen Schlamassel hätten Deutschland, Europa und die Welt nur geraten können, weil »die Politik sich freiwillig ausliefert, der Wähler sich von der Politik verabschiedet. Wir treten den Rückzug ins Private an, resignieren und lamentieren darüber, dass ›die da oben‹ sowieso machen, was sie wollen. Das ist übrigens eine Haltung, die in der Geschichte schon häufiger zu Katastrophen geführt hat. ... Man glaubt den Politikern kaum noch. Die Menschen erkennen eine kleptokratische Kultur unter den Eliten. Sie fühlen sich betrogen von Versagercliquen in Politik und Wirtschaft. Ich fürchte, dass Auswirkungen dieses Zorns auf den europäischen Zusammenhalt nicht auszuschließen sind.«

Unter Anspielung auf Norbert Blüms Wort von der Wandlung des Staates zum »Schmierensteher von Zockern« frotzelt Hetzer: »Jetzt muss der Zuhälter für das Treiben der Zocker einstehen. Er ist der Bürge der Milliardenverluste. Er bekommt die Rechnungen präsentiert.«

Bei dieser Gelegenheit räumt Hetzer auch mit der widerlichen Lüge auf, der deutsche Steuerzahler würde die »Faulheit des griechischen Volkes« finanzieren: »Deutsche und französische Banken fürchten nichts mehr als den Staatsbankrott der Griechen, weil sie nämlich dann das viele Geld abschreiben und schwerste Verluste hinnehmen müssten. Also wird das noch vorhandene deutsche Steueraufkommen dafür eingesetzt, Leute rauszuhauen, die für die Lage, in der sie stecken, selbst verantwortlich sind.«

Die Folge: »All das Geld, das wir für dringende soziale Aufgaben brauchen, wird jetzt dazu genutzt, die Zinsforderungen der Banken zu bezahlen. Aber darüber wird natürlich nicht mit der Schärfe, die angebracht wäre, geredet … man geht über die Machenschaften der Finanzmafia … achselzuckend hinweg. Da wurden Millionen Menschen um ihre Lebenschancen, um ihre Zukunft betrogen. Was da gemacht wurde, war existenzvernichtend für ganze Gesellschaften. Aber es bleibt ungestraft.«[630] Noch, könnte man optimistisch hinzufügen.

Nun ist diese Entlarvung irdischen Profitstrebens keinesfalls so zu verstehen – darauf weist der Berliner Politikprofessor Klaus-Peter Kisker nachdrücklich hin –, dass die Finanzkrise hauptsächlich auf »menschliches Fehlverhalten zurückzuführen« sei. »Sie hat systemische, realwirtschaftliche Gründe.« Auch die Gesetze, die diese Spekulationen ermöglicht haben, sind nicht zufällig alle in den siebziger und achtziger Jahren des vorigen Jahrhunderts erlassen worden. In einer kapitalistischen Marktwirtschaft sind periodische Krisen der Normalfall, weil in gewissen Abständen immer ein Punkt erreicht wird, wo die Unternehmen mehr Kapital aufgehäuft haben, als sie zur Produktion jener Warenmenge brauchen, für die es auch eine *zahlungskräftige* Nachfrage gibt. Aber egal, ob sie trotzdem munter weiterproduzieren und auf ihren Waren sitzenbleiben oder die Produktion drosseln, Maschinen oder ganze Betriebe stilllegen und massenhaft Mitarbeiter entlassen: Das Ergebnis ist, dass die Bevölkerung – ob durch Arbeitslosigkeit, Hungerlöhne oder eine allgemeine Verschlechterung der »Lebensqualität« oder alles zusammen – letztlich die Zeche zahlt. Dies ist weder »linke Schwarzmalerei« noch »graue Theorie«, sondern durch Zahlen der »Arm-Reich-Schere« für jedermann nachzulesen und häufig am eigenen Leib zu spüren.

Verschärfend kommt seit Mitte der siebziger Jahre hinzu, dass selbst die Aufschwünge nicht mehr zur Auslastung der Kapazitäten führen, die Arbeitslosigkeit ständig steigt und die Armut auch in den reichen Ländern zunimmt. Spätestens da dämmerte es den Unternehmern, dass sie neue Anlagemöglichkeiten brauchten – und sie fanden sie an den Finanzmärkten: Aus Warenproduzenten wurden Spekulanten.

Teil VI Grimms Märchen – die dritte Gewalt

Die gute Nachricht zuerst: Unsere *Tatort*-Krimis sind besser als ihr Ruf, vor allem realistischer. Einer der häufigsten Running Gags – ein übereifriger Kommissar wird bei seinen Ermittlungen gegen Reiche und Mächtige vom Staatsanwalt auf »Druck von ganz oben« zurückgepfiffen – ist nicht nur auch in Wirklichkeit gängige Praxis, sondern sogar gesetzlich festgelegt.

1. Politik befehligt Justiz – Katze beißt sich in Schwanz

»Die Justiz als unabhängige dritte Gewalt? Davon kann in Deutschland zumindest bei den Staatsanwälten keine Rede sein«, bemerkte Dietmar Hipp im *Spiegel* bereits im August 2003.[631] Die nämlich sind im Unterschied zu den Richtern nach § 146 des Gerichtsverfassungsgesetzes weisungsgebunden und unterliegen nach § 147 der Dienstaufsicht durch Vorgesetzte. Dem gewöhnlichen kleinen Staatsanwalt können jede Menge übergeordnete Berufskollegen ins Handwerk pfuschen, ihn durch Drohung mit Karriereknick erpressen oder durch Locken mit einem möglichen Karrieresprung bestechen: zunächst der Gruppenleiter (früher: Erster Staatsanwalt), darüber der Oberstaatsanwalt als Abteilungsleiter, dem wiederum der Leitende Oberstaatsanwalt als Behördenleiter reinquatschen kann. Der seinerseits unterliegt den Befehlen des Generalstaatsanwalts als Leiter der übergeordneten Behörde und der notfalls der politischen Willkür des Landesjustizministers.[632]

Daran wird deutlich, dass Staatsanwälte in Deutschland – anders als sogar in zivilisierten Rechtsstaaten wie Italien oder den USA –

zur Exekutive zählen. Da die Exekutive ihrerseits beispielweise durch Minister mit Abgeordnetenmandat mit der Legislative verbandelt ist, kann man getrost – will man nicht schlimme historische Vergleiche bemühen – statt von der im Artikel 20 Absatz 2 des Grundgesetzes geforderten Gewaltenteilung eher von bananenrepublikanischen Verhältnissen reden. Der Mischmasch der angeblich voneinander unabhängigen drei Gewalten ist nämlich kein seltener Gesetzesbruch, wie er in den besten politischen Familien mal vorkommt, sondern im Gegenteil: *Gesetz*.

Begrenzt wird das Weisungsrecht nur durch das Legalitätsprinzip nach §§ 152, 160 und 163 StPO, das Polizei und Staatsanwaltschaft zur Verfolgung von Straftaten verpflichtet, sowie durch die Strafbarkeit der Strafvereitelung im Amt nach § 258a StGB und der Verfolgung Unschuldiger nach § 344 StPO.

Der Deutsche Richterbund (DRB) fordert seit Jahr und Tag die Abschaffung des Weisungsrechts im Einzelfall, insbesondere die Abschaffung des Weisungsrechts des Justizministers. Die Münchener Oberstaatsanwältin und DRB-Vizechefin Andrea Tietz warnt nachdrücklich vor der »Gefahr der politisch motivierten Einflussnahme auf laufende Ermittlungsverfahren bei den Staatsanwaltschaften« als »›Eingangstor‹ zu den Gerichten«. Ist ja klar: »Nur die Verfahren, in denen die Staatsanwaltschaft Anklage erhebt, gelangen überhaupt vor Gericht. Wenn also die Weisung erteilt würde, dass in einem bestimmten Verfahren nicht Anklage erhoben werden soll, würde das Verfahren bereits bei der Staatsanwaltschaft durch eine Einstellungsverfügung enden.«[633]

Dadurch entstehe »in der Öffentlichkeit bereits der böse Schein politischer Beeinflussung ..., dass die zuständige Staatsanwaltschaft ihre Entscheidungen gerade nicht unabhängig treffen konnte, sondern zu einer bestimmten Sachbehandlung angewiesen wurde ... Wenn ein Minister die Möglichkeit zur Einflussnahme hat, ist letztlich nicht auszuschließen, dass er diese Möglichkeit nutzt, wenn missliebige, politisch unpopuläre Entscheidungen der Staatsanwaltschaft in einem Ermittlungsverfahren anstehen.«

Die Folge ist die schrittweise innere Kündigung der Bürger gegenüber ihrem Staat. »Wenn in der Öffentlichkeit gerade im Zusammenhang mit Verfahren gegen politisch oder wirtschaftlich einflussreiche Persönlichkeiten regelmäßig davon die Rede ist, dass ›denen‹ ohnehin nichts passieren wird, weil man immer nur ›die Kleinen hängt und die Großen laufen lässt‹, zeigt das einen Besorgnis erregenden Vertrauensverlust in die Unabhängigkeit der Justiz, der für den Rechtsstaat in hohem Maße schädlich ist.«[634]

Dabei geht die Politik nach Beobachtungen des DRB-Vorsitzenden Christoph Frank durchaus nicht ganz so plump vor: »Schriftliche Weisungen sind selten. Weil aber das Weisungsrecht immer im Raume steht, kann informell Einfluss genommen werden« und »besteht die Gefahr vorauseilenden Gehorsams«.[635]

Zu Recht verallgemeinert der *Spiegel:* »Mit direkten Weisungen und subtilem Druck greifen Politiker in Ermittlungen der Staatsanwaltschaft ein.« Und der Frankfurter Strafrechtsprofessor Peter-Alexis Albrecht stellt fest: »Es ist üblich, dass die Staatsanwaltschaft das tut, was die Politik verlangt ... Fast jeder Staatsanwalt will irgendwann einmal befördert werden. Und wer befördert werden will, muss spuren.« [636] Und wie fast immer in der Politik stinkt der Fisch auch hier vom Kopfe her.

So erwiderte Ex-Justizministerin Herta Däubler-Gmelin (SPD) seinerzeit auf die Frage, ob sie Generalbundesanwalt Kay Nehm nach den Anschlägen vom 11. September in puncto Fahndungshysterie förmlich angewiesen habe, wie Al Capones schwäbische Zwillingsschwester: »Sie wissen doch, wir haben da andere Möglichkeiten.«[637]

Andere Möglichkeiten? Wer keinen Handstand kann, wird kaum Turnweltmeister, und wer das korrupte Spiel mit Versprechen und Drohung nicht filigran beherrscht, kommt wohl kaum in die Regierung. Mit Maultaschen dürfte die »poltrige Bundesjustizministerin« *(Stern)* den ruhigen Flensburger jedenfalls kaum überzeugt haben, eher schon mit Maul*körben.* »In Sachen Außendarstellung wurde die Behörde an die kurze Leine genommen.

Hinter vorgehaltener Hand munkelten Kollegen, ein Generalbundesanwalt dürfe sich so etwas nicht bieten lassen, auch wenn
er als politischer Beamter jederzeit kündbar sei.« Und der *Stern*
berichtete seinerzeit: »Mit dem Abgang der Ministerin scheint
sich die Atmosphäre verbessert zu haben.«[638]
Auch der Brandenburgische Generalstaatsanwalt Erardo Rauten-
berg musste feststellen: »In dem Augenblick, wo man ihre Kreise
stört, verlieren Politiker recht schnell die Contenance.«
Übrigens braucht sich in Sachen korruptes Mobbing auch Rot-
Rot keineswegs hinter den anderen Parteien zu verstecken, wie
etwa Rautenbergs Ex-Kollege aus Mecklenburg-Vorpommern,
das CDU-Mitglied Alexander Prechtel, erfahren musste. 1999
wollte er die Ermittlungen gegen die damalige PDS-Fraktionsvor-
sitzende wegen Ladendiebstahls von Kosmetika für 22,90 Mark
partout nicht einstellen, woraufhin ihn der in der DDR soziali-
sierte Chef der SPD/PDS-Regierung Harald Ringstorff (SPD),
der der demokratischen Einfachheit halber auch das Justizressort
an sich gerissen hatte, Prechtel kurzerhand rauswarf.[639] Eine Art
Trailer für eine künftige rot-rote Bundesregierung?
Es liegt ja auch auf der Hand: Da Richter und Staatsanwälte Beamte sind, spielt die Beförderungspraxis eine große Rolle. Wie
gesehen, gilt das erpressungsähnliche Prinzip von Belohnung und
Bestrafung. Missliebige werden übergangen oder gar strafversetzt. Wer sich als ›kooperativ‹ erweist, dem winkt eine Steilkar-
riere. Obwohl in manchen Fällen ›jeder weiß‹, dass die konkrete
Entscheidung – Haftbefehl, Anklage oder nicht? – weniger mit
der Sache selbst, sondern eher mit Zivilcourage bzw. Karrierismus
des Staatsanwalts zu tun hat, ist das Delikt der Korruption praktisch nur schwer nachweisbar und erst recht nicht in Straftatbe-
stände zu fassen. Das Wichtige aber ist auch hier, dass von Seiten
des Staates – der Politik, der Vorgesetzten etc. – die *Möglichkeit*
zur Korruption in Form der Erpressung besteht. Und will man
dem Augsburger Staatsanwalt Winfried Maier glauben, dann
wurde er wegen seiner Korruptionsermittlungen in der erwähnten Leuna/Minol-Affäre auch gegen Mitglieder der CDU und

der CSU von ebendieser CSU massiv behindert und gemobbt und »zum Alibi-Staatsanwalt degradiert«, so dass er schließlich die Nase voll hatte und sich nach München auf eine Stelle als Familienrichter abschieben ließ.[640]

2. Sind wenigstens die Richter unabhängig?

Wenn schon die Staatsanwälte häufig als Spielball der Politik missbraucht werden, sind dann wenigstens unsere Richter unabhängig? Wie bereits anhand der Wahl der Bundesverfassungsrichter durch den parteienbeherrschten Richterwahlausschuss gezeigt wurde, gilt das zumindest für das höchste deutsche Gericht in keiner Weise und für dessen jeweilige Präsidenten schon gar nicht.

Allein die Statistik zeigt die felsenfeste Überzeugung von Union, SPD und FDP, dass ihnen gemeinsam der Laden Bundesrepublik gehört: »Der Staat sind wir!«

So war CDU-Mann Gebhard Müller (1959–1971) Ministerpräsident von Baden-Württemberg, CDU-Mann Ernst Benda (1971–1983) Bundesinnenminister, CDU-Mann Roman Herzog (1987–1994) Innenminister von Baden-Württemberg, SPD-Frau Jutta Limbach (1994–2002) Justizsenatorin in Berlin.

Herrmann Höpker-Aschhoff (1951–1954) war vorher in der FDP aktiv, Josef Wintrich (1954–1958) ebenso wie Hans-Jürgen Papier (2002–2010) in der CSU und Wolfgang Zeidler in der SPD, von der auch der amtierende Präsident Andreas Voßkuhle nominiert wurde.

Das unbefangene Herumspringen zwischen den drei eigentlich unabhängigen Gewalten – alle vier genannten Regierungsmitglieder waren natürlich auch Abgeordnete und damit Mitglied der Legislative – ist umso amüsanter, als die Gewaltenteilung in den Artikeln 1 Absatz 3 und 20 Absatz 2 des Grundgesetzes geregelt wird und somit zu den unveränderlichen Prinzipien gehört. Durch die verfassungsverachtende Praxis aber will man dem Bürger ernsthaft weismachen, ein Spitzenpolitiker der einen Partei könne heute die andere Partei bis aufs Messer bekämpfen, dann über Nacht neutral werden und vollkommen unvoreingenommen darüber richten, welche der beiden Parteien recht hat. Das Bundesverfassungsgericht entschied schon über Schwangerschaftsabbruch und Zuwanderung, über Kriegseinsätze und Bürgerbespitzelung, über Vermögensteuer und Hartz IV. Es ist eine Art »heimliche Regierung«, bei der peinlichst auf den Parteienproporz geachtet wird. Dies aber hat in den Augen von Hans Herbert von Arnim weitreichende Konsequenzen: »Die gelegentlich geäußerte Hoffnung, das Bundesverfassungsgericht werde gegen die Patronagetendenzen wirksam Front machen, wird wohl Illusion bleiben. Die Richter sitzen im Glashaus, weil auch sie ihre Bestellung vielfach dem Parteienproporz verdanken.«[641]

Speziell in der Wahl der Bundesrichter durch den Richterwahlausschuss sah der frühere Bundesverfassungsrichter Ernst Wolfgang Böckenförde ein Zeichen für »Parteipatronage« und für »personelle Machtausdehnung der Parteien«; und der Bonner Politikprofessor Gerd Langguth fragt eher rhetorisch: »Sind die Parteien zu mächtig?«[642]

Heribert Prantl erinnert an die Empfehlung des Europarates über die Rolle der Richter und dass in den Kriterien der Europäischen Union über die Aufnahme neuer Mitgliedsländer steht: »Die für die Auswahl und Laufbahn der Richter zuständige Behörde sollte von der Exekutive unabhängig sein.« Das sei so »in Frankreich, Spanien, Italien, Norwegen, Dänemark und in den Niederlanden – in Deutschland nicht. Deutschland wäre also, wäre es nicht schon Kernland der EU, ein problematischer Beitrittskandidat ...«[643]

Im April 2007 forderte die Bundesvertreterversammlung des Deutschen Richterbundes (DRB), »der Justiz die Stellung zu verschaffen, die ihr nach dem Gewaltteilungsprinzip und nach der im Grundgesetz vorgesehenen Gerichtsorganisation zugewiesen ist«. Die Unabhängigkeit der Justiz werde zunehmend durch den Einfluss der Exekutive eingeschränkt.[644]

Noch deutlicher wird der Ausschuss für Recht und Menschenrechte des Europarats in seinem *Dokument 11 993:* »Behaupteter politisch motivierter Missbrauch des Strafrechtssystems in Mitgliedsstaaten des Europarats« vom 7. August 2009.[645]

So erklärt die jetzige Bundesjustizministerin Sabine Leutheusser-Schnarrenberger als damalige Berichterstatterin unumwunden, »dass eine angemessene Bezahlung einen notwendigen Bestandteil des Schutzes vor unzulässigen äußeren Einflüssen darstellt. Sinken die Vergütungen zu tief ab, droht die Gefahr der Korruption … Außerdem könnten angehende Richter und Staatsanwälte sich ohne anständige Bezahlung auf allen Ebenen des Gerichtswesens unter dem wirtschaftlichen Zwang fühlen, sich durch Gefälligkeiten gegenüber den Machthabern für Beförderungen ins Gespräch zu bringen.«[646]

Das muss man zweimal lesen: Weil deutsche Richter und Staatsanwälte zu wenig Karrierechancen erhalten, sind sie anfällig für Gefälligkeitsurteile und Bestechung?!

Auch der Berliner Verwaltungsrichter Christian Oestmann schlägt Alarm: Angesichts hoher Aktenberge sei es für Richter vorteilhafter, »kurzen Prozess zu machen«, anstatt »die Sache gründlich aufzuklären«.[647]

Der korrupte Eingriff in die Justiz kappt sozusagen den Rettungsanker der Demokratie. Beabsichtigt ist ja »eigentlich«, dass alles Ungesetzliche spätestens hier sein Ende finde. Daher ist es nur logisch, dass die korrupte Aktion in der Bestechung der Justiz ihre Ergänzung, Absicherung und Vollendung findet.

3. Mit Samt und Glacé – Wirtschaft und Politik vor Gericht

Da verwundert es kaum, dass die Eliten in Politik und Wirtschaft von ihrer Justiz mit Handschuhen aus Samt und Glacé höchstens sanft berührt werden. Zugegeben: Eine Prämie für Korruption hat bislang noch kein Gericht beschlossen, aber viel fehlt dazu eigentlich nicht mehr.

- Gegen Helmut Kohl ermittelte ab 30. Dezember 1999 die Staatsanwaltschaft Bonn wegen Untreue zu Lasten seiner Partei, der die illegale Parteifinanzierung ihres damaligen Chefs 6,5 Millionen Mark Schaden eingebracht habe. Am 3. März stellte das Bonner Landgericht das Verfahren gegen 300 000 Mark Geldbuße ein, wodurch Kohl nicht vorbestraft ist.[648] Allerdings wurde nicht das Gericht, sondern der Verkünder der blühenden Landschaften noch Jahre später als CDU-Ehrenvorsitzender frenetisch gefeiert.

- Josef Ackermann genehmigte als Aufsichtsratschef von Mannesmann im Verlauf der Übernahme durch Vodafone umgerechnet etwa 60 Millionen Euro Prämien an Mannesmann-Topmanager und saß gemeinsam u. a. mit Mannesmann-Chef Klaus Esser und IG-Metall-Boss Klaus Zwickel wegen Untreue auf der Anklagebank des Landgerichts Düsseldorf. Gegen 5,8 Millionen Euro Geldauflagen, davon 3,2 für Ackermann, wurde das Verfahren im November 2006 eingestellt. Für den Fall einer Geldstrafe und die Verleihung des damit verbundenen Gütesiegels »vorbestraft« hatte Ackermann seinen Rücktritt versprochen.[649]

- SPD-Mitglied und Ex-VW-Vorstand Peter Hartz erhielt im Januar 2007 wegen Untreue und verbotener Begünstigung eines Betriebsrats zwei Jahre auf Bewährung und etwas über 500 000 Euro Geldstrafe, also faktisch gar nichts. »Das mag vielen nicht gefallen«, bemerkte Johannes Röhrig im *Stern* scharfsinnig, »zumal die Höhe des Strafmaßes bei Hartz zuvor Gegenstand eines Deals zwischen Verteidigung, Staatsanwaltschaft und Gericht war. Das klingt nach Gemauschel. Die Erinnerung an den Mannesmann-Prozess, bei dem die Beschuldigten gegen Geldauflage um ein Urteil herumkamen, ist noch frisch.«[650]

- Ex-Post-Chef Klaus Zumwinkel kam Ende Januar 2009 beim Landgericht Bochum ebenfalls mit zwei Jahre auf Bewährung davon. Als Begründung, warum der Steuergangster nicht in den wohlverdienten Bau wanderte, nannte Richter Wolfgang

Mittrup – passend zur Karnevalszeit – allen Ernstes seine »Lebensleistung«.[651]

- Klaus Landowsky, damaliger CDU-Fraktionschef im Abgeordnetenhaus und eine Schlüsselfigur des Berliner Bankenskandals, der 2001 zum Rücktritt des Regierenden Bürgermeisters Eberhard Diepgen führte, wurde im Februar 2011 zusammen mit elf weiteren Angeklagten vom Vorwurf der Untreue freigesprochen. Die Staatsanwaltschaft hatte ihnen vorgeworfen, sie hätten »die im Gegenzug für die langfristig abgegebenen Mietgarantien über 25 Jahre vereinnahmten Mietgarantieprovisionen nicht ausreichend kalkuliert und des Weiteren das Fondsgeschäft mit einem unzureichenden Risikocontrolling betrieben«. Dies habe beim LBB Fonds 12 von 1999 bis Ende 2003 zu einem »Mindestschaden von 72,2 Mio. DM und einem zusätzlichen Gefährdungsschaden von rund 53,5 Mio. DM« geführt. Zudem sei beim IBV Fonds Deutschland 1 von 2000 bis 2003 ein »Mindestschaden in Höhe von rd. 44,5 Mio. DM« und ein Gefährdungsschaden in Höhe von rund 24 Mio. DM« entstanden.

- Sei's drum, entschied das Berliner Landgericht sinngemäß und stufte das Verhalten der Beschuldigten als »insgesamt nicht pflichtwidrig« ein.[652]

- Im November 2007 wurde die Siemens-Schmiergeldaffäre bekannt, der »bislang größte Korruptionsskandal in Deutschland« (FAZ), in der rund 1,3 Milliarden Euro »zweifelhafte Zahlungen« dem Konzern etwa 2,5 Milliarden Euro Schaden eingebracht haben sollen. Am 19. Mai 2011 stellte das Oberlandesgericht München den Strafprozess gegen den früheren Siemens-Zentralvorstand Thomas Ganswindt wegen vorsätzlicher Verletzung der Aufsichtspflicht und Steuerhinterziehung gegen eine als »relativ niedrig betrachtete« Geldauflage von 175 000 Euro ein.[653]

»Freispruch statt Gefängnis, Geldauflage statt Urteil«, bilanzieren Annette Berger und Kathrin Werner in der *Financial Times*

Deutschland. »Viele Wirtschaftsstrafverfahren in Deutschland starten spektakulär und versanden dann. Der Fall des Ex-Siemens-Managers Ganswindt ist nur einer von vielen.«

Und: »Dass hier ›gegen alle möglichen Gesetze verstoßen‹ wurde«, wie ein durchaus glaubwürdiger Zeuge Ganswindt schon vorher gewarnt haben wollte, »reichte aber nicht zur Verurteilung. Der Prozess gegen Ganswindt zeigt aus Sicht von Beobachtern die Hilflosigkeit der deutschen Gerichte bei komplizierten Wirtschaftsstraftaten: Strafen werden höchst selten verhängt, die Beweisführung ist äußerst schwierig, Bußgeldzahlungen nach Deals zwischen Anwälten, Gericht und Staatsanwaltschaft sind häufig, Einstellungen gegen Auflagen – wie im aktuellen Fall – ebenso.«[654] *Hilflosigkeit der Gerichte* – das haben die Zeitungs-Ladys Berger und Weber aber äußerst charmant formuliert.

Die Kehrseite unserer vorbildlichen und ach so grundgesetzkonformen »hilflosen« Rechtsprechung: »Untergebene wurden härter bestraft.«[655]

Tatsächlich erhielten vergleichsweise kleinere Fische wie Siemens-Direktor Reinhard Siekarczek und der frühere Finanzchef von Siemens Com Michael Kutschenreuter – wenn auch ebenfalls lächerliche – zwei Jahre Haft auf Bewährung.

Auf welch absolut integrem und hohem kulturellen Niveau diese leuchtenden Vorbilder der deutschen Jugend und der Völker der Welt angesiedelt sind, schildert die *FAZ:* »Ein weiterer Verhandlungstag mit Siekarczek war für den 26. Mai anberaumt … Vermutlich wäre dann das Thema noch einmal zur Sprache gekommen. Angeblich … soll der Verwalter der schwarzen Kassen Geld für persönliche Zwecke abgezweigt haben, um es unter anderem im Milieu auszugeben, etwa für eine Domina. Die Rede ist von 200 000 Euro.«[656] Dieser Verhandlungstag hätte sicherlich nicht nur die sexuellen Selbstversorger von den Boulevardmedien interessiert.

• Nur folgerichtig wurde am 12. Juli 2011 auch das Verfahren gegen den früheren Siemens-Finanzvorstand Heinz-Joachim Neubürger aufgrund einer Mauschelei (Diktion: »Einigung«)

zwischen Staatsanwaltschaft und Neubürger nach viereinhalb Jahren eingestellt – gegen eine sechsstellige »Geldauflage«, die im Gegensatz zum Bußgeld etwa wegen nächtlichen Fahrens mit Standlicht nicht einmal eine Ordnungswidrigkeitsstrafe darstellt. Ehrenmann Neubürger soll von »schwarzen Kassen« im Elektro- und Industriekonzern gewusst zu haben. Hinweisen auf dubiose Zahlungen in der Kommunikationssparte im Jahr 2004 soll er nicht konsequent nachgegangen sein.

- Bereits im März 2010 war übrigens der frühere Vorstands- und Aufsichtsratsvorsitzende Heinrich von Pierer mit einer Geldbuße in Höhe von 250 000 Euro wegen Vernachlässigung seiner Aufsichtspflicht davongekommen.[657]

Apropos von Pierer: Ein ganz typisches, beliebig austauschbares Beispiel für das Verhältnis des deutschen Topmanagers zu Grundgesetz, Menschenwürde und Rechtsstaat schildert Ansgar Graw am 25. August 2008 in *Welt Online* unter der Überschrift »Der gekaufte Adel des Heinrich von Pierer«.[658]

Ein Hobbyhistoriker hat sich Gedanken über den Stammbaum des Ex-Siemens-Chefs gemacht. Seine Recherchen sorgten im Konzern für Wirbel. Denn die Familiensaga zwischen Monarchie und deutscher Gegenwart könnte unrühmlich enden: Das Adelsprädikat des Managers war gekauft. Der eine Rechtsanwalt zog den anderen zur Seite. Der Kollege möge doch seinen Mandanten, einen Hobbyhistoriker, dazu bringen, brisante Recherchen ruhen zu lassen. Ansonsten würde er als Justiziar eines weltweit tätigen Konzerns die ihm gebotenen »mannigfaltigen« Möglichkeiten nutzen, um den zu diesem Zeitpunkt fünfundsechzigjährigen Freizeitforscher »plattzumachen«. Anschließend drohte der rabiate Advokat auch noch seinem Kollegen, ihm könnten durch den Fall ebenfalls »Unannehmlichkeiten« entstehen – bis hin zum Entzug der Zulassung als Rechtsanwalt.

Das entspricht zwar exakt dem Benehmen deutscher Topmanager und Spitzenpolitiker, heißt aber möglicherweise nicht unbedingt, dass jeder, der sich mit den besten, wertvollsten und integersten Kräften unseres Volkes anlegt, mit seinem Leben und dem seiner Familie spielt. Schließlich sind wir ja ein Rechtsstaat …

Vielleicht sollte man nach diesen Vorbildern für unsere Jugend Straßen und Alleen, Plätze und Paläste benennen. So könnte man den Reichstag in Palais Ackermann, das Brandenburger Tor in Porta Pierer, den Alex in Ganswindtplatz und den Kudamm in Landowskyallee umtaufen. Dies könnte gerade ausländischen Wissenschaftlern, Touristen und Staatsgästen das Studium ellenlanger Aufsätze über die real existierende deutsche Demokratie ersparen.

Dass die skrupellosesten und gemeingefährlichsten Bankster oder Topmanager praktisch ungeschoren davonkommen, wäre leicht zu verhindern durch ein Unternehmensstrafrecht, etwa nach dem Vorbild der Gesetze über kriminelle Vereinigungen, nach dem sich selbst Schmieresteher und Tippgeber für die Verbrechen der Bande verantworten müssen. Selbst die *Zeit* schlägt Alarm: »Die neuen Enthüllungen im Fall Siemens zeigen: Deutschland braucht ein Unternehmensstrafrecht.«[659]

Bisher wussten gewisse politische Kreise ein solches Strafrecht zu verhindern, damit es ihren kriminellen Golfpartnern, Edelbordellkumpanen und Geldspendern aus den Chefetagen der Konzerne nicht an den Kragen gehe. An Dümmlichkeit kaum zu überbietende Ausrede: Es seien ja einzelne Personen, die Schmiergelder zahlten und Schwarzgeldkonten führten. Dieses idiotische Gefasel entlarvt *Zeit*-Redakteur Markus Rohwetter im Spaziergang: »Dennoch kann menschliches Handeln einer juristischen Person zugerechnet werden. Im Zivilrecht beispielsweise: Obwohl der Geschäftsführer den Arbeitsvertrag unterschreibt, ist der Arbeitnehmer beim Unternehmen angestellt; sein Gehalt überweist die Firma, nicht der Geschäftsführer. Das Bundeskartellamt verhängt Geldbußen gegen Unternehmen, obgleich Menschen zusammengesessen und ein Kartell verabredet haben. Juristische

Personen können also sehr wohl das Ziel staatlicher Sanktionen sein – in Deutschland jedoch ausschließlich im Recht der Ordnungswidrigkeiten.«[660]

In zivilisierten Rechtsstaaten wie England und Frankreich ist ein Unternehmensstrafrecht selbstverständlich … Dessen Bedeutung erläutert Rohwetter einleuchtend: »Erstens: Ordnungswidrigkeiten ahndet eine Behörde, Strafen verhängt ein Gericht. Das verleiht jeder Form von Sanktion ein eigenes Gewicht. Zweitens …: Eine Ordnungswidrigkeit *kann* verfolgt werden, einer Straftat jedoch *muss* nachgegangen werden. Das erhöht den Druck. Drittens: Das … Unwerturteil ist höher. Der Begriff der Ordnungswidrigkeit ist nämlich nichts anderes als eine juristische Übersetzung von ›Lappalie‹ … Man soll sein Auto nicht im Parkverbot abstellen, aber wenn man es trotzdem macht, ist es auch nicht weiter schlimm. Ein Knöllchen, das war's. Ähnliches gilt, wenn sich jemand um seine GEZ-Gebühren drückt oder auf der Gartenparty vergisst, Punkt 22 Uhr die Musik leise zu drehen.« Fazit: »Das Wertesystem einer Gesellschaft ist in Gefahr, wenn Korruption durch Unternehmen als Dummejungenstreich angesehen wird, Fahrraddiebstahl hingegen eine waschechte Straftat darstellt.«[661]

Das »Anti-Schmiermittel« wäre das Unternehmensstrafrecht. Aber was will man von einer Regierung erwarten, die die Spitzen der Wirtschaft zum Geburtstagsgelage ins Kanzleramt einlädt?

4. Ist Korruption nicht eigentlich verboten?

Das macht doch nichts, das merkt doch keiner.
Hans Scheibner, Kabarettist, 1979

Angesichts der ungeheuren Anzahl und Vielfalt der Korruptionsfälle ergibt sich zwangsläufig die sarkastisch-rhetorische Frage, ob
Korruption nicht eigentlich strafbar sei. »Im Prinzip ja«, lautet
wie bei *Radio Eriwan* die Antwort, »es sei denn, sie ist in Wahr-
heit erlaubt«. Auf dem (gerade im Strafgesetzbuch extrem geduldigen) Papier haben korrupte Zeitgenossen bei uns nichts zu lachen – wobei bei den entsprechenden Paragraphen 299 bis 334
selbst bei einschüchternden Höchststrafen die gebetsmühlenhafte Beruhigungsfloskel »oder Geldstrafe« nie fehlt.
Zuweilen wird allerdings hart durchgegriffen: Aus Dank für die
unbürokratische Genehmigung eines Hafturlaubs schickte ein
Ehepaar einem Staatsanwalt einen Restaurant-Gutschein über
fünfzig Mark. Die Behörde reagierte prompt: Das Paar musste
wegen Vorteilsgewährung 3000 Mark Strafe zahlen.[662]
Wer dem netten Polizisten allerdings eine Zigarette anbietet, ist
nicht wegen Beamtenbestechung dran: Generell erlaubt ist die
Annahme von geringwertigen Aufmerksamkeiten wie Werbe-
artikeln oder »sozialadäquater Bewirtung«.[663] Also Currywurst
und Bier an der Imbissbude für die Streifenpolizisten, Kaviar und
Schampus im Edelbordell für den Minister?
Allerdings hat der Gesetzgeber die Grenze zwischen einem eher
symbolischen Präsent als Dankeschön für eine angenehme Zusammenarbeit und einer gezielten Bestechung nicht eindeutig geregelt.
Die Gerichte zögen aber »Richtwerte heran«, so Wolfgang Gerhards
(SPD), von 2002 bis 2005 NRW-Justizminister, auf einer Fachta-
gung des Deutschen Instituts für Interne Revision im Juni 2009 in
Leipzig. 30 bis 35 Euro pro Person und Jahr würden in Deutschland
für die freie Wirtschaft als »ungefähre Schwelle« angesehen.

Das sagt das Strafgesetzbuch (StGB): Bestechlichen und Bestechenden im geschäftlichen Verkehr drohen nach § 299 bis drei Jahre Gefängnis oder saftige Geldstrafen, in besonders schweren Fällen nach § 300 drei Monate bis fünf Jahre.

Etwas anders sieht's bei Amtspersonen aus: Vorteilannahme (Obolus für bloße Pflichterfüllung) bringt nach § 331 bis zu drei (bei Richtern bis zu fünf) Jahre Haft oder eine Geldstrafe ein. Für Vorteilgewährung blüht nach § 333 eine Freiheitsstrafe von bis zu drei (gegenüber Richtern fünf) Jahren oder eine Geldstrafe.

Für Bestechlichkeit (»Honorar« für eine Pflichtverletzung) gibt's nach § 332 bis zu fünf (für Richter bis zu zehn) Jahre Freiheitsentzug oder eine Geldstrafe.

Bestechung kostet nach § 334 bis fünf Jahre oder eine Geldstrafe.

Selbst in besonders schweren Fällen baut der Gesetzgeber den Kriminellen goldene Brücken. Zwar gibt's für »Besonders schwere Fälle der Bestechlichkeit und Bestechung« nach § 335 keine Chance, mit einer Kaffeekassen-Strafe davonzukommen: Wenn der Täter einen »Vorteil großen Ausmaßes« annimmt, für die Ausführung von »Diensthandlungen« fortgesetzt Vorteile fordert und annimmt oder »gewerbsmäßig oder als Mitglied einer Bande handelt«, blühen ihm ein bis zehn Jahre Haft. Da aber auch hier jede Strafe bis zu zwei Jahren zur Bewährung ausgesetzt werden darf, könnten – theoretisch – selbst die Don Corleones unter den Beamten als freie und ehrbare Mitglieder der Gesellschaft aus dem Gerichtssaal stolzieren und den nächsten Flieger zur Copacabana nehmen.

Ein anderer Wind weht dagegen im öffentlichen Dienst. Hier sind grundsätzlich alle Geschenke tabu, gegebenenfalls zurückzugeben und dem Chef zu verpetzen. Zudem ist es für Gerhards ernsthaft ein »guter Gradmesser, ob und mit welcher Aufrichtigkeit« man ein Geschenk anmelde. Hilfreich seien in jedem Falle verbindliche schriftlich fixierte Regeln, die auch denen helfen, die eine unzulässige Gabe ablehnen müssen.

Ausnahmen wie etwa kleinere PR-Geschenke kann nur der Dienstherr erlauben. Vor allem aber darf keine Gegenleistung damit zusammenhängen – aber wer erteilt schon für einen geschmacklosen Werbekuli eine windige Baugenehmigung?

Als Beispiel nennt Gerhards die »Freikarten-Affäre des damaligen EnBW-Chefs Utz Claasen. Der verschenkte VIP-Tickets für die Fußball-Weltmeisterschaft 2006 aus dem Sponsoren-Budget seiner Firma unter anderem an Landesminister, wurde aber 2010 vom Bundesgerichtshof vom Vorwurf der Bestechung freigesprochen: Claasen habe keinen Einfluss auf die Dienstgeschäfte der Betroffenen nehmen wollen. »Erzähl noch einen«, sagt der Berliner dazu.

Denn letzten Endes kann niemand feststellen, ob der edle Spender es »nur gut meint« oder nicht doch über kurz oder lang eine Gegenleistung erwartet. In jedem Fall, so Gerhards, müssen Präsente nicht nur dem direkten Vorgesetzten, sondern auch dem Geschäftsführer gemeldet und genehmigt werden.

Wer ein wertvolles Geschenk heimlich annimmt und auffliegt, dem droht eine Strafe wegen Vorteilsnahme, Vorteilsgewährung oder Bestechung ebenso wie arbeitsrechtliche Konsequenzen bis hin zum Rausschmiss wegen Vertrauensbruchs gegenüber dem Arbeitgeber.[664]

5. Die Abgeordneten und die Lizenz zur Bestechlichkeit

Ein Kapitel der ganz besonderen Art allerdings ist die Abgeordnetenbestechung, in gewissen politischen Kreisen ein Tabu wie die Homosexualität im Profifußball.

Seit den Anfängen des Parlamentarismus in Deutschland, als am 18. Mai 1848 in der Frankfurter Paulskirche die Mitglieder des ersten gesamtdeutschen Parlaments zusammentraten, war die Unbestechlichkeit deutscher Volksvertreter ähnlich über jeden

Zweifel erhaben wie heute die Jungfräulichkeit der Mutter Gottes für den Vatikan. Folglich galten entsprechende Gesetze als genauso überflüssig wie ein Nachtflugverbot für Elefanten. Erst die schwarz-gelbe Regierung unter Helmut Kohl bequemte sich 1994, Abgeordnetenbestechung unter Strafe zu stellen.[665]

Allerdings blieben nach dem entsprechenden § 108 e des Strafgesetzbuches weiterhin sämtliche nur erdenklichen Formen der Abgeordnetenbestechung straffrei, legal, ganz normal und ehrenwert, mit Ausnahme des Kaufs und Verkaufs von Stimmen bei Wahlen oder Abstimmungen.[666] Aber selbst hier sind Dankeschönspenden *nach* der Abstimmung, Überweisungen an Verwandte oder Komplizen des Abgeordneten oder Stimmenkauf für entscheidende Fraktionssitzungen (die die Parlamentsentscheidung meist vorwegnehmen) straffrei.

Dieser Paragraph ist nichts anderes als billigstes, zur Korruptionsbekämpfung untaugliches *symbolisches Strafrecht,*[667] für Korruptionsfachmann Schaupensteiner »ein reines Placebo«.[668] Für den Normalbürger ist er Verstandesbeleidigung pur und eine neuerliche Bestätigung der brillanten Feststellung des Philosophen Hans Magnus Enzensberger: »Die Überzeugung, dass er es ›draußen im Lande‹ mit Millionen von Idioten zu tun hat, gehört zur psychischen Grundausstattung des Berufspolitikers.«[669]

Zur Korruption als solcher aber haben viele Politiker ein geradezu erotisches Verhältnis, und sie verteidigen ihr Recht auf Bestechlichkeit wie eine Löwin ihre Jungen. Kein Wunder, denn ähnlich wie Golf für die Schickeria und Fußball für das Volk scheint Korruption für weite Teile von Wirtschaft und Politik ein selbstverständliches und unverzichtbares Hobby zu sein.

So stellte die Gießener Juraprofessorin und Korruptionsforscherin Britta Bannenberg schon 2002 in ihrer Habilitationsschrift fest: »Die Einflussnahme der Politik auf Strafverfolgungsbehörden in Wirtschaftsverfahren gegen mächtige Personen, aber auch Einflussnahmen auf Verwaltungen, um Auftragsvergaben an bekannte und befreundete Unternehmer zu erreichen, sind in mehreren Strafverfahren belegt.«[670]

Folgerichtig haben »Politiker … keinen Anreiz, Korruption zu bekämpfen. Sie wollen vielmehr gar nichts von dem Thema wissen«, wie die Münchener Oberstaatsanwältin Regina Sieh erfahren musste. »Auch das Unrechtsbewusstsein von Politikern ist nicht stark ausgeprägt. Im Gegenteil, manche halten ›Provisionen‹ für einen legitimen Teil ihres Einkommens.«[671]

Deshalb ist es menschlich durchaus verständlich, dass sich die Korruptionsfraktion unserer Politiker mit Händen und Füßen gegen alle Gesetze zu Verbot und Bestrafung von Bestechlichkeit wehrt. So musste Deutschland die von der UN-Vollversammlung am 31. Oktober 2003 verabschiedete Konvention über die Bestechung und Bestechlichkeit von Volksvertretern (UNCAC) am 9. Dezember 2003 zwar notgedrungen unterzeichnen – was sollten denn die eigenen Bürger und das Ausland denken? –, denkt aber selbst sechs Jahre nach seinem Inkrafttreten am 16. September 2005 im Gegensatz zu bislang über einhundertfünfzig Staaten nicht im Traum daran, das Abkommen jemals zu ratifizieren.

Natürlich: Es grenzte ja schon an Sozialmasochismus, würde ein gewohnheitsmäßiger Schmiergeldkassierer freiwillig für jene Gesetze sorgen, die ihm selbst oder einem Großteil seiner Parteifreunde zu einem – diesmal – legalen »Urlaub auf Staatskosten« verhelfen müssten. Zur Frage, warum ein Großteil unserer Politiker die Umsetzung der Konvention mehr fürchtet als der Junkie den Entzug, kalauerte der CDU-Bundestagsabgeordnete Siegfried Kauder wie Otto Waalkes in der Endphase: Er kenne »keinen einzigen Beispielfall eines bestechlichen Bundestagsabgeordneten. Deswegen gibt es hier keinen vordringlichen Handlungsbedarf.«[672] Nach dieser Logik wäre die Vergewaltigung in der Ehe noch heute erlaubt, weil es sie vor Einführung ihrer Strafbarkeit nach § 177 StGB – 1997 auf Antrag, 2004 als Offizialdelikt – juristisch gar nicht gab und somit ebenfalls »keinen einzigen Beispielfall« …

Und wie anhand des Falles *Stadtrat Rüther / Kölner Müllskandal* bereits geschildert, hebt der BGH Korruptionsurteile gegen Abgeordnete sogar wieder auf. So mussten alle Bürger mit einem halbwegs intakten Rechtsempfinden bis zum 2. April 2007 warten, bis der erste deutsche Parlamentarier wegen Bestechlichkeit verurteilt wurde. Ein Neuruppiner Stadtrat bekam neun Monate auf Bewährung, weil er für eine Ausfallbürgschaft der Stadt zugunsten einer Investitionsgesellschaft gestimmt und dafür ein persönliches »Darlehen« von 10 000 Euro angenommen hatte. Dies war schriftlich festgehalten worden, konnte also auch vom loyalsten Vertreter der dritten Gewalt nicht ignoriert werden.[673]

Um ein Haar aber wäre dem Mann aus Neuruppin der Ehrentitel »Erster staatlich anerkannter korrupter Volksvertreter« von einem rheinischen Ehrenmann und Jugendidol weggeschnappt worden: Der langjährige (1970 bis 1985) NRW-Landtagsabgeordnete Wilhelm Droste unterstützte im Stadtrat von Ratingen die Pläne eines Bauunternehmers für ein Geschäftszentrum – als Gegenleistung renovierte ihm die Firma für 75 000 Euro seine Cafés. »Der Christdemokrat hat sich bestechen lassen«, schrieb *Spiegel Online* am 30. März 2007. »Amtlich festgestellt vom Landgericht Düsseldorf. Der Vorsitzende Richter, Rainer Drees, attestiert ihm, Leistungen entgegengenommen zu haben: ›Das wäre für uns als Abgeordnetenbestechung strafbar gewesen.‹ Wäre. Konjunktiv.«[674]

Zunächst sprach ihn nämlich das Düsseldorfer Landgericht trotzdem frei – wegen Überschreitung der zehnjährigen Verjährungsfrist für Abgeordnetenbestechung. Droste nannte die Gerichtsentscheidung laut *Spiegel* »glorreich«. Warum das Urteil erst drei Jahre nach Anklageerhebung und nicht rechtzeitig gefällt werden konnte, wollte der Richter hinterher allen Ernstes mit Arbeitsüberlastung erklären.[675] Deshalb hob der Bundesgerichtshof das Urteil im Januar 2008 auf, verwies den erneuten Prozess aber vorsichtshalber an ein anderes, nämlich das Essener Landgericht. Aber – ein Schelm, der Böses dabei über das Verhältnis von Justiz und Politik denkt – hier wurde das Verfahren gegen das CDU-Vorbild Droste im September 2009 eingestellt – vermutlich im Hinblick auf den öffentlichen Wirbel musste er immerhin 100 000 Euro Bußgeld aus der Portokasse zahlen. Oder hatte er es lose in der Hosentasche dabei? Dass Droste die längst bewiesenen Vorwürfe nicht abstritt, wertete die Kammer übrigens – wer hätte das gedacht? – als strafmilderndes Geständnis.[676]

Ebenso peinlich für die deutsche Politik wie wunderbar war die Frage des Briten Terry Davis, von 2004 bis 2009 Generalsekretär des Europarats, im Jahre 2006: »Was habt Ihr zu verbergen?«[677] »So ziemlich alles«, ist man versucht, in Anlehnung an Mike Krügers Gassenhauer *Annette* (»Was hat er, was ich nicht hab'«) zu antworten.

Um nicht vollends als korrupter Geheimbund dazustehen, beschloss der Bundestag am 30. Juni 2005 das *Nebeneinkünftegesetz*.[678]

Danach müssen alle Einkünfte über 1000 Euro im Monat bzw. 10 000 Euro im Jahr einzeln angezeigt werden. Veröffentlicht wird in drei Stufen: Stufe 1 ab 1000, Stufe 2 ab 3500 und Stufe 3 ab 7000 Euro.[679] In Kraft trat dies aber erst, nachdem das Bundesverfassungsgericht im Juli 2007 eine Klage von dreizehn MdB mit Stimmengleichheit (!) abgewiesen hatte.[680]

Sage ein Normalbürger einmal zum Steuerprüfer: »Mein Einkommen ist meine Privatsache. Kümmern Sie sich um Ihren eigenen Kram.«

Auch dieses Gesetz beleidigt den Verstand: »Über 7000 Euro« liegen nämlich 7001 Euro genauso wie zwei Millionen. Die Botschaft ans Volk lautet: »Von wem wir uns mit welchen Summen schmieren lassen, geht euch einen feuchten Kehricht an.«

Berücksichtigt man nun noch die unzähligen Vertuschungsmöglichkeiten, von absurd überbezahlten »Vorträgen«, »Beiratsmandaten« und »Beraterverträgen« für den Schwippschwager über das Schweizer Internat für das Töchterlein bis hin zum geheimen mündlichen Vortrag für einen Dankeschönjob nach der Politkarriere, so können – unter strafrechtlichen Aspekten – habsüchtig veranlagte Volksvertreter ihrer Gier unbesorgt und ungehemmt freien Lauf lassen. Dass sie sich mit der Preisgabe von Ausmaß und Quellen ihrer Nebenbeibereicherung so schwertun, liegt lediglich an der Angst um den »guten Ruf« – und die Karriere. Wer nominiert oder wählt schon einen »korrupten Handlanger«?

Ein Gutes hat die neue Pseudo-Transparenz aber doch. Zumindest bruchstückhaft erfährt der Bürger, wer von welchem Konzern alimentiert wird, und er ahnt ganz dunkel, welche Summen sich hinter dem ominösen »über 7000 Euro« verbergen. Er bekommt wenigstens »eine Idee davon, was man verdienen kann«.[681] Ebenso schwant ihm, in welchem Ausmaß die Politik am Tropf der Wirtschaft hängt und entsprechend deren Befehlsempfänger ist. Und deshalb bewirken all die Unbestechlichkeitsmärchen beim Bürger das Gegenteil.

»Für deutsche Manager gehört Korruption dazu«, fasst schließlich sogar *Welt Online* der Stand der Dinge zusammen. [682] Wer also außer Mitmenschen mit Schuhgrößen-IQ dürfte auch nur in Erwägung ziehen, seit Gründung des Bundestages im Jahre 1949 sei von den inzwischen Tausenden Volksvertretern kein einziger käuflich gewesen? Werden nicht immer mehr Normalbürger ganz folgerichtig ihren Argwohn auch auf die Justiz ausdehnen, die ja allem Anschein nach tatsächlich »die Großen laufen lässt«? Genau deshalb ist es besonders fatal für die Politik, das Volk mit der Justiz zu verwechseln. Vor Gericht gilt die Unschuldsvermutung, an der Wahlurne nicht. Und die ständig schrumpfende Schar der unverdrossenen Zettelankreuzer dürften das völlige Fehlen selbst kleinster Spuren von Unrechtsbewusstsein und das für Psychiater nicht uninteressante pathologisch reine Gewissen der Reichen und Mächtigen und ihrer Politiker kaum beeindrucken.

Teil VII Korruption als Super-GAU für die Gesellschaft

Auf der einen Seite sollte man seine Finger nachzählen, wenn man einem aus der Absahnerelite die Hand gegeben hat, auf der anderen Seite wird den kleinen Angestellten Unbestechlichkeit gepredigt. Es gibt sogar immer mehr Verbote, Geld für die in Büros oder Behörden geführten Kaffeekassen zu spenden. In den Unternehmen werden mit Schwung Ethikrichtlinien verabschiedet und Compliance-Programme eingeführt.

Ein Autozulieferer berichtet: »Die Guten lassen sich nicht mehr zum Essen einladen, und auch der Sekretärin darfst du nicht mal mehr für acht Euro einen Blumenstrauß schenken. Die Bösen räumen vor Weihnachten wieder ihre Garage leer, um Platz für Präsente zu schaffen.«[683]

»Immer wenn du denkst, schlimmer geht's nicht mehr, kommt irgendwo ein Wulff daher.« Dass der Fisch vom Kopf her stinkt, beweist einmal mehr die Kreditaffäre des heutigen Staatsoberhaupts Christian Wulff. Schon die bloße nüchterne Chronik liest sich wie die Fieberphantasie von Verschwörungstheoretikern.

Kommentar von *Welt*-Autor Thorsten Krauel: »Wulff hatte eine schwere Jugend, Geerkens war ein väterlicher Ratgeber. Natürlich darf auch ein Ministerpräsident sich von Freunden aus einer Klemme helfen lassen. Es ist auch für Politiker keine Schande, einmal in Geldnot geraten zu sein.«[684] Auf Deutsch: Wulff war jung und brauchte das Geld ...

Unschlagbar satirisch dazu der Aufmacher von *Tagesspiegel Online:* »Warum den Bundespräsidenten niemand mehr kaufen würde«.[685] Das schreibt ein Markenexperte über das Image von Produkten – aber kritische Demokraten und Humanisten verstehen es natürlich im aktuellen Zusammenhang ganz anders ...

Die Highlights des Wulff-Skandals

25. Oktober 2008: Unternehmergattin Edith Geerkens pumpt dem damaligen niedersächsischen Ministerpräsidenten Wulff per Privatkredit 500 000 Euro. Davon kauft sich Wulff für 415 000 Euro sein neues Eigenheim in Burgwedel.

18. Februar 2010: Wulff beteuert vor dem niedersächsischen Landtag, er habe in den vergangenen zehn Jahren mit dem Unternehmer Egon Geerkens keinerlei geschäftliche Beziehungen unterhalten.

21. März 2010: Die Stuttgarter BW-Bank gewährt Wulff ein Darlehen, mit dem er seine Geerkens-Schulden zurückzahlt. Die Bank soll ursprünglich nur 0,9 bis 2,1 Prozent Zinsen genommen haben – nur etwa die Hälfte vom Satz für normalsterbliche Kunden. Laut BW-Bank setzte sich Geerkens für diesen Deal ein.

30. Juni 2010: Christian Wulff wird zu unser aller Staatsoberhaupt gewählt.

12. Dezember 2011: Während einer Dienstreise in der Golfregion ruft Wulff *Bild*-Chefredakteur Kai Diekmann an und droht auf dessen Mailbox mit »endgültigem Bruch« mit dem Springer-Verlag, falls *Bild* über die Kreditaffäre berichte. Auch Springer-Boss Mathias Döpfner und Mehrheitsaktionärin Friede Springer bekniet er am Telefon, Diekmann zurückzupfeifen, was beide entschieden ablehnen.

13. Dezember 2011: *Bild* berichtet breit über den Wulff-Skandal.

15. Dezember 2011: Wulff »bedauert« per schriftlicher Mitteilung, die Geerkens-Kohle seinerzeit dem Landtag verheimlicht zu haben. Am selben Tag entschuldigt er sich bei Diekmann für »Ton und Inhalt« seines Mailbox-Ausrasters.

18. Dezember 2011: Wulffs Anwälte veröffentlichen eine Urlaubsliste, wonach Wulff zwischen 2003 und 2010 insgesamt sechsmal in den Ferienvillen betuchter Kumpanen kampiert habe, und zwar bei Geerkens, Talanx-Aufsichtsrat Wolf-Dieter Baumgartl, Multimillionär Carsten Maschmeyer und dem Unternehmer-Pärchen Angela Solaro und Volker Meyer.

21. Dezember 2011: Erst sechs Tage *nach* seiner Erklärung zur

Darlehensablösung unterschreibt Wulff tatsächlich den entsprechenden Vertrag mit der BW-Bank.
3. Januar 2012: Die *Welt am Sonntag* verrät, auch bei ihr habe Wulff einmal einen Artikel verhindern wollen. Im Sommer 2011 habe das Bundespräsidialamt wegen eines Berichts über Wulffs Halbschwester »massiv interveniert – nicht nur beim Chefredakteur, sondern auch an höchsten Verlagsstellen«.[686]

Bei all den Peinlichkeiten geht eine wesentliche Frage fast unter: die Vorteilsannahme im Amt nach § 331 des Strafgesetzbuchs. Wulff selbst gibt ja zu, von Familie Geerkens Zinsvorteile angenommen zu haben. Ähnliche Fragen stellen sich die Bürger zu Wulffs kostenlosen Übernachtungen bei Unternehmerfreunden, zu den Gratis-Edelkleidern der First Lady Bettina oder zur Finanzierung seiner Buchprojekte.[687] Aber der Staatsanwalt, der wegen derartiger Delikte gegen den deutschen Ersatzkönig namens Bundespräsident zu ermitteln wagt und damit wahrscheinlich seine Karriere gefährdet, muss wohl erst noch gebacken werden – schließlich könnte durch derlei Majestätsbeleidigung ja »das Amt beschädigt« werden. Die Wahrheit ist, wenn überhaupt jemand »das Amt beschädigt« hat, dann Wulf selbst; er hat es geradezu demoliert.
Und da wundert man sich, wenn sich manch ein Normalbürger daran ein Beispiel nimmt.

1. Korruption als Leitkultur – auch Klein Michel mischt munter mit

»Die Lage im Lande ist schizophren«, stellt denn auch der Würzburger Korruptionsexperte Uwe Dolata fest: »Das Bewusstsein gegenüber Filz und Vetternwirtschaft war selten so wach, und dennoch ist bei vielen Bürgern die Bereitschaft gewachsen, in die eigene Tasche zu arbeiten – siehe Versicherungsbetrug, Schwarzarbeit, Spesenbetrug und Korruption.«[688]

Für den PwC-Mann Steffen Salvenmoser ist die Sache ganz logisch: »Je weniger die Bürger davon überzeugt sind, dass ihre Anliegen nach ›Recht und Gesetz‹ behandelt werden, desto größer ist auf Dauer die Neigung, Behördenentscheidungen anzufechten oder gar selbst Bestechungsgelder anzubieten.«[689]
Und tatsächlich gehört die bananenrepublikanische Bakschisch-Mentalität längst zu unserem Alltag. Dass sie als solche häufig gar nicht wahrgenommen wird und für viele sogar zum »guten Ton« gehört, hängt mit ihren fließenden Grenzen zur durchaus lobenswerten Benimm-Weisheit »Wie man in den Wald hineinruft …« zusammen. Dass »Charmeure« (nicht Pilcher-Schleimis!) an der Supermarkt-Fleischtheke ebenso bevorzugt bedient werden wie »hilflose Frauchen« im Baumarkt, ist eine Banalität – und genau genommen bereits Korruption: Hier Muttergefühl (»Traumschwiegersohn«), dort Beschützerinstinkt (»Ich Tarzan, du Jane«), nur dass sich der »Korruptionsschaden« der anderen Kunden in Form längerer Wartezeit in Grenzen hält. Ähnliches gilt für die gelegentliche Flasche Chablis oder Schachtel Pralinen für die Arzthelferin, um auch als Kassenpatient mal eben »dazwischengeschoben« zu werden.

> Es gibt jetzt so wenig sichere Zukunft: da lebt man für heute: ein Zustand der Seele, bei dem alle Verführer ein leichtes Spiel spielen – man lässt sich nämlich auch nur »für heute« verführen und bestechen und behält sich die Zukunft und die Tugend vor!
> *Friedrich Nietzsche, 1882*[690]

Aber es geht ja weiter: Zehn Euro für den besten Restaurantplatz trotz verspäteter Reservierung, zwanzig für ein Zimmer im eigentlich ausgebuchten Hotel, dreißig für Tempo achtzig im Taxi durch die City zum Flughafen und hundert für das zugedrückte Auge des Kaufhausdetektivs. Und irgendwann wird eine Grenze überschritten, und zwar beileibe nicht nur bei den bereits genannten Beamtenbestechungen, sondern zum Beispiel auch bei falschen Alibis in Mordfällen, Gefälligkeitsgutachten für Versicherungskonzerne oder gar Wartelisten für Nierentransplantationen. Hier verlieren die Korruptionsopfer mehr als nur ein paar Minuten Zeit: Unschuldige ihre Freiheit, Arbeitsunfall- oder Schadstoffgeschädigte oft fünfstellige Entschädigungen und Nierenkranke womöglich ihr Leben.

Überhaupt wirkt die Korruption im Gesundheitswesen besonders verheerend. Sie führt zu Wucherpreisen, die nur noch die Gutbetuchten privat bezahlen können, und verwehrt durch den politisch gewollten Ruin der staatlichen Krankenkassen den Normalbürgern eine menschenwürdige medizinische Versorgung. Umgekehrt wird mit Hilfe des korrupten Abschaums in den Artpraxen den arglosen Patienten medizinisch wirkungsloser oder gar schädlicher Müll verabreicht. Und zuweilen bewirken »kleine Aufmerksamkeiten« für das Personal von Kliniken und Praxen wahre Wunder bis hin zum nackten Überleben.

Kaum ein gesellschaftlicher Bereich, in dem nicht durch Korruption teilweise schwerer Schaden angerichtet wird. Selbst wenn geistig-moralisch verwahrloste Mitbürger in getürkten Straßenumfragen der Gossensender für ein Paar Euros oder Flaschen Schnaps als »kleine Leute« vorgegebene Ausländerhetze ins Mikro grölen, so ist dies keine ungefährliche Korruption, denn am Ende der Kette stehen brennende Asylbewerberheime oder ermordete Schwarzafrikaner. Dass diese Art von »Gelegenheitskorruption« von unbescholtenen Bürgern mehrheitlich häufig noch heftiger abgelehnt wird als die Alltagskorruption in den Chefetagen der Gesellschaft, macht sie um keinen Deut ungefährlicher.

Korruption ist ein schleichendes Gift. Schon die Kids lernen, dass man dadurch mit halbseidenen oder illegalen Methoden eine Menge erreichen kann. Um abschreiben zu können, spendiert man dem Streber einen Hamburger oder geht sicherheitshalber für gute Noten gleich mit dem Lehrpersonal ins Bett.[691] Fliegt so etwas auf, dann wird es unter anderen Aspekten bestraft: Als Betrug oder Unzucht mit Abhängigen. Die Korruption fällt dabei meist unter den Tisch – sie ist ja auch »normal« in einer Tauschgesellschaft. Logischerweise zersetzt dies zunehmend unsere Grundwerte.

Der Grundsatz »Jeder hat seinen Preis« ist letztlich unvereinbar mit der Menschenwürde. Hinzu kommt der an der Wahlbeteiligung ablesbare Verlust des Vertrauens in die Politik. »Wenn ich hundert Millionen hätte«, wird sich so mancher Normalbürger nicht ganz zu Unrecht sagen, »dann würde ich die mir passenden Gesetze einfach kaufen.«

2. Der materielle Schaden für die Gesellschaft

Da bekanntlich »ohne Moos nichts los« ist, kommt dem rein materiellen durch Korruption angerichteten Schaden eine besondere Bedeutung zu. Ganz am Ende der Korruptionsskala ist Deutschland nach Ansicht der Bielefelder Kriminologie-Professorin Britta Bannenberg im internationalen Vergleich zwar noch nicht angelangt: »Erschossene Staatsanwälte gibt es bei uns noch nicht.« (Sondern nur tödlich verunglückte, siehe oben, könnte man zynisch ergänzen.) Allerdings droht auch für Bannenberg die deutsche Wirtschaft in Korruption zu versinken. »Bei neun von zehn Unternehmen werden Sie fündig, in mehr oder weniger großem Umfang.«

Und auch wenn eine halbwegs zuverlässige Berechnung des Korruptionsschaden so gut wie unmöglich ist – Stichwörter: Dunkelziffer, Vertuschung, Geheimhaltung, Zahlenfälschung –, so bietet die Summe von 350 Milliarden jährlich, die zum Beispiel Korruptionsfachmann Schaupensteiner allein für Deutschland nannte,[692] doch einen gewissen Anhaltspunkt.

Und am Herunterspielen interessierte, weil häufig in den korrupten Sumpf integrierte Kreise mögen Gegenrechnungen noch so oft »naiv« oder »demagogisch« nennen: Die Bürger stellen sich sehr wohl vor, was man mit den – ja keinesfalls vernichteten, sondern auf die (schwarzen) Konten der Korruptionsgemeinschaft von Reichen und Mächtigen sowie ihrer Parteien und Politiker umgeleiteten – Geldern alles hätte finanzieren können. Nicht Abbau, sondern Ausbau eines menschenwürdigen Sozialstaates müsste die Parole lauten.

»Staatsschulden sind zugleich auch privates Vermögen«, wie der Ökonomieprofessor Carl Christian von Weizsäcker im Juni 2010 sehr richtig feststellt. Sie »belaufen sich in Deutschland auf rund 10 Billionen Euro. Dem entsprechen private Vermögensbestandteile der Bürger in genau gleicher Höhe. Sie sind die Gläubiger des Staates.«[693] Im Klartext: Wenn Skandale wie die lächerlichen Spitzensätze bei Einkommens- und Erbschaftsteuer, das Fehlen einer Vermögensteuer, die Umorganisierung der Gewerbesteuer zu Lasten der Gemeinden, überflüssige Milliardensubventionen oder staatlich geduldete Preisabsprachen gewisser Großkonzerne durch Parteispenden oder Ähnliches erkauft sein sollten – man denke nur an die zahllosen gerichtsnotorischen Spendenaffären –, dann könnte eine wirksame Korruptionsbekämpfung tatsächlich aus dem armen einen reichen Staat machen.[694] Aus einer in eine rechtschaffene, aber verarmende Mehrheit und eine kleine raffsüchtige, gesellschaftlich völlig überflüssige Parasitenbande gespaltenen Gesellschaft könnte eine solidarische und menschenwürdige Gemeinschaft im Sinne des Grundgesetzes werden. Könnte. Eigentlich ...

3. Und was können wir tun?

Korruption kann früher oder später die Gesellschaft in ihren Grundfesten erschüttern. Markus Dietz malt den Teufel an die Wand: »Die Verteidigung ihrer durch Korruption oder anderweitig erworbenen Besitzstände gegen die um sich greifende Wohlstandminderung und den Zugriff durch schlechter ausgestattete Gesellschaftsmitglieder wird für die privilegierten Agenten zunehmend teuer, bis die Kosten der Aufrechterhaltung des politischen und gesellschaftlichen Status quo endlich prohibitiv hoch sind und es zum allgemeinen Einbruch oder Umsturz kommt.«[695] Wie aber kann der GAU verhindert werden? Naive Appelle oder Forderungen kann man genauso gut gegen Wände richten oder als Stoßgebet gen Himmel schicken, so viel dürfte mittlerweile klar sein. Das Verlangen nach mehr Steuerfahndern zum Beispiel ähnelt unter heutigen konkreten Machtverhältnissen den drei freien Wünschen an die gute Fee. Deshalb hat, wie in allen fast umfassend und durchgehend korrupten Systemen, auch bei uns letztlich das Volk den Schwarzen Peter. Schließlich geht von ihm, dem Volk, zumindest auf dem Papier des Grundgesetzes »alle Staatsgewalt« aus.

4. Die Schlüsselrolle der Medien

Es ist eine Banalität, an die man sich aber nicht oft genug erinnern kann: Buchstäblich *alles*, was wir mit eigenen Augen sehen oder hören und was uns Verwandte, Freunde oder Nachbarn berichten, stammt aus den Medien: Ein Hurrikan in Florida, ein Flugzeugabsturz in Afrika oder ein umgekippter Sack Reis in China – alles wissen wir nur aus den Medien. Die Macht der Information wurde im Vietnamkrieg deutlich, als mutige US-Reporter die bestialischen Greueltaten ihrer Landsleute den fassungslosen Bürgern zwischen Malibu und Manhattan per TV zum Abendbrot servierten. Von da an schlug die Stimmung in der Weltmacht um; dem Stolz auf vermeintliche »Freiheitskämpfer« wich die Scham über die feigen Mörderbanden: Die Medien hatten das schmachvolle Ende des US-Gemetzels in Vietnam eingeleitet.
Umgekehrt ist es natürlich verhängnisvoll, wenn gewisse Medien Nachrichten für ihre Hetzberichte zurechtbiegen. »Fernsehteam zahlte prügelnden Jugendlichen 200 Euro«, enthüllte *Spiegel Online* im April 2006. Wie der Redaktionsleiter der Sendung *ZDF. reporter*, Norbert Lehmann, kleinlaut gestand, hatten minderjährige Schüler die »Aufwandsentschädigung« für wilde Schlägerei-

en erhalten, die in der Sendung am 3. April als »zufällig eingefangen« ausgegeben wurden und die Verwahrlosung »der Jugend« in Hamburgs Stadtteil Mümmelmannsberg suggerierten.[696]

Der Schulleiter beschuldigte das ZDF, Schüler durch »finanzielle Anreize« erst zum inszenierten Krawall angestiftet zu haben. Eigentlich befreundete Schüler hätten die Szenen gestellt und »Opfer fürs Fernsehen« gespielt.[697] Die Medienleute waren hier aber nicht nur Bestechende, sondern auch Bestochene. Die Zuschauer bezahlen die Öffentlich-Rechtlichen nicht für frei erfundene Unterschichtenhetze; und der korrupte Lohn waren die so ergaunerten oder erhofften Einschaltquoten.

Dummerweise bietet sich gerade in diesem wichtigen gesellschaftlichen Bereich der korrupte Deal zu Lasten der Bürgerinformation geradezu an, denn eigennützige Politiker und Journalisten sitzen objektiv im selben Boot: Die einen brauchen Exklusivinformationen, die anderen eine gute Presse für ihre jeweilige Karriere. Nicht minder korrupt ist natürlich die Unterdrückung unangenehmer Nachrichten über die Inserenten oder gutdotierte Moderationen als Gegenleistung für die Einladung in Talkshows – auch wenn das Kavaliere, Komplizen und Kollegen natürlich nie so nennen würden.

So kassierten Anne Will, Maybrit Illner & Co. selbstverständlich keinen offiziellen Cent dafür, dass sie dem Industrie-Stoßtrupp Initiative Neue Soziale Marktwirtschaft (INSM) mindestens einen ständigen Sitz in ihrem Pseudopolitschnatterstall gewähren, sondern erhalten streng geheime Gagen für knochenharte Moderatorenarbeit bei Veranstaltungen ebendieser ehrenwerten Gesellschaft.[698]

Dass es auch anders geht, bewies im Januar 2012 die renommierte American Economic Association, 17 000 Mitglieder stark und Herausgeberin vieler bedeutender und die Politik beeinflussender wissenschaftlicher Zeitschriften. Hier darf künftig nur noch publizieren, wer die Geldgeber seiner Studien sowie sämtliche Einkünfte über 10 000 Dollar durch Stipendien und Beraterjobs der letzten drei Jahre, außerdem Posten und Titel bei NGOs, Think

Tanks oder Forschungsgremien offenlegt. Um mögliche Interessenkonflikte zu vermeiden, müssen sogar die Ehegatten etwaige Verstrickungen nennen. »Radikale Transparenz« nennt das die *Süddeutsche* zu Recht.[699]

Wäre auch bei uns ganz interessant, welchem »international anerkannten unabhängigen Wirtschaftsexperten« für seine Forderung nach Privatisierung ein Luxusschlitten und wem für »Runter mit dem Spitzensteuersatz« nur eine Karibikkreuzfahrt spendiert wurde. Fest steht: Solange dies nicht ans Tageslicht kommt, steht jeder dieser »Experten« zu Recht unter dem Generalverdacht der Käuflichkeit.

Nun sind unsere Medien natürlich längst nicht »gleichgeschaltet«. Es gibt sie ja nach wie vor, die mutigen und integren Aufklärer bei *Monitor* oder *Panorama*, *frontal 21* oder *plusminus*, *Süddeutsche* oder *Zeit*, *Spiegel* oder *Welt*. Nur wird Volkes Meinung eben hauptsächlich nicht von den Medien gemacht, von der Gossenjournaille schon gar nicht: Sonst hätte es nie einen Kanzler Willy Brandt oder Rot-Grün gegeben, Grüne und Linkspartei wären längst verboten und ihre Anführer in Stammheim verschwunden. Volkes Meinung wird – Überraschung! – vom Volk selbst gemacht: Im Job oder auf dem Arbeitsplatz, am Stammtisch oder im Wohnzimmer.

Deshalb ist jeder kritische Bürger geradezu moralisch dazu verpflichtet, seine Erkenntnisse auch und gerade über die Korruption der Reichen und Mächtigen unter die Leute zu tragen – auch wenn's kein Beraterhonorar dafür gibt.

5. Legalisierung der Bestechung?

Da sage noch einer, verbohrte US-Neokonservative hätten keinen Sinn für schwarzen Humor. So empfahl das Ökonomenehepaar Velma Montoya und Earl A. Thompson, korrupte Politiker bei Entlarvung nicht aus dem Amt zu entlassen, sondern ihnen – sozusagen als »Korruptionssteuer« – gemeinsam mit den Schmierfinken eine Geldbuße aufzubrummen.[700] Der Vorteil: Die Eliten der Gesellschaft und Vorbilder der Jugend könnten in Ruhe überlegen, wie viel ihnen der Kauf bzw. Verkauf politischer Entscheidung wert ist: Wie viel ist einem eine Exportgenehmigung für Streubomben oder HIV-infizierte Blutkonserven wert, wie viel der ungestrafte Verkauf von Gammelfleisch und Salmonellengeflügel oder die Rodung naturgeschützter Wälder für Golfplätze? Ganz im Sinne dieser Einordnung der Korruption als ganz normale – und faktisch legale – Wirtschaftsaktion wurde anno 2001 in der Debatte um die diversen Parteispendenskandale auch in der SPD-Spitze argumentiert, wobei die damalige Bundesschatzmeisterin Inge Wettig-Danielmeier sich vor allem um den Wohlstand der führenden Genossen sorgte. Geradezu inbrünstig appellierte sie an Volk und Vaterland, Extrastrafen für Politiker dürfe es auf gar keinen Fall geben und Mandatsverlust auch nur bei Aberkennung der bürgerlichen Ehrenrechte. Motto: Amtsträger Greif zweigt sich zwar fünf Prozent der Steuereinnahmen als persönliche Bearbeitungsgebühr ab, aber Finanzminister kann er trotzdem bleiben.

Als Strafe für verschleierte Parteifinanzen schlug sie doppelte Zahlungen an den Bundestagspräsidenten vor, was allerdings damals für nicht rechtmäßig ausgewiesene Parteispenden bereits galt.[701] Die Idee: Sollen doch die Parteien, also die ehrlichen Mitglieder mit ihren Beiträgen, für die korrupten Eskapaden ihrer Anführer bluten.

Hinzu kommt: Über die Höhe dieser »Korruptionssteuer« würden ja die Sünder selbst entscheiden und sich vermutlich ebenso schnell darüber einigen wie die Mineralölkonzerne über die Spritpreise.

Ebenso naiv wie sachlich zutreffend stellt Korruptionsforscher Markus Dietz dazu fest: »Bestechungsgeld zu legalisieren, es also zur Provision oder zum Trinkgeld umzudefinieren, ist unmöglich, wenn die Aktionen, die vom Agenten zu erwarten wären, gerade verhindert werden sollen.«[702]

Bedeutend pfiffiger und im Sinne der marktradikalen Logik ehrlicher erscheint da schon die Idee von Julia Bug in der »brachial-liberalen Zeitschrift« *(Süddeutsche[703]) Eigentümlich frei:* Legalisierung der aktiven Bestechung! Schließlich hätten ja zum Beispiel »die Verantwortlichen bei Siemens Geld abgezweigt, um Aufträge zu gewinnen. Sie haben also das getan, was jeder gute Angestellte macht, nämlich das Beste für das Unternehmen herauszuholen … Die Angestellten stehen im Vertragsverhältnis zu ihrem Arbeitgeber, und dem und nur dem haben sie mit ihren Maßnahmen gedient. Korrupt waren immer die anderen.«

Peinlich für die selbsternannten Rechtsstaatler: Bugs These stimmt! Und auch die Konsequenz hat etwas für sich: »Es ist naheliegend, dass auch Beamte nicht so dumm sein werden, sich in eine Situation zu begeben, in der sie täglich mit Anklage rechnen müssen und in der sie in totaler Abhängigkeit vom guten Willen eines anderen sind. Die Korruption würde also drastisch zurückgehen. Darum wird diese Idee nicht umgesetzt. Denn das Gesetz ist dazu geschaffen, Politiker und Beamte zu schützen, und ihnen ihre Pfründe zu sichern.«[704]

6. So geht's natürlich auch

Nun könnte man meinen, die Lösung liege in der Erhöhung der legalen Einkünfte unserer Volksvertreter. Motto: Was sie bislang durch mehr oder minder korrupte Nebentätigkeiten verdienen, spendiert ihnen der Steuerzahler.

> Geld macht nicht korrupt – kein Geld schon eher.
> *Dieter Hildebrandt*

Dies verkennt aber die alte germanische Volksweisheit: »Manche können den Hals nicht voll genug bekommen.« Und dies gilt besonders für jene erbärmlichen Würstchen und seelischen Krüppel, die sich auch vor sich selbst über nichts anderes definieren als über »Mein Konto, mein Landhaus, meine Jacht, meine Macht, meine Medienpräsenz, meine Frau«. Wobei diese Betrachtung nicht ganz unberechtigt ist: Ohne all dies, nur als reine Persönlichkeit, wären sie in ihren Kreisen bestenfalls eine geduldete Lachnummer, und die avisierten Intimpartner würden diese Figuren gratis nicht einmal mit der Kneifzange anfassen.

Kurzum: Mehr Geld für Politiker würde das Problem der Korruption nicht lösen, sondern eher verschärfen.

7. Mehr Überwachung wagen?

Korruptionsbekämpfung rechtfertigt selbstverständlich nicht das kollektive Ausspähen von Daten eigener Mitarbeiter, wie bei Siemens, Telekom und Deutscher Bahn geschehen.[705] Abgesehen davon, dass der unbefangene kritische Bürger sofort an das Sammeln »heikler Daten« zwecks Erpressung unliebsamer Mitarbeiter denkt und den verlogenen Ausreden nicht glaubt, schadet ein solches Vorgehen dem Ziel, da es Vorwände für all jene schafft, die eine wirkungsvolle Korruptionsbekämpfung verhindern wollen. Unter dem Deckmantel »Datenschutz« wird zum Beispiel hysterisch gegen den Erwerb von CDs mit den Daten hochgeachteter Steuerverbrecher als »Datenhehlerei« *(Spiegel*[706]*)* gewettert.

8. Transparenz und Öffentlichkeit

Kaum ein anderer Begriff verursacht bei kritischen Bürgern so viel Verwirrung und Illusionen wie das Zauberwort »Transparenz«. Eine Kabinettssitzung, in der nach dem Wahlsieg die Stümperclique die Kabinettsposten unter sich aufteilt. Ein Konzernchef, der auf dem Bahnhofs-WC dem Parteichef einen Geldkoffer – kleine Scheine, keine fortlaufenden Nummern! – aushändigt. Ein Umweltminister, der zum Treffen beim Chemievorstand mit dem Fahrrad kommt und im Ferrari wegfährt.

Und all das live und in Farbe im ZDF – so scheinen sich zuweilen selbst gewiefte Korruptionsjäger die Transparenz vorzustellen. Leider gibt's Leute, die etwas dagegen haben, ganz gewaltig sogar.

Freiheit der Information – sie lebe hoch!

Seit Jahr und Tag fordert TI Deutschland Informationsfreiheitsgesetze für Bund und Ländern, damit der Bürger staatliches Handeln besser nachvollziehen könne – nicht ganz ohne Erfolg: Mittlerweile haben sämtliche Länder bis auf die CDU-Hardliner Hessen, Niedersachsen und Sachsen ein solches Gesetz.[707]
Seit 1. Januar 2006 ist auch das sogenannte Informationsfreiheitsgesetz (IFG) des Bundes in Kraft, wonach eine behördliche Auskunft allerdings bis zu 500 Euro kostet.
Laut Innenministerium wurden bis 2010 durchschnittlich eintausendsechshundert Anträge pro Jahr gestellt, rund 60 Prozent erfolgreich, 21 Prozent vergeblich.[708]
»Das Vertrauen der Bürger in eine unparteiische, zur Gleichbehandlung aller Bürger und Interessen verpflichtete Verwaltung und Regierung ist angesichts von Beispielen erfolgreicher intransparenter Lobbytätigkeit zunehmend erschüttert«, stellt TI-Chefin Edda Müller zu Recht fest, aber dann tritt ihr Irrglaube an den Sieg des Guten über das Korrupte in unserer heutigen Gesellschaft zutage: »Wirksame Informationsrechte der Bürger können das notwendige Gegengewicht gegen das Ungleichgewicht von Interessen darstellen.«[709]
»Können«, ja – aber da gibt's ja zum Beispiel noch den Paragraphen 6 IFG: »Der Anspruch auf Informationszugang besteht nicht, soweit der Schutz geistigen Eigentums entgegensteht. Zugang zu Betriebs- oder Geschäftsgeheimnissen darf nur gewährt werden, soweit der Betroffene eingewilligt hat.« Und dies bedeutet erbarmungslosen Kampf der Reichen und Mächtigen »mit dem Urheberrecht gegen die Informationsfreiheit«.[710] Ist nämlich nicht auch die Schmiergeldübergabe an den korrupten Minister

ein »Betriebsgeheimnis?« Wenn zum Beispiel die schmierende Klitsche den Politiker bezahlt, indem sie dessen grenzdebilem Sprössling einen Doktortitel in Bayreuth kauft, könnte diese Methode ja von der Konkurrenz nachgeahmt werden. Dann aber wimmelte es nur so von grenzdebilen Bayreuther Doktoren, und der eigene Titel wäre kaum noch etwas wert.

Bringt also das Informationsfreiheitsgesetz dem Bürger mehr Informationen? Das nicht, aber hämmert ein Vorschlaghammer Vorschläge?

Wunderwaffe Korruptionsregister

Ebenso fordert Transparency ein zentrales Korruptionsregister mit namentlich aufgeführten Schwarzen Schafen, »bei denen im Einzelfall angesichts der Beweislage kein vernünftiger Zweifel an einer schwerwiegenden Verfehlung bleibt«. Im Klartext: öffentliche Vorverurteilung.[711] Dass diese Forderung, sosehr sie auch vielen empörten Zeitgenossen aus dem Herzen sprechen dürfte, entweder miserabel durchdacht oder nur als Antikorruptionspropaganda gedacht ist, liegt auf der Hand.

Zuallererst: Die Stärke eines Rechtsstaates ist ja gerade die oft so »lästige« Unschuldsvermutung – auch gegenüber scheinbar schon entlarvten Bösewichten. Zweitens: Da wir kein Unternehmensstrafrecht haben, kann kein deutsches Gericht einen Konzern für korrupt erklären. Schreibt man ihn trotzdem auf die Liste oder benachteiligt man ihn erklärtermaßen bei öffentlichen Aufträgen, so kann sich der Steuerzahler auf saftige Schadenersatzsummen gefasst machen. Schnoddrig gesagt: Eine solche Liste fordert man nicht vom Staat, sondern macht sie selbst, stellt sie über einen ausländischen Server anonym ins Netz und lässt sich nicht erwischen.

9. Strafe muss sein –
die volle Härte des Rechtsstaats

Tiefenpsychologisch animierte Schöngeister oder Mega-Philanthropen ordnen die Forderung nach härteren Strafen zuweilen einem – eingebildeten oder realen – rachsüchtigen Mob zu, der mit Verdächtigen »kurzen Prozess machen« oder sie »am nächsten Laternenpfahl aufhängen« wolle. Gleichfalls wird behauptet, dass härtere Strafen angeblich »nichts bringen«. Richtig ist, dass sie zur Resozialisierung irregeleiteter Jugendlicher häufig nicht nur nichts taugen, sondern manche Problemkids noch weiter aus »der Gesellschaft« ausgrenzen und für einige sogar noch einen zusätzlichen Kick im Sinne einer »coolen Mutprobe« darstellen oder sie erst zu Vollblutkriminellen erziehen. Ebenso wirkungslos sind höhere Strafen bei partiell Unzurechnungsfähigen, etwa bei der Beschaffungskriminalität Suchtkranker oder Affektdelikten, etwa aus Eifersucht, finanzieller Ausweglosigkeit oder pseudo-religiösem Wahn.

Hier aber geht es um Korruption, also um die Habgier von Leuten, denen es in der Regel »nicht schlecht« geht, die aber noch mehr an Einkommen, Macht und Ansehen haben wollen. Auch dies ist streng genommen eine Art therapiebedürftiger Wahn, aber: Mit Sicherheit würden viele Korruptionsprofis aus Politik und Wirtschaft sich ihre kriminellen Aktionen verkneifen, wenn das Risiko einer mehrjährigen Freiheitsstrafe und des finanziellen Ruins real im Raume stünde. Jede Wette, dass das sprichwörtliche Exempelstatuieren wahre Wunder bewirken würde: Schon ein, zwei Volksvertreter für zehn Jahre hinter Gitter und / oder bis auf den angeblich doch so menschenwürdigen Hartz-IV-Satz heruntergepfändet – und manch ein Handaufhalter würde sich seine Eskapaden zehnmal überlegen.

Aber auch dies bleibt natürlich Wunschdenken, solange entscheidende Teile der Justiz fester Bestandteil des gesellschaftsumfassenden korrupten Systems sind.

10. Ächtung – zurück ins Mittelalter?

Womöglich noch wichtiger als die juristische Strafe ist die Ächtung der Korruption und ihrer Akteure. Auch Ex-Oberstaatsanwalt Schaupensteiner sieht darin ein wirksames Mittel: »In einem gesellschaftlichen Klima, das die Korruption ächtet und nicht weiter als Kavaliersdelikt cleverer Manager begreift, trocknet der Schmiergeldsumpf aus.«[712]

Durchaus wirkungsvoll ist zum Beispiel der Boykott bestimmter Konzerne; man denke nur an derartige Aktionen im Jahre 1995 gegen das Versenken der Erdölplattform »Brent Spar« im Atlantik durch Shell. Nach über 25 Prozent Umsatzrückgang allein in Deutschland entsorgte der Ölmulti »Brent Spar« dann doch lieber an Land.[713] Ebenfalls Eindruck machten 2010 die 16 Prozent Umsatzeinbruch binnen vier Monaten auf die Führung der Drogeriekette Schlecker. Über eine Million Kunden hatten wegen der Schlecker-Hungerlöhne und anderer dubioser Geschäftsmethoden lieber woanders gekauft.

Offenbar, so folgert Wolfgang Twardawa von der Gesellschaft für Konsumforschung, bestrafen die »in diesen Fragen zunehmend kritischen Verbraucher … solche ethischen Fehltritte inzwischen nicht mehr nur durch zeitweilige Kaufzurückhaltung, sondern durch dauerhaften Vertrauensentzug.«[714]

Und was ist ein größerer »ethischer Fehltritt« als Korruption?

Auch bei der Vergabe öffentlicher Aufträge wären solche Kampagnen durchaus vorstellbar – und zwar unabhängig von irgendwelchen Korruptionsregistern. Nicht zu vergessen die persönliche Ächtung: Ist »der Doktor« Karl-Theodor zu Guttenberg nicht in die USA geflüchtet? Und dabei war er nur ein ganz gewöhnlicher mieser Betrüger, der kaum Schaden angerichtet hat. Wie würde das Volk wohl mit denen umgehen, die durch die erkaufte Genehmigung von illegalen Waffenexporten Mitschuld tragen am Tod und am Leid von Millionen Menschen? Nicht unbedingt die Medien, wohl aber die Meinungsbildung innerhalb der Bevölkerung selbst sollte es doch schaffen, korrupten Volksvertretern ein Image irgendwo zwischen Handtaschenräuber, Zuhälter und Kinderschänder zu verpassen: Wenn der Korrupte das Lokal betritt, zahlen die anderen und gehen. Wer ihm unterwegs entgegenkommt, wechselt die Straßenseite. Beim Bäcker sind die Brötchen »leider ausverkauft«, obwohl die Auslage von ihnen förmlich überquillt; und der Juwelier sagt unserem Korrupti schon zwanzig Minuten vor Ladenschluss, er habe jetzt Feierabend. Wenn dann auch noch Arzt, Friseur und Klempner keinen Termin mehr frei haben, wird der Käufliche bei Guttenbergs anrufen und um Hilfe bei der Wohnungssuche jenseits des Atlantiks bitten.

11. Summa summarum – die Schwarmintelligenz

In einer notwendigerweise zum Großteil auf Korruption beruhenden Gesellschaft bleibt der Kampf dagegen wie so vieles beim Volk selbst hängen. Gerade in den letzten Jahren haben sich bis dato ungeahnte Möglichkeiten und Aktivitäten virtueller und realer Art entwickelt. Mit der Politikerverdrossenheit, die sich in der desaströsen Wahlbeteiligung zeigt, steigt aber offenbar das politische Interesse und Engagement der Menschen. Ironisch könnte man sagen: »Wegen jedem Mist wird heute eine Bürgerinitiative gegründet«, und im Internet geht's nicht weniger tatendurstig zur Sache. Das Internetlexikon Wikipedia, als Gemeinschaftswerk von Millionen unbezahlter Mitarbeiter im Kapitalismus eigentlich für sich schon eine Sensation, ist heute schon so alltäglich wie Supermärkte oder Zeitungsläden. Das Enthüllungsportal *Guttenplag* schaffte das Unmögliche: die Vertreibung des angeblich beliebtesten deutschen Politikers. Wer bei *google* die Begriffe »Korruption« und »Deutschland« eingibt, erhält etwa vier Millionen Hinweise.

Wesentliche Bedingung und dringliche Aufgabe ist es, das Wissen um Korruption zum Bestandteil der »Allgemeinbildung« zu machen. Schon Sechzehnjährige sollten eine korrupte von einer integren Aktion so sicher unterscheiden können wie ein Stinktier von einer Gazelle.

Informierte, mutige Menschen, die notfalls ohne oder sogar gegen die häufig selbst infizierten staatlichen und politischen Institutionen gegen die allumfassende Korruption angehen – nur so kann der Kampf für eine integre, menschenwürdige Gesellschaft erfolgversprechend geführt werden.

»Mischen Sie sich nicht ein, das geht Sie nichts an.« Diese Floskel steht stets im Raum, wenn kritische und neugierige Bürger korruptionsverdächtigen Akteuren aus Politik und Wirtschaft auf die Finger schauen und notfalls klopfen wollen. Und das barsche »Störe meine Kreise nicht« des hellenischen Mathematikers Archimedes ist wahrscheinlich das einzige Zitat, das manch »humanistisch« gebildetes bestechliches Elitenmitglied vom altsprachlichen Schulunterricht in seine korrupte Gegenwart hinübergerettet hat.

Die Bürger sind gut beraten, das Gegenteil zu tun: sich einzumischen, wenn es nach Korruption stinkt, und die Kreise der korrupten Akteure so nachhaltig zu stören, dass sie Kreise nicht mehr von Quadraten unterscheiden können.

Danksagung

Mein herzliches Dankeschön für die ebenso befruchtende wie erbauliche Mitarbeit durch Diskussionen, Hinweise und Ratschläge gilt besonders Klaus Peter Kisker, Helge Meves, Gisela Müller-Plath, Wolf-Dieter Narr, Annie Roth, Ernst Röhl, Peter Saalmüller, Uwe Schummer sowie den Organisationen Transparency International und LobbyControl, den im Bundestag vertretenen Parteien, vor allem aber Karin. Ebenso gilt mein Dank den zahllosen kleinen und großen »sachdienlichen Hinweisen aus der Bevölkerung«, ohne die dieses Buch nicht dieses Buch geworden wäre. Auch künftig bin ich für Kritik und Anregungen sehr dankbar. Ernst genommen und beantwortet werden sie in jedem Fall.

Adresse: wieczo72@t-online.de

Literatur

ADAMEK, SASCHA / OTTO, KIM: *Der gekaufte Staat.* Kiepenheuer & Witsch, Köln 2009

ALEMANN, ULRICH VON: *Dimensionen politischer Korruption: Beiträge zum Stand der internationalen Forschung.* VS Verlag, Wiesbaden 2005

ALTVATER, ELMAR U. A.: *Privatisierung und Korruption.* Anders Verlag, Hamburg 2009

ARNIM, HANS HERBERT VON: *Das System.* München 2001

BECKER, MICHAELA: *Korruptionsbekämpfung im parlamentarischen Bereich.* Dissertation an der Universität Bonn 1998

BELLERS, JÜRGEN (Hrsg.): *Politische Korruption. Vergleichende Untersuchungen.* Münster 1989

BENZ, ARTHUR / SEIBEL, WOLFGANG (Hrsg.): *Zwischen Kooperation und Korruption.* Baden Baden 1992

BERG, HOLGER / BURGER, ANDREAS, THIELE, KAREN: *Umweltschädliche Subventionen in Deutschland.* Umweltbundesamt, Dessau-Roßlau 2008

BLÜM, NORBERT: *Gerechtigkeit.* Herder, Freiburg im Breisgau 2006

BOMMARIUS, CHRISTIAN: *Wir kriminellen Deutschen.* Siedler, München 2004.

BRÜNNER, CHRISTIAN (Hrsg.): *Korruption und Kontrolle.* Böhlau Verlag, Wien, Köln, Graz 1981

BURGER, ANDREAS / ECKERMANN, FRAUKE / SCHRODE, ALEXANDER / SCHWERMER, SYLVIA: *Umweltschädliche Subventionen in Deutschland.* Bundesumweltamt, Dresden-Roßlau 2010

DIETZ, MARKUS: *Korruption – eine institutionenökonomische Analyse.* Berlin Verlag, Berlin 1998

FISCHER, JENS M.: *Richard Wagners »Das Judentum in der Musik«.* Insel, Frankfurt am Main, 2000

GOETZ, JOHN / NEUMANN, CONNY / SCHRÖM, OLIVER: *Allein gegen Kohl, Kiep und Konsorten.* Ch. Links Verlag, Berlin 2000.

HERZOG, ROMAN / SCHOLZ, RUPERT / HERDEGEN, MATTHIAS / KLEIN, HANS / MAUNZ, THEODOR / DÜRING, GÜNTER: *Grundgesetz. Kommentar.* C. H. Beck, München 2011

HETZER, WOLFGANG: *Finanzmafia.* Westend Verlag, Frankfurt 2011

ISMAYR, WOLFGANG: *Der Deutsche Bundestag.* Leske+Budrich, Opladen 2000

KAEPPNER, MICHAEL: *Freier Wettbewerb und Korruption.* Diplomarbeit an der Georg-Simon-Ohm-Fachhochschule 2007. Diplomica Verlag, Hamburg 2007

KLEINE-BROCKHOFF, THOMAS / SCHIRRA, BRUNO: *Das System Leuna.* Rowohlt, Reinbek 2001

KLÖCKNER, MARCUS: *Machteliten und Elitenzirkel.* Vdm Verlag Dr. Müller, Saarbrücken 2007

LAMBRECHT, RUDOLF / MUELLER, MICHAEL: *Die Elefantenmacher.* Eichborn Verlag, Frankfurt am Main 2010

LEIF, THOMAS / SPETH, RUDOLF (Hrsg.): *Die fünfte Gewalt – Lobbyismus in Deutschland.* Bundeszentrale für politische Bildung, Bonn 2006

LEIF, THOMAS / SPETH, RUDOLF (Hrsg.): *Die stille Macht: Lobbyismus in Deutschland.* Westdeutscher Verlag, Wiesbaden 2004

LEINEMANN, JÜRGEN: *Höhenrausch. Die wirklichkeitsleere Welt der Politiker.* Blessing Verlag, München 2004

MARX, KARL: *Das Kapital. Erster Band.* Karl Marx / Friedrich Engels – Werke. Band 1. Dietz Verlag, Berlin (DDR) 1969

MÜLLER, ALBRECHT: *Die Reformlüge.* Droemer, München 2004

NEU, VIOLA: *Am Ende der Hoffnung: Die PDS im Westen.* Konrad Adenauer-Stiftung, St. Augustin 2000

PIETH, MARK / EIGEN PETER (Hrsg.): *Korruption im internationalen Geschäftsverkehr. Bestandsaufnahme, Bekämpfung, Prävention.* Luchterhand, Neuwied 1999

PRATT, JOHN W. / ZECKHÄUSER, RICHARDT J.: *Principals and Agents: The Structure of Business.* Harvard Business School Press, Boston 1985

RENNSTICH, KARL: *Korruption. Eine Herausforderung für Gesellschaft und Kirche.* Quell Verlag, Stuttgart 1990

ROSE-ACKERMAN, SUSAN: *Corruption and Government. Causes, Consequences, and Reform.* Cambridge University Press, 1999

ROSE-ACKERMAN, SUSAN: *Corruption. A study in political economy.* Academic Press, New York / San Francisco / London 1978

RÜGEMER, WERNER: *Wirtschaft ohne Korruption?* Fischer, Frankfurt / Main 1999

RÜGEMER, WERNER: *Colonia Corrupta: Globalisierung und Korruption im Schatten des Kölner Klüngels.* Westfälisches Dampfboot, Münster 2010

SCHAUPENSTEINER, WOLFGANG J.: »Korruption in Deutschland. Das Ende der Tabuisierung«, in: Pieth / Figen, S. 131–147

SCHWENKE, OLAF: *Hoffen lernen. Politik als Beruf. Eine Zwischenbilanz.* Radius-Verlag, Stuttgart 1985

SCHWYZER, CHRISTOPHE: *Isolierte, organisierte und systemische Korruption.* Bamberg 1998

STURM, ROLAND: *Politische Wirtschaftslehre.* Opladen 1995

SUCHANEK, ANDREAS: *Ökonomische Ethik.* Mohr Siebeck, Tübingen 2001

THOMPSON VELMA MONTOYA / THOMPSON EARL A. THOMPSON: »Achieving optimal fines for political bribery: A suggested political reform«, in: *Public Choice* 77 (4), Springer 1993, S. 773–791

TILLACK, HANS-MARTIN: *Die korrupte Republik.* Hoffmann und Campe, Hamburg 2009

WIECZOREK, THOMAS: *Das Koch-Buch.* Knaur, München 2005

WIECZOREK, THOMAS: *Die Dilettanten.* Knaur, München 2009

WIECZOREK, THOMAS: *Die geplünderte Republik.* Knaur, München 2010

WIECZOREK, THOMAS: *Die Profitgeier.* Knaur, München 2008

WIECZOREK, THOMAS: *Die verblödete Republik.* Knaur, Müchen 2009

WIECZOREK, THOMAS: *Schwarzbuch Beamte.* Knaur, München 2010

WIECZOREK, THOMAS: *Die Normalität der Politischen Korruption. Das Beispiel Leuna / Minol.* Dissertation an der Freien Universität Berlin 2002

WISNEWSKI, GERHARD: *Drahtzieher der Macht.* Knaur, München 2010

Anmerkungen

Vorab

1 Straftaten in Behörden verursachen Milliardenschäden«, in: *Focus Online* vom 9. November 2010

2 Kerstin Schwenn:»Staatsanwalt am Zug«, in: *faz.net* vom 14. Juli 2008.

3 »Dunkelziffer bei Korruption rund 95 Prozent«, in: *Berliner Zeitung Online,* vom 28. Juni 1999

4 Ebd.

5 http://www.tagesspiegel.de / wirtschaft / korruption-in-berliner-behoerden-mehr-faelle-als-im-durchschnitt / 3747060.html

6 »Deutschland verliert im Kampf gegen die Korruption«, in: *Welt Online* vom 26. 10. 2010

7 Transparency International: *Corruption Perceptions Index 2010* vom 25. Oktober 2010

8 Vgl.: Michael Kaeppner: *Freier Wettbewerb und Korruption.* Diplomarbeit an der Georg-Simon-Ohm-Fachhochschule 2007. Diplomica Verlag, Hamburg 2007

9 Karl Rennstich: *Korruption. Eine Herausforderung für Gesellschaft und Kirche.* Quell Verlag, Stuttgart 1990, S. 137 ff.

10 Ebd., S. 175 ff.

11 Werner Rügemer:»Über Korruption in der Kommune und den Nutzen der Privatisierung«. Vortrag auf der Attac-Veranstaltung *Korruption, Privatisierung und Demokratie* am 23. Oktober 2008 in Mainz

12 »Tödliche Korruption – Bayer in Japan«, in: *TI Deutschland* vom 27. April 2000

13 Sehr ausführlich in:»Das Zugunglück von Eschede«, Internetlexikon *Wikipedia*

14 Hans Jürgen Kühlwetter:»Der Prozess um den Unfall in Eschede«, in: *Eisenbahn-Revue International,* Heft 1 / 2003, S. 13 f.

15 Thomas Wieczorek: *Die Normalität der Politischen Korruption. Das Beispiel Leuna / Minol.* Dissertation an der Freien Universität Berlin 2002, S. 58

16 Seitdem durch § 4 Abs. 5 Satz 1.10 EStG verboten. Quelle:»Auslandsbestechung«, in: *Transparency International Deutschland* vom 26. September 2007.

17 Ebd. Seit dem 30. August 2002 gilt § 299 StGB ebenfalls sowohl für Bestechlichkeit bei deutschen Unternehmen im Ausland wie auch für Bestechung privater Unternehmen im Ausland durch deutsche Unternehmen.

18 »›Verpfeifen kommt zuletzt‹«, in: *Zeit Online* vom 22. November 2006

19 »Theoretisch« wäre korruptionsfreie Marktwirtschaft ja möglich, da sie keinerlei Werte schafft und somit ein »Nullsummenspiel« ist.

20 http://www.berlinkontor.de / 18. 02. 2004 / lkw-maut-skandal-kostet-e-65-milliarden-spediteure-wollen-rueckzahlung.html

21 »If the state has no authority to restrict export or license business, there is no opportunity for bribes. If a subsidy program is eliminated, the associated bribes will also disappear.« Susan Rose-Ackerman: »Redesigning the state of fight corruption, transparency, competition, and privatization«, in: *The World Bank: Viewpoint 75,* April 1996, S. 3

22 »Although drawing the line between market and democratic methods represents one of the fundamental, unresolved questions of normative theory, it does not follows that the existence of corruption necessarily implies that the government has overstepped itself ... even the ›minimal‹ state has a coercive police force whose agents will often have discretionary power.« Rose-Ackerman: Corruption. A study in political economy. Academic Press, New York / San Francisco / London 1978, S. 9

23 Das Originalzitat stammt allerdings zur Überraschung der Halbbildungsbürger vom Komödiendichter Plautus (ca. 250 v. Chr.–184 v. Chr.): *»lupus est homo homini, non homo, quom qualis sit non novit.« Ein Wolf ist der Mensch dem Menschen, nicht ein Mensch, wenn man sich nicht kennt.*
Quelle: Titus Maccius Plautus: *Asinaria,* 495. In: The Latin Library: *T. MACCIVS PLAVTVS*

24 Originaltext: » . . that during the time men live without a common Power to keep them all in awe, they are in that Condition which is called Warre; and such warre, as is of every man, against every man.« Thomas Hobbes: *Leviathan* (1651), Teil 1, Kapitel 13, S. 62. Nachzulesen in: Thomas Hobbes: *Leviathan, or The Matter, Forme, & Power of a Common-Wealth.* London, A. Crooke 1651, part. 1, chapter XIII, »Of the Natural Condition of Mankind as Concerning Their Felicity and Misery.« Internetausgabe: *Bartelby.com.* Deutsche Übersetzung: Thomas Hobbes: *Leviathan.* Reclam, Stuttgart 2010, S. 115

25 1883 führte er für Arbeiter die Krankenversicherung, 1884 die Unfallversicherung und 1889 die Rentenversicherung ein. Siehe dazu: »Die Anfänge der Deutschen Sozialversicherung«, in: *Deutsche Sozialversicherung*

26 Otto von Bismarck: *Gesammelte Werke* (Friedrichsruher Ausgabe) 1924 / 1935, Band 9, S. 195 / 196
Nachzulesen in: Bundesfinanzministerium: *Sozialversicherung*

27 Immanuel Kant: *Kritik der reinen Vernunft.* Band 1 und 2. Suhrkamp, Frankfurt am Main 1974

28 Andreas Anter (Hrsg.): *Die normative Kraft des Faktischen: das Staatsverständnis Georg Jellineks.* Nomos, Baden-Baden 2004; Georg Jellinek: *Die Erklärung der Menschen- und Bürgerrechte: ein Beitrag zur modernen Verfassungsgeschichte.* VDM, Saarbrücken 2006

29 Thomas Wieczorek 2002

30 Anthony Downs: *Ökonomische Theorie der Demokratie.* J. C. B. Mohr (Paul Siebeck), Tübingen 1968, S. 26

31 Ulrich Wickert: *Der Ehrliche ist der Dumme: Über den Verlust der Werte.* Hoffmann und Campe, Hamburg 2010

32 *50 Jahre Bundesrepublik Deutschland.* Dokumentation der Lugderusschule Heiden (Westmünsterland)

33 Gemeint sind ausdrücklich Trinkgelder, von denen man sich nichts verspricht. Vgl. Rose-Ackerman: *Corruption. A study ...,* a.a.O., S. 6 f.

34 »Deutschen ist Geld nicht so wichtig«, in: *PRENIO Online-Nachrichten* vom 9. November 2010

35 Andreas Suchanek: *Ökonomische Ethik.* Mohr Siebeck, Tübingen 2001, S. 144 f.

36 »Wollte auch Joseph Goebbels, dass seine Kinder starben ...?«, in: *Yahoo! Clever*

37 Steffen Fleßa: »Was kommt nach dem homo oeconomicus? Menschenbilder und
Steuerungsmodelle in der Sozialökonomik«, in: *Homo oeconomicus und Men-
schenbild der Diakonie*. Tagung des Theologischen Ausschusses der Diakonischen
Konferenz am 7. und 8. Mai 2004, Frankfurt am Main«, in: *Diakonie* 02/2004, S. 27

38 Norbert Blüm: *Gerechtigkeit*. Herder, Freiburg im Breisgau 2006, S. 92

39 »Ratingagentur zweifelt an Italiens Kreditwürdigkeit«, in: *Welt Online* vom 21. Mai
2011

40 Ratingagentur stuft Griechenlands Kreditwürdigkeit weiter herab«, in: *Spiegel Online* vom 13. Juni 2011

41 »Schuldenkrise: USA-Rating verdient auf A+ abgestuft«, in; *Wirtschaftsthemen*
vom 9. November 2010

42 »Chinas Rating-Agentur will die USA abstufen«, in: *Handelsblatt.com* vom 14. Juli
2011

43 »Moody's droht Amerika; Top-Rating ist stark gefährdet«, in: *abendblatt.de* vom
14. Juli 2011

44 »Jeder dritte Angestellte würde schmieren«, in: *Spiegel Online* vom 18. Mai 2011

45 »Ex-Buchhalter muss 10000 Euro zahlen«, in: *DerWesten* vom 9. Februar 2011

46 Armin Bernhard: »Biopiraterie in der Bildung«, in: *Die Gaste*, SAYI: 6/Mart-Nisan
2009

47 Jürgen Kluge: »Manifest zur Bildung« anlässlich des Kongresses *McKinsey bildet*
am 5./6. September 2002 in Berlin, in: *Psychologie in Erziehung und Unterricht*,
1/2003

48 Armin Bernhard, a.a.O.

49 Ausführungen von Kisker im Briefwechsel mit dem Autor

50 »SPD kritisiert ›Do ut des‹-Prinzip bei Westerwelles Auslandsreisen«, in *Xtranews*,
vom 22. März 2010.

51 Le Floch wurde 2003 zu fünf Jahren Haft verurteilt, weil er von 1989 bis 1993 für
die Abzweigung von 183 Millionen Euro für die Bestechung auch deutscher Politiker verantwortlich gewesen sei. Quelle: »Ex-Elf-Chef Loïk Le Floch-Prigent zu fünf
Jahren Haft verurteilt«, in: *News.at* vom 12. November 2003.

52 Bruno Schirra: »›Es ist Geld geflossen‹«, in: *Zeit Online* vom 24/2001

53 John W. Pratt/Richardt Zeckhäuser: *Principals and Agents: The Structure of Business*. Harvard Business School Press. Boston 1985, S. 2; und: Markus Dietz: *Korruption – eine institutionenökonomische Analyse*. Berlin Verlag 1998, S. 29–39

54 »Korruption: Ex-Bauplaner verurteilt«, in: *Tagesspiegel Online* vom 28. April 2011

55 Zwecks Stimmenfang im schwarzbraunen Sumpf hatte Rüttgers im NRW-Wahl-
kampf 2000 unter dem Schlachtruf *Kinder statt Inder* »in der Sprache des deutschen
Stammtisches *(Spiegel)* geblökt: »Statt sich um die Integration der hier lebenden
Ausländer zu kümmern, sollen jetzt noch Hindus hinzukommen«, und »Statt Inder
an die Computer müssen unsere Kinder an die Computer.« »Rüttgers verteidigt
verbalen Ausrutscher«, in: *Spiegel Online* vom 9. März 2000

56 »Rüttgers opfert seinen Generalsekretär«. In *Spiegel Online* vom 22. Februar 2010

57 »Grüne wollen Vorwürfe gegen Rüttgers im Landtag klären«, in: *Spiegel Online*
vom 22. Februar 2010

58 Krauths Behörde untersucht Korruptionsvorwürfe gegen VW und die Telekom (siehe unten). Quelle: »Bestechung geht auch ohne Geld«, in: *sueddeutsche.de* vom
16. Februar 2011

59 »Ben Vautier – Alles ist Kunst«, in: *virtuelles museum moderne nrw,* 2006

60 Am 8. April 2008 schloss die Gewerkschaft Transnet einen umstrittenen Einkommenstarifvertrag mit der Bahn (http://www.transnet-archiv.org / Gewerkschaftsarbeit / Tarifpolitik / Aktuelles), am 15. Mai wurde ihr Chef Norbert Hansen Arbeitsdirektor beim bisherigen Gegner Bahn.

61 Markus Dietz a. a. O., S. 43.

62 »Korruption – Schmiermittel für die Wirtschaft?!« in: *Compliance-Magazin.de* vom 13. Dezember 2007

Stets zu Diensten – die korrupte Leistung

63 Jacob van Klaveren: »Die historische Erscheinung der Korruption, in ihrem Zusammenhang mit der Staats- und Gesellschaftsstruktur betrachtet«, in: *Vierteljahreszeitschrift für Sozial- und Wirtschaftsgeschichte,* 44 / 1957, S. 289 ff.

64 Die Großen haben natürlich ganze andere Druckmittel. Sie drohen mit Verlust von Arbeitsplätzen, Produktionsverlagerung ins Ausland und notfalls mit dem Weltuntergang.

65 Seit 1. Januar 2011 gilt das Korruptionsregistergesetz.

66 NRW hat seit 1. März 2005 das Korruptionsbekämpfungsgesetz, das am 16. November 2010 geändert wurde.

67 BMWi: »Öffentliche Aufträge

68 Susan Rose-Ackerman: *Corruption and Government. Causes, Consequences, and Reform.* Cambridge University Press, 1999, S. 41 f.

69 Ebd.

70 Ebd.

71 »Wie läuft Bestechung / Korruption in den Kommunen und Landkreisen ab?«, in: Internetseite *Was im WMK verschwiegen wird*

72 Susan Rose-Ackerman: *Corruption,* a. a. O.

73 Hansmartin Bruckmann: »Ideenwerkstatt, Glaubenskriege, Kolloquien«, in: Turm-Forum Stuttgart 21 e. V. (Hrsg.) *Das Projekt Stuttgart 21. Begleitbuch zur Ausstellung im TurmForum Stuttgart 21,* S. 96–101

74 Umweltbundsamt (Hrsg): *Schienennetz 2025 / 2030.* Gutachten von Michael Holzhey, KCW GmbH, Berlin

75 »Baden-Württemberg vergab fragwürdigen Millionenauftrag«, in: *Spiegel Online* vom 14. August 2010

76 »Rechtssicherheit für Betrug, Korruption und Lobby?«, in: *NachDenkSeiten* vom 11. Oktober 2010.

77 »Mit der Lockerung steigt das Korruptionsrisiko«, in: *FR-Online* vom 13. Februar 2009

78 Hajo Pillich: »Korruptionsmöglichkeiten unter dem Schutz des Vergaberechts«, in: Deutscher Verband der Projektmanager in der Bau- und Immobilienwirtschaft, *DVP – Aktuell* 08 / 05

79 Stefan Berg, / Michael Fröhlingsdorf / Felix Kurz / Gunther Latsch / Cordula Meyer / Harald Schumann: »Im Reich der Träume«, in: *Der Spiegel,* Nr. 6 vom 2. Februar 2004, S. 62

80 Sabine Deckwerth: »Bordellbesuche und Eintrittskarten als Belohnung für Bauaufträge«, in: *Berliner Zeitung* vom 2. Oktober 2001, S. 23

81 Auf der Internetseite *ndp.de* heißt es: »Mit seiner Kernaussage ›Ich möchte nicht, daß wir zu Fremden im eigenen Land werden‹ vertritt Sarrazin eine jahrzehntealte,

lupenreine NPD-Position. Dem Bundesbank-Vorstand kommt das große Verdienst zu, die Überfremdungskritik der NPD endgültig salonfähig zu machen.« Quelle: »Thilo Sarrazin schreibt regelrechtes NPD-Buch«, in: *npd.de* vom 24, August 2010

82 »Sarrazin billigte freie Howoge-Aufträge«, in: *BZ-Berlin.de* vom 21. Mai 2011; und: »Sarrazin wusste alles – Junge-Reyer nichts«, in: *morgenpost.de* vom 20. Mai 2011

83 Stefan Alberti: »Auch SPD-Kritik an Sarrazin«, in: *tageszeitung,* Nr. 6773 vom 13. Juni 2002, S. 21.

84 »Sarrazin erhält 200 000 Euro weniger«, in: *Berliner Zeitung Online* vom 13. Juni 2002

85 Jürgen Bellers: »Einleitung«, in: Jürgen Bellers (Hrsg.): *Politische Korruption. Vergleichende Untersuchungen.* Lit, Münster 1989, S. 2

86 Siehe dazu; »Korruption in der EU-Kommission«, in: *Europa-Magazin* vom 1. Juli 2000

87 Ein Zusammenschluss der Software-Industrie zur Förderung freier Software

88 »EU will ohne Ausschreibung auf Windows 7 wechseln«, in: *WinFuture* vom 25. März 2011

89 »Neuer Arbeitsagentur-Chef gerät in Skandal-Strudel«, in: *Spiegel Online* vom 1. März 2004

90 »Innenrevision wittert Korruption«, in: *Spiegel Online* vom 26. Februar 2004

91 Ebd.

92 »Digitaler Funk revolutioniert Polizeiarbeit«, in: *wiwo.de* vom 19. Oktober 2005

93 »Baugewerbe zum Vergaberecht: Bundesregierung öffnet der Korruption Tür und Tor!«, in: *BAULINKS.DE-Bau-Nachrichten* vom 9. Mai 2005

94 »Millionen-Bestechungsgeld an Rossmann-Einkäufer«, dpa-Meldung vom 25. März 2011, in: *abendblatt.de*

95 Bernd Kiesewetter: »Korrupte Autoteile-Zulieferer in Bochum zu Millionen-Strafe verurteilt«, in: *DerWesten* vom 8. März 2011; Bernd Kiesewetter: »Schmiergeld-Prozess um BMW-Mitarbeiter am Landgericht Bochum wird frostig«, in: *DerWesten* vom 15. Februar 2011

96 »Ex-Einkäufer von BMW soll wegen Korruption lange ins Gefängnis«, in: *DerWesten* vom 27. Mai 2011

97 »Studienergebnis zeigt: Der Einkauf ist besonders anfällig für Korruption«, in: *Einkaufsmanager,* Verlag für die Deutsche Wirtschaft, Bonn 2011

98 »Einkäufer-Korruption«, in: *Detektive KOCKS.de*

99 »Haft im Mindener Klinikskandal«, in: *Neue Westfälische, nw-news.de* vom 14. Juli 2010

100 »Polizeiwagenaffäre – Verkauf von Polizei-Altwagen ohne Ausschreibung geplant«, in: *MDR Thüringen* vom 1. April 2011

101 »Ermittlungen um Lieferung von Polizeiautos«, in: *mdr.de* vom 18. März 2011

102 »Korruption: Ermittler untersuchen weitere NRW-Bauprojekte«, in: *Aachener Zeitung, az-web.de* vom 23. Februar 2011

103 »Schloss Kellenberg: Rechnungshof sieht Korruptionsverdacht«, dpa-Meldung vom 22. März 2011, in: *Aachener Nachrichten, an-online.de*

104 Rainer Woratschka: »Schweinegrippe – wer impft gegen Korruption«, in: *Tagesspiegel Online* vom 15. September 2009

105 »Finanzkonzerne stoßen massenhaft Griechen-Anleihen ab«, in: *Spiegel Online* vom 9. Juni 2011

106 »Wer die größten Griechen-Risiken trägt«, in: *Spiegel Online* vom 26. Juni 2011

107 »Finanzkonzerne stoßen ...«, a.a.O.

108 »Banken bleiben auf Griechenland-Anleihen sitzen«, in: *Spiegel Online* vom 17. Juni 2011

109 Stefan Kaiser »Wen die Griechen-Rettung reich macht«, in: *Spiegel Online* vom 1. Juli 2011

110 »Zehneinhalb Jahre Haft für Doerfert«, in: *Spiegel Online* vom 3. Juli 2001

111 »Manager des Bayerischen Roten Kreuzes müssen in Haft«, in: *Spiegel Online* vom 19. April 2000

112 Dinah Deckstein: »Bernie und die BayernLB«, in: *Spiegel Online* vom 25. Juli 2011; »Ecclestone räumt Millionen-Deal ein«, in: *BR-Online* vom 25. Juli 2011

113 »BayernLB lobt Gribkowskys Formel-1-Deal«, in: *Handelsblatt.com* vom 7. Dezember 2011

114 »Opposition will Kontrolleure in die Pflicht nehmen«, in: *BR-Online* vom 12. Juli 2011

115 »Freibrief für Huber und Faltlhauser«, in: *süddeutsche.de* vom 20. Dezember 2010

116 »BayernLB verklagt Ex-Manager auf Schadensersatz«, in: *Spiegel Online* vom 28. Juni 2011

117 »Rechnungshof moniert Vergabepraxis der Miniserien«, dpa-Meldung vom 31. März 2011, in: *Focus Online*

118 »Wer in Deutschland am ärmsten ist«, in: *Spiegel Online* vom 29. Oktober 2010

119 »Berater durften offenbar Verträge selber schreiben«, in: *Focus Money Online* vom 6. April 2011

120 »Berater kassieren bei Bankenrettung ab«, in: *stern.de* vom 6. April 2011

121 »Merz kassiert 5000 Euro am Tag«, in: *Spiegel Online* vom 12. April 2011

122 Ebd.

123 »Anwälte und Merkel verteidigen Minister-Beratung«, dpa-Meldung vom 22. August 2009, in: *Focus Online*

124 »Rot-Grüne Spendierhosen – Auftragsschwemme für Berater«, in: *Spiegel Online* vom 3. Januar 2004

125 »Tageshonorare 2008«, in: *Bundesverband Deutscher Unternehmensberater* (BDU)

126 »Die erfolgreichsten Management-Berater«, in: *CIO* vom 8. Juni 2011

127 »McKinsey&Company«, in: Internetlexikon *Wikipedia*

128 »McKinsey: Führende Position ausgebaut«, in: *McKinsey & Company*, Pressemitteilung vom 21. Januar 2011

129 Ebd.

130 Konrad Paul Liessmann, a.a.O., S. 106

131 Susanne Risch: »Vorsicht Falle«, in: *manager magazin* 4/1992, S. 246 f.

132 Reinhard Blomert: »Applaus auf dem Zauberberg«, in: *Berliner Zeitung* vom 2. April 2005

133 Franz Walter: »Neigt sich die Ära der Volksparteien ihrem Ende zu?«, in: *Martfelder Schlossgespräche*. Nr. 12

134 »Gelesen, gelacht ...«, a.a.O.

135 »Bachelor mit Soft Skills gesucht«, in *sueddeutsche.de* vom 14. März 2008

136 »Wozu braucht man noch Berater?«, in: *Spiegel Online* vom 27. Juli 2011

137 Werner Rügemer: »Über Korruption ...«, a.a.O.

138 Werner Rügemer: *Wirtschaft ohne Korruption?* Frankfurt am Main, S. 26

139 »Blackout durch menschliches Versagen«, in: *tagesschau.de* vom 15. November 2006

140 »Energiepreise: EU verhängt Milliardenstrafe gegen E.ON und GDF«, in: *Welt Online* vom 8. Juli 2009

141 »Aribert Peters bezichtigt deutsche Stromkonzerne der ›Ausplünderung‹«, in: *gasspion.de*

142 Elmar Altvater: »Globalisierung und Korruption«, in: *Privatisierung und Korruption*. Anders Verlag, Hamburg 2009

143 »›Die verkaufen noch den Grunewald‹«, in: *Der Spiegel* Nr. 6 vom 3. Februar 1986, S. 98

144 Albrecht Müller: »Verrentet & verkauft: Zerstörung der Solidarischen Altersversorgung.«, in: *Freitag*, Nr. 49 vom 9. Dezember 2005

145 Der Begriff »Wohlstandsmüll« wurde vom früheren Nestlé-Verwaltungsratschef Helmut Maucher erfunden und 1997 zum Unwort des Jahres gewählt. Quelle: »Wohlstandsmüll«, in: Internetlexikon *Wikipedia*

146 »Kapitalismus im Krankenhaus«, in: *stern.de* vom 19. Februar 2007

147 Ebd.

148 »Die Vermögensverteilung in Deutschland«, in: *CRP-Infotec* vom 12. Januar 2011

149 »Wurden die Klinken verschleudert?«, in: *Elmshorner Nachrichten, shz.de* vom 20. Mai 2011

150 Ebd.

151 »Kreistag macht den Weg frei«, in: *abendblatt.de* vom 16. Juli 2009

152 »750 000 Euro für die Uni Bayreuth«, in: *Tagesspiegel Online* vom 25. Februar 2011

153 »Beamter beriet Klinikkonzerne«, in: *Hamburger Abendblatt* vom 8. Januar 2004

154 »Privatisiertes Uni-Klinikum verdoppelt Gewinn«, in: *faz.net* vom 12. Februar 2009; »Klinik der Angst«, in: *Fr-Online* vom 8. Oktober 2008

155 »Klinik der Angst«, in: *Fr-Online* vom 8. Oktober 2008

156 »Ärzte-Fehler häufen sich«, in: *FR-Online* vom 28. Juli 2010

157 Markus Engelhardt »›Der Patient ist eine Ware‹«, in: *mittelhessen.de* vom 19. Juni 2010

158 »Kölner Klüngel«, in: Internetlexikon *Wikipedia*.

159 Ebd. Die Kölner SPD hatte zwischen 1994 und 1999 Großspenden von mehr als 480 000 Mark nicht, wie das Parteiengesetz vorschreibt, im Rechenschaftsbericht verzeichnet, sondern in unzählige angebliche Kleinspenden von Parteimitgliedern umgefälscht. Die Strafe: Das Doppelte der Summe der illegalen Spenden.

160 www.zeit.de / 2005 / 08 / Trienekens

161 Ebd. Laut Kölner Landgericht wurden durch die Schmiergeldzahlungen 20,4 Millionen Euro Schaden angerichtet. Da das Unternehmen Trienekens nachweislich elf Millionen Euro gezahlt hatte, gab es ein öffentliches Strafverfahren gegen einige Beteiligte, aus Gesundheitsgründen jedoch nicht gegen den plötzlich herzkranken Oberschmiermichel Hellmut Trienekens. Stattdessen erhielt er 2004 wegen 2,7 Millionen Euro Steuerhinterziehung zwei Jahre auf Bewährung – also praktisch nichts – und eine »Strafe« von zehn Millionen. Vgl.: »Helmut Trienekens«, in: Internetlexikon *Wikipedia*. Sein Bestechungsverfahren wurde im Jahr 2005 gegen Zahlung von 5 Millionen Euro Trinkgeld eingestellt.

162 »Imageschaden für Köln ist enorm«, in: *Kölner Stadtanzeiger, ksta.de*

164 »Sonderprüfung bei Oppenheim«, in: *Der Spiegel* Nr. 16 vom 11. April 2009

163 »Stadt Köln hätte Bau der Messehallen ausschreiben müssen«, in: *mittelbayerische. de* vom 29. Oktober 2009

165 Quellen, soweit nicht anders vermerkt: »Public procurement: Commission requests Germany to comply with Court judgement on the construction of trade fair halls in Cologne and to ensure fair access to waste disposal contracts in Hamm«, in: *Europa Press Releases RAPID* vom 3. Juni 2010; »Miete zu hoch?«, in: *wdr.de* vom 11. Januar 2011; »Teurer Klüngel um neue Hallen?«, in: *wdr.de* vom 11. Januar 2011

166 »Oppenheim-Esch und Middelhoff protestieren gegen Razzia«, in: *Handelsblatt. com* vom 8. Oktober 2010

167 Aktenzeichen: C-536/07

168 »Und bist Du nicht willig ... – EU-Kommission verschärft Ton gegenüber Deutschland«, in: *Vergabeblog* vom 7. Juni 2010

169 Lars Hering: »Streit um Kölner Messehallen ausgesetzt«, in: *wdr.de* vom 8. Mai 2011

170 Stadt Köln: »Wahl des Rates der Stadt Köln«

171 »Bietmann gibt alle Ämter auf«, in: *kstu.de* vom 29. Januar 2009; Wolfgang Hippe: *Lokaltermin. Kassen, Konten & Karrieren. Korruption und Modernisierung in der Kommunalpolitik.* Klartext-Verlagsgesellschaft, Essen 2004, S. 97 f.

172 Sebastian Sedlmayr: »GEBRAUCHSANWEISUNG: So kommen Sie in Köln groß raus«, in: *taz.de* vom 12. März 2002

173 »Kampf um den Müll«, in: *Der Spiegel* Nr. 9 vom 25. Februar 2005, S. 108

174 »Haftstrafe für Manager – Freispruch für Politiker«, in: *Spiegel Online* vom 13. Mai 2004

175 Oliver Jungen: »Die Chronik, von 1982 bis Februar 2002«, in: *Kölnmagazin Stadtrevue*

176 Eva-Maria Thoms: »Köln, wie es stinkt und kracht«, in: *Die Zeit* Nr. 21 vom 13. Mai 2004, S. 29

177 »Kampf um den Müll«, in: *Der Spiegel* Nr. 9 vom 25. Februar 2005, S. 108

178 Ebd.

179 Philipp Neumann: »Es geht nur ums Geld«, in: *Die Welt.de* vom 3. März 2006

180 »Tschechien kritisiert illegale deutsche Mülltransporte«, in: *Die Welt.de* vom 7. März 2006

181 Jörg Rüdiger: »Teilprivatisierung der Sonderabfallentsorgung – ein erfolgreiches Geschäftsmodell«. *bvse-Forum Sonderabfallentsorgung* am 27./28. Oktober 2004

182 Werner Rügemer: *Colonia Corrupta: Globalisierung und Korruption im Schatten des Kölner Klüngels.* Westfälisches Dampfboot, Münster 2010, S. 13 f.

183 »Kölsch, Klüngel, Katastrophe«, in: *faz.net* vom 26. März 2009

184 »Hinweis auf organisierten Betrug«, in: *sueddeutsche.de* vom 15. Februar 2010

185 »Das U-Bahn-Desaster trifft Köln ins Mark«, in: *Welt Online* vom 18. Februar 2010

186 »Immense Mängel beim U-Bahn-Bau«, in: *sueddeutsche.de* vom 11. Februar 2011

187 »Stadt Dresden verkauft sämtliche Wohnungen an einen Finanzinvestor«, in: *Wsws. org* vom 21. März 2006

188 »Privatisierung kommunaler Wohnungen – Weg aus der Schuldenfalle oder unsozial?«, in: *ver.di Dresden/Oberelbe* vom 17. März 2006

189 »SPD nicht länger Hauptgegner der Linken«, in: *Focus Online* vom 13. Juni 2009

190 »Immobilienverband: Wohnungsprivatisierung in Dresden war falsch«, in: *freiepresse.de* vom 28. März 2011

191 »Skandal um Sicherheit bei der S-Bahn«, in: *berlin-online* vom 1. Juli 2009

192 »S-Bahn Berlin feuert sämtliche Chefs«, in: *Zeit Online* 28/2009

193 Sebastian Christ: »Der ›Schlanke Staat‹ wird magersüchtig«, in: *stern.de* vom 21. Juli 2009

194 »Berlin versinkt im S-Bahn-Chaos«, in: *Handelsblatt.com* vom 3. Januar 2011

195 »Die toten Gleise vom Berlin«, in: *Tagesspiegel Online* vom 4. Januar 2011

196 »Berlin hat die Schnauze voll«, in: *bild.de* vom 5. Januar 2011

197 »Bahn darf 1700 Kilometer Schienen stilllegen – und trotzdem kassieren«, in: *Spiegel Online* vom 19. Mai 2008

198 »Berliner S-Bahn-Chaos kostet 700 Millionen«, in: *Spiegel Online* vom 10. Januar 2011

199 »Börsengang am Sankt-Nimmerleins-Tag«, in: *N24* vom 19. Januar 2011

200 Ebd.

201 *Fischer Chronik Deutschland 1949–1999*. Fischer, Frankfurt/Main 1999, S. 995

202 »Man lässt uns nicht sterben«, in: *Der Spiegel* Nr. 6 vom 4. Februar 1991, S. 112

203 Michael Jürgs: »Ein Land im Sonderangebot«, in: *Der Spiegel* Nr. 7 vom 10. Februar 1997, S. 118

204 »Großmutter Courage«, in: *Der Spiegel* Nr. 35 vom 28. August 2000. S. 82

205 Antwort der Bundesregierung auf Anfrage des Abgeordneten Dr. Fritz Schumann (Kroppenstedt) und der Liste der PDS/Die Linke. *Bundestagsdrucksache* 12/6664, von 24. Januar 1994

206 Michael Jürgs, a. a. O.

207 Ebd.

208 Ebd., S. 120

209 Treuhandanstalt (Hrsg.): *Dokumentation 1990–1994*, Band 13. Berlin 1994, S. 662

210 Ebd. S. 671

211 Otto Köhler: »Ablenkungsmanöver«, in: *Konkret* 9/1996, S. 58

212 Vgl. auch das SPD-Minderheitsvotum zum Abschlussbericht des Untersuchungsausschusses »Treuhand«, in: Treuhandanstalt, a. a. O., S. 483

213 Ebd. S. 666

214 Treuhandanstalt … Band. 14, S. 115

215 Ebd.

216 Treuhandanstalt … Band 13, S. 679

217 Ebd., S. 680

218 Hervorhebung von mir

219 Ebd., Hervorhebung von mir

220 Altmodisch für Unterschlagung

221 Otto Köhler, a. a. O.

222 Vgl. dessen begeisterte Zustimmung zu Friderichs und dessen Multifunktion: »Wo ist das Problem? Uns konnte doch gar nichts Besseres passieren.« Zitiert in: Roland Kirbach/Bruno Schirra: »Ein raffiniertes Geschäft«, in: *Zeit Online* vom 22. Dezember 1999

223 … Wo er – ganz im Stile eines Hans Friderichs – gleich nach Beendigung der Treuhand-Arbeit von Anfang 1995 – Ende 1999 Wirtschaftsminister war. Motto: »Wenn man nicht alles selber macht« oder »Sicher ist sicher«. Nicht zufällig warf ihm die PDS bei seiner Berufung vor, »der Vollstrecker der Treuhand-Plattmache« zu sein

(vgl. »Der Leuna-Verkäufer, der sich in Andeutungen ergeht: Klaus Schucht«, in: *Welt Online* vom 28. Dezember 1999

224 »Wie im Wilden Westen«, in: *Der Spiegel* Nr. 30 vom 24. Juli 2000, S. 102 f.

225 Treuhandanstalt … Band 14, S. 112

226 Ebd., S. 113

227 Ebd.

228 Die staatliche Handelsorganisation HO umfasste Warenhäuser und Tausende Einzelhandelsläden in der DDR.

229 »Ein Stück Kriminalgeschichte«, in: *Der Spiegel* Nr. 1/1991 vom 31. Dezember 1990, S. 62–66

230 Almut Nitzsche: »Birgit Breuel«, in: *FemBio*

231 »Breuel-Behörde guckt nicht auf die Mark«, in: *Berliner Zeitung Online* vom 5. März 1994

232 Vgl. »Schröder wertet Expo als großen Erfolg«, in: *Welt Online* vom 27. Oktober 2000

233 Treuhandanstalt … Band 13, S. 486

234 Ebd., S. 486

235 Ebd., S. 470–484

236 Treuhandanstalt … Band 14, S. 169

237 Ebd., S. 149

238 Ebd., S. 150

239 Treuhandanstalt … Band 13, S. 982

240 Zum Beispiel erhielt der ehemalige Treuhand-Mitarbeiter Zinsmeister für Liquidationen 6,8 Mio. DM Netto-Honorar. Zinsmeisters Qualifikation: »Sparkassenbetriebswirt« und kommissarischer Vorstand einer Sparkasse im Osten nach der Wende (Treuhand Bd. 13, S. 985)

241 Wie schon erwähnt, soll sich Tränkner selbst ein mit 1,2 Mio. DM veranschlagtes Treuhand-Grundstück zum halben Preis beschafft haben (vgl. »Unter der Hand verscherbelt«, *BZ* 21.05.1994)

242 Treuhandanstalt … Band 13, S. 984

243 Nebenbei bemerkt, ist es mehr als fraglich, ob »der Wähler« über bezeichnende Fakten wie den »Freibrief« oder das Ausmaß allein der gerichtlich verhandelten Fälle von Untreue und Korruption informiert war, geschweige denn dies alles achselzuckend gebilligt hätte.

244 »Nomura bietet mehr«, in: *Der Spiegel* Nr. 42 vom 16. Oktober 2000

245 Ehlerding-Spende floss auf Schwarzgeldkonto«, in: *Welt Online* vom 9. März 2001

246 »Ehlerding belastet Union«, in: *Der Spiegel* Nr. 36 vom 6. September 2010, S. 18; Siehe auch: Rudolf Lambrecht, Michael Mueller: *Die Elefantenmacher*. Eichborn Verlag, Frankfurt am Main 2010

247 Ewald B. Schulte: »SPD beantragt neue Prüfung der Ehlerding-Spende«, in: *Berliner Zeitung Online* vom 15. März 2001; Andreas Förster: »Neue Fragezeichen zur Ehlerding-Spende an die CDU«, in: *Berliner Zeitung Online* vom 30. März 2001

248 Albrecht Müller: *Die Reformlüge*. Droemer, München 2004, S. 253

249 Albrecht Müller: »Verrentet & verkauft«, a.a.O.

250 Ebd., S. 253

251 Marc Beise/Ulrich Schäfer: »Regierung will Versicherungen vor Pleite retten«, in: *sueddeutsche.de* vom 15. Oktober 2003

252 Ingo Blank / Dietrich Krauß; »Arm trotz Riester: Sparen fürs Sozialamt«, in: *Monitor* Nr. 571 vom 10. Januar 2008

253 »Riester-Rente absolut sinnvoll«, in: *Magazin für Soziales, Familie und Bildung* Nr. 06002 / 2008

254 Ebd.

255 Ebd.

256 »Die Riester-Rente rechnet sich doch«, in: *Welt Online* vom 11. Januar 2008

257 Ebd.

258 »Die Billionen-Bombe«, in: *Der Spiegel* Nr. 39 vom 25. September 2006, S. 92

259 »Teure Fahrt für freie Bürger«, in: *sueddeutsche.de* vom 16. Oktober 2005

260 »Von wegen Sozial-Klimbim«, in: *Handelsblatt.com* vom 16. Juli 2007

261 »29 Punkte: Kampf dem Bürokratismus«, in: *Focus Online* vom 12. Mai 2004

262 SPD will Spitzensteuersatz von 49 Prozent«, in: *Zeit Online* vom 28. August 2010

263 Ebd.

264 Rudolf Hickel: »Schonung von Erbschaften«, in: *neues-deutschland.de* vom 14. März 2008

265 de.answers.yahoo.com

266 Claus Hulverscheidt: »Was kann Kirchhoff?«, in: *sueddeutsche.de* vom 28. Juni 2011

267 »Schäuble will die Gewerbesteuer abschaffen«, in: *Welt Online* vom 15. Februar 2010

268 »Sozialausgaben der Kommunen auf Rekordhoch«, in: *Zeit Online* vom 22. März 2011

269 »Das stille Sterben der Städte«, in: *Zeit Online* vom 29. Dezember 2010

270 »Ausstieg mit Folgen für Gewerbesteuer«, in: *Welt Online* vom 11 Juli 2011

271 »Rösler stimmt Deutschland auf Kirchhoff-Kurs ein«, in: *sueddeutsche.de* vom 24. Juni 2011

272 »Jeder Dritte in Plötzensee sitzt wegen Schwarzfahrens«, in: *Tagesspiegel Online* vom 15. Dezember 2008

273 »22 Prozent mehr Schwarzfahrer verurteilt«, in: *Morgenpost Online* vom 30. August 2009

274 »Abkommen mit der Schweiz schützt Steuersünder«, in: *Spiegel Online* vom 13. August 2011

275 Subventionen in Deutschland auf Rekordhoch«, in: *Spiegel Online* vom 3. Juni 2010

276 »Skurrile Ausgabenliste«, in: *stern.de* vom 19. April 2011

277 Europäischer Rechnungshof: »Betriebsprämienregelung: Fragestellungen im Hinblick auf ein besseres Finanzmanagement«, in: *Sonderbericht* Nr. 5 / 2011, S. 22

278 Ebd., S. 46

279 Vergleiche dazu: »Agrarsubventionen – Liste deutscher Empfänger 2010«, in: *EurActiv* vom April 2011

280 »Wer noch Geld bekommen hat«, in: *Tagesspiegel Online* vom 17. Juni 2009

281 Sigrid Totz: »Verschwendung von Steuergeldern endlich im Detail bekannt«, in: *Greenpeace* vom 7. November 2007

282 »Abgeordnete erhielten 750 000 Euro an EU-Agrarsubventionen«, in: *abgeordneten watch.de* vom 28. April 2010

283 »Noten für Abgeordnete aus der Region«, in: *Mittelbayerische Zeitung,* Internetausgabe, vom 28. Juli 2011

284 Friedrich August von Hayek: *Der Weg zur Knechtschaft* …, a.a.O., S. 37

285 Werner Rügemer: »Brandstifter als Feuerwehr«, in: *junge Welt* vom 23. April 2009, S. 10

286 Ebd.

287 »Finanzmarktstabilisierungsfonds steht«, in: *Handelsblatt.com* vom 13. Oktober 2008

288 http://www.phoenix.de

289 www.tagesschau.de

290 Homepage der FMSA vom Juli 2011

291 Harald Schumann: »Ein Parlament entmachtet sich selbst«, in: *Zeit Online* vom 28. März 2009

292 »EU will Krisenbanken retten«, in: *Spiegel Online* vom 12. Juli 2011

293 »EU beschließt Multi-Milliarden-Stütze für den Euro«, in: *Spiegel Online* vom 10. Mai 2010

294 »750 Milliarden zum Schutz des Euro«, in: *faz.net* vom 10. Mai 2010

295 »EU verbürgt sich für ›systemrelevante‹ Banken«, in: *sueddeutsche.de* vom 7. Oktober 2008

296 »EU verbürgt sich …«, a. a. O.

297 Albrecht Müller: »Das Wort ›systemrelevant‹ steht vermutlich für die teuerste Irreführung«, in: *NachDenkSeiten* vom 10. Juni 2009

298 »Infineon hält sich für ›systemrelevant‹«, in: *Welt Online* vom 14. Mai 2009

299 »Seehofer: ›Auch die Bauern sind systemrelevant‹«, in: *merkur-online.de* vom 2. Juni 2009

300 Werner Rügemer: »Brandstifter als Feuerwehr«, in: *junge Welt* vom 23. April 2009, S. 10

301 »Drittes Land unterm Rettungsschirm: EU hilft Portugal mit 78 Milliarden Euro«, in: *stern.de* vom 16. Mai 2011

302 »EU-Gipfel: Einigung auf 700 Milliarden-Rettungsschirm«, in: *Die Presse.com* vom 25. März 2011

303 »Die Iren exportieren sich aus dem Rettungsschirm«, in: *Welt Online* vom 3. Juli 2011

304 »›Das System wird gesprengt‹«, in: *Spiegel Online* vom 27. Juni 2010

305 »Ifo-Chef sieht Renten wegen Euro-Rettung in Gefahr«, in: *Focus Money Online* vom 4. Juli 2011

306 Cerstin Gammelin / Martin Hesse: »Wie die Politik den Euro retten kann«, in: *sueddeutsche.de* vom 13. Juli 2011

307 Bill Clinton: »Von Japan und Deutschland lernen«, in: *Die Zeit* 47 / 1992, *Zeit Online* vom 13. November 1992

308 Bundesumweltamt: »Umweltschädliche Subventionen kosten 48 Milliarden Euro«. Presse-Information 032 / 2010, vom 4. Juni 2010

309 Im Jahr 2009 zum Beispiel 303 Milliarden, siehe http://www.bundesfinanzministerium.de / bundeshaushalt2010 / pdf / vsp_2.pdf

310 Andreas Burger / Frauke Eckermann / Alexander Schrode / Sylvia Schwermer: *Umweltschädliche Subventionen in Deutschland*, Bundesumweltamt, Dresden-Roßlau 2010

311 Ebd., S. 4

312 »Böser Betrug an Agenturen«, in: *Stuttgarter Zeitung*, Online-Ausgabe vom 11. Februar 2011

313 »Untreue und Bestechung: Ex-Mitarbeiter der Arbeitsagentur angeklagt«, in: *Saarbrücker Zeitung*, Online-Ausgabe vom 22. Juni 2011

314 Bund der Steuerzahler Deutschland: *38. Schwarzbuch des Bundes der Steuerzahler – Die Öffentliche Verschwendung 2010*. Berlin 2010, S. 15

315 Ebd., S. 15 f.

316 Ebd., S. 18

317 Siehe dazu: Jens M. Fischer: *Richard Wagners ›Das Judentum in der Musik‹*. Insel, Frankfurt am Main, 2000

318 »Geld verprassen in Bayreuth«, in: *sueddeutsche.de* vom 11. April 2011

319 Susan Rose-Ackerman: »Globale Wirtschaft und Korruption«, in: Mark Pieth / Peter Eigen (Hrsg.): *Korruption im internationalen Geschäftsverkehr. Bestandsaufnahme, Bekämpfung, Prävention*. Luchterhand, Neuwied 1999

320 »Hat der ehemalige SPD-Sprecher Bülent Çiftlik für eine Falschaussage Geld bezahlt?«, in: *Spiegel Online* vom 10. Juli 2011

321 »Karlheinz Schreiber zu acht Jahren Haft verurteilt«, in: *Spiegel Online* vom 5. Mai 2010

322 »Die Kronzeugin«, in: *Zeit Online* vom 29. Januar 2004

323 Ebd.

324 »Die Erben Walter Ulbrichts«, in: *Focus Online* vom 15. Juni 2011

325 Ebd.

326 »SPD gegen und doch für die ›Merkelsteuer‹« in: *Focus Online* vom 15. Juni 2011

327 »Barschel – ein ungeklärter Fall«, in: *Spiegel Online* vom 17. September 2007

328 »Koch hat in zahlreichen Fällen öffentlich gelogen«, in: Vorabmeldung zu: *Der Spiegel* Nr. 9 vom 26. Februar 2000

329 Dietmar Pieper: Geschichten aus der Grauzone«, in: *Der Spiegel* Nr. 9 vom 26. Februar 2000, S. 78

330 Hans Leyendecker: Zwischen Lüge und Wahrheit, in: *Süddeutsche Zeitung Online* vom 4. September 2000, S. 2

331 Thomas Kleine-Brockhoff: »Mehr als nur ›eine Dummheit‹«, in: *Die Zeit* Nr. 7 vom 10. Februar 2000, S. 4

332 Hugo Müller-Vogg: *Beim Wort genommen. Roland Koch im Gespräch mit Hugo Müller-Vogg*. Societäts-Verlag, Frankfurt am Main 2002, S. 9

333 Ebenda, S. 72

334 Ebenda, S. 74

335 Heribert Prantl: »Die Geheimwaffe der CDU«, in: *Süddeutsche Zeitung Magazin* vom 24. Januar 2003, S. 12

336 »BA unter Verdacht«, in: *n-tv.de* vom 9. Mai 2005

337 Bundesministerium der Finanzen: »Bekämpfung der Schwarzarbeit und der illegalen Beschäftigung«, in: *zoll.de* vom 5. April 2011

338 »Schattenwirtschaft: Schwarzarbeit nimmt ab«, in: *Zeit Online* vom 24. Januar 2011

339 »›Schöne Hilfe‹«, in: *wiwo.de* vom 16. Januar 2010

340 www.spiegel.de / wirtschaft / unternehmen

341 »Urteil gegen Ex-Siemens-Vorstand Feldmayer ist rechtskräftig«, in: *ad hoc news* vom 26.02.09; »Bayern wird zur Steuer-Oase«, in: *sueddeutsche.de* vom 4. März 2011

342 Ebd.

343 Aktenzeichen: XI B 193 / 06

344 »Schmiergelder sind steuerpflichtig«, in: *Handelsblatt.com* vom 4. Dezember 2007

345 »Prüfer muss ins Gefängnis«, in: *FR-Online* vom 3. März 2011

346 Aus »Aufforderung zum TÜV« (1978)

347 Klaus Ott / Nicolas Richter: »Wenn Vöglein zwitschern«, in: *sueddeutsche.de* vom 4. Juli 2010

348 »Deutsche Bank wurde vor Razzia gewarnt«, in: *Welt Online* vom 5. Juli 2010

349 »Nürnberger Justiz verschont korrupten Polizisten«. In: *Nürnberger Zeitung*, Internetausgabe, vom 28. Januar 2011

350 »Kommentar: Polizist blieb Prozess erspart«, in: *Nürnberger Zeitung*, Internetausgabe, vom 28. Januar 2011

351 »Polizisten sollen Hells Angels geholfen haben«, in: *Spiegel Online* vom 10. Dezember 2010; »Innenminister entlässt Präsidentin des Landeskriminalamtes, in: *faz.net* vom 15. Juni 2011

352 »›Bullen-Kalle‹ und andere Pillen-Polizisten vor Gericht, Prozess um Drogenaffäre bei der Berliner Schutzpolizei«, in: *Tagesspiegel Online* vom 22. Mai 2002; Kerstin Gehrke: »Drogen-Polizisten: Anderthalb Stunden für die Anklage«, in: *Tagesspiegel Online* vom 23. Mai 2002

353 »Mildes Urteil für Pillen-Polizisten«, in: *Tagesspiegel Online* vom 10. Juli 2002

354 »Korruption im Ausländeramt: Urteil ist rechtskräftig«, in: *Westdeutsche Zeitung, wz-newsline* vom 24. Februar 2011

355 »Firma ›Schlepp & Schmier‹« in *Focus Online* vom 23. Juli 2007

356 Walsers Roman *Tod eines Kritikers* (Suhrkamp, Frankfurt am Main 2002) brachte ihm unter anderem den Vorwurf des Antisemitismus ein (Vgl: »Tod eines Kritikers«, in: Internetlexikon *Wikipedia).*

357 Walser rechtfertigt Korruption durch deutsche Unternehmen«, in: *capital.de* vom 23. Juli 2007

358 »Der Staat bezahlt seine Rechnungen zu spät«, in: *Welt Online* vom 24. April 2009

Geld stinkt nicht (oder kaum) – der korrupte Lohn

359 Wolfgang J. Schaupensteiner: »Korruption in Deutschland. Das Ende der Tabuisierung«, in: Mark Pieth / Peter Eigen (Hrsg.): *Korruption im internationalen Geschäftsverkehr. Bestandsaufnahme, Bekämpfung, Prävention.* Luchterhand, Neuwied 1999, S. 131–147

360 Ebd., S. 137

361 Ebd.

362 »2004: 7610 Bestechungsfälle. So gehen Sie gegen Korruption im Einkauf vor«, in: *Ekatolog* 2004

363 Wolfgang Sielaff: »Präventionsmöglichkeit im Kampf gegen Korruption«, Referat auf der Festveranstaltung *Korruption in der Wirtschaft und in anderen wirtschaftsrelevanten Bereichen* von PRO HONORE am 3. Februar 2000

364 Henning Kraudzun: »Britzer Amtsdirektor wegen Vorteilsnahme verurteilt«, in: *Märkische Oderzeitung*, moz.de vom 3. Juni 2010

365 Erich Streissler: »Zum Zusammenhang zwischen Korruption und Wirtschaftsverfassung«, in: Christian Brünner (Hrsg.): *Korruption und Kontrolle.* Böhlau Verlag, Wien, Köln, Graz 1981, S. 300 ff.

366 H. Saner: »Formen der Korruption. Ein phänomenologischer Zugang«, in: *Widerspruch. Beiträge zur sozialistischen Politik*, Heft 10 / 1985, S. 49–57

367 Anthony Downs, a.a.O., S. 34

368 Ebd., S. 30

369 Ebd., S. 27

370 Adam Smith 1937, S. 14

371 Anthony Downs, a.a.O., S. 27

372 Daher können sich die Schöpfer nassforscher Begriffe wie »Abwickeln«, »Rückbau«, »Kollateralschaden«, Rentnerschwemme« oder »Freisetzung« keinesfalls auf Anthony Downs berufen, sondern bestenfalls auf die menschenverachtende Umdeutung seiner Theorie durch vorgebliche Epigonen.

373 Schumpeter 1942, auf dessen »tiefschürfende Analyse der Demokratie« sich auch ausdrücklich Downs bezieht: »Wir stehen sehr tief in seiner Schuld und empfinden ihm gegenüber große Dankbarkeit.« (Downs, S. 29)

374 Sturm, S. 27. Dahingestellt sei, ob diese »teilweise Rücknahme der Marktanalogien« einfach nur wirklichkeitsfremd sind oder das theoretische Fundament bilden z.B. für »eine Wahlkampfführung, die von Marktforschern, die ansonsten für Industrieprodukte werben, konzipiert und begleitet wird … inhaltliche Entleerung, eine Reduktion von programmatischen Positionen auf Symbole, Schlagwörter oder gar direkt Personen«; ebd. S. 28 f.

375 »Berufsverbot für Lokführer«, in: *Der Spiegel* Nr. 15 vom 5. April 1976, S. 18

376 Thomas Kleine-Brockhoff / Bruno Schirra: *Das System Leuna*. Rowohlt, Reinbek 2001, S. 51 f.

377 »Freundschaft ohne Einfluss«, in: *Spiegel Online* vom 31. Mai 2001

Politische Korruption – Korruption in der Politik

378 »Deutsche halten politische Parteien für käuflich«, in: *ARD-Morgenmagazin* vom 9.12.2010

379 Dieser Grundgedanke, ebenso wie der unten behandelte im Artikel 64, findet sich auch in allen Landesverfassungen.

380 Roman Herzog / Rubert Scholz / Matthais Herdegen / Hans Klein (Hrsg.): Theodor Maunz / Günter Düring: *Grundgesetz. Kommentar*. C.H. Beck, München 2011. Artikel 56, Randnummer 10. Ohne es an dieser Stelle zu vertiefen, sei darauf aufmerksam gemacht, dass Mauntz und Düring führende NS-Juristen waren (Näheres z.B. in *Wikipedia*). Mauntz knüpfte nach der Befreiung 1945 nahtlos an sein tiefbraunes Treiben an.»Deutschland verlor seinen größten Rechtsgelehrten‹, titelte die rechtsextremistische *Deutsche Nationalzeitung* und fuhr fort, ›Dr. Frey [der damalige NPD-Chef; T.W.] seinen wunderbaren Wegbegleiter.‹«, in: Otto Köhler: »Stumpf gegen rechts«, in: *der freitag* vom 4. Februar 2005

381 »Nur so dahingesagt«, in: *Spiegel Online* vom 30. Oktober 2000

382 Also auch der Wähler …

383 Roland Sturm: *Politische Wirtschaftslehre*. Opladen 1995, S. 66. Hervorhebung von mir.

384 »FDP vor Spendenaffäre?«, in: *N24* vom 17. Januar 2010

385 Dies ist übrigens exakt die neoliberale Vorstellung vom Staat der freiwillig mildtätigen Reichen bei möglichst null einklagbaren Rechten (Sozialhilfe etc.) für die anderen.

386 Vgl. Marx, Karl: *Das Kapital*. Erster Band. in: Karl Marx / Friedrich Engels – Werke. Band 1. Dietz Verlag, Berlin / DDR 1969, S. 618

387 Markus Dietz: *Korruption. Eine institutionenökonomische Analyse.* Berlin Verlag, Berlin, 1998, S. 66

388 Ebd., S. 22

389 »Die Anziehungskraft des Kanzlers«, in: *Focus Online* vom 18. März 2010

390 »Its major function must be to protect our freedom both from the enemies outside our gates and from our fellow-citizens: to preserve law and order, to enforce private contracts, to foster competitive markets.« Milton Friedman: *Capitalism and Freedom.* The University of Chicago Press, Chicago und London 1962, S. 2

391 Ulrike Herrmann: »Mein Kapital gehört mir«, in: *taz.de* vom 28. Januar 2011

392 Ausnahmen sind natürlich jene Betriebe, denen ein bestechender Konzern wegen der erkauften Vorteile neue Aufträge erteilen kann.

393 Hans Herbert von Arnim: *Das System.* München 2001. S. 20 f.

394 Ebd., S. 21

395 Ebd., S. 20

396 Ebd. S. 21. Hervorhebung: von Arnim.

397 Ebd.

398 Ebd.

399 Anthony Downs, a.a.O., S. 286

400 Vgl. Anthony Downs, a.a.O., S. 289

401 Christophe Schwyzer: *Isolierte, Organisierte und Systemische Korruption.* Bamberg 1998, S. 15

402 »Wahl des Oberbürgermeisters der Stadt Bischofswerda ungültig«, in: Pressemitteilung des Verwaltungsgerichts Dresden vom 9. September 2009

403 »Zehn Milliarden Euro für Wahlgeschenke«, in: *Berliner Zeitung Online* vom 17. Dezember 2009

404 »Diese zehn Versprechen hat die Regierung gebrochen«, in: *Welt Online* vom 11. Juni 2011

405 Ebd.

406 Eine Friseurin verdient pro Tag etwa 30 bis 50 Euro; ein Erbe von 36,5 Millionen kommt pro Gammeltag zwischen Pool und Puff nach Steuern auf über 7000 Euro.

407 »Merkel lehnt Kurskorrektur ab«, in: *Focus Online* vom 29. August 2006

408 »Wo die Steuergelder versickern«, in: *manager-magazin.de* vom 7. Juli 2004

409 Ebd.

410 »Stolpes tolle Kontakte«, in: *Focus Magazin* Nr. 9 vom 21. Februar 2004

411 Frank Dohmen / Dietmar Hawranek / Frank Hornig: »Eine Frage der Ehre«, in: *Der Spiegel* Nr. 5 vom 26. Januar 2004, S. 55

412 »Kurt Bodeweg«, in: Internetlexikon *Wikipedia*

413 Von der Tabaksteuer bis zur Abwrackprämie«, in: *sueddeutsche.de*

414 »Gesetz über den Eid der Reichsminister und der Mitglieder der Landesregierungen vom 16. Oktober 1934. Die Reichsregierung hat das folgende Gesetz beschlossen, das hiermit verkündet wird:

§ 1. § 3 Abs. 1 des Gesetzes über die Rechtsverhältnisse des Reichskanzlers und der Reichsminister (Reichsministergesetz) vom 27. März 1930 (RGBl. I. S. 96) in der Fassung des Gesetzes vom 17. Oktober 1933 (RGBl. I. S. 741) erhält folgende Fassung:»Ich schwöre: Ich werde dem Führer des Deutschen Reiches und Volkes Adolf Hitler treu und gehorsam sein, meine Kraft für das Wohl des deutschen Volkes einsetzen, die Gesetze wahren, die mir obliegenden Pflichten gewissenhaft erfüllen und meine Geschäfte unparteiisch und gerecht gegen jedermann führen, so wahr mir Gott helfe.«

§ 2. Die Mitglieder der Landesregierungen, soweit sie nicht gleichzeitig Reichsminister sind, leisten bei Übernahme ihres Amtes vor dem Reichsstatthalter, in Preußen vor dem Führer und Reichskanzler denselben Eid.

§ 3. Die im Dienst befindlichen Reichsminister, Reichsstatthalter und Mitglieder der Landesregierungen sind unverzüglich gemäß § 1 zu vereidigen.«
Nachzulesen in: Internetseite verfassungen.de

415 »Riesen-Mehrheit will Urwahl des SPD-Kanzlerkandidaten«, in: *Spiegel Online* vom 23. März 2008

416 Die Parteispitze setzt ihre Beschlüsse Ebene für Ebene von oben nach unten durch.

417 »Die Sozialdemokratie ist in Anti-Beck-Stimmung«, in: *Welt Online* vom 28. März 2008

418 CDU: »Urwahl umstritten«, dpa-Meldung vom 11. Juni 2000, in: *rp-online*

419 »Falsches Signal«, in: *Der Spiegel* Nr. 49 vom 1. Dezember 1968, S. 56

420 Zeile aus dem »*Lied der Partei*«, der SED-Hymne der Stalin-Ära. Der Refrain lautet:
Die Partei, die Partei, die hat immer recht!
Und, Genossen, es bleibe dabei;
Denn wer kämpft für das Recht, der hat immer recht.
Gegen Lüge und Ausbeuterei.
Der das Leben beleidigt, ist dumm oder schlecht.
Wer die Menschheit verteidigt, hat immer recht.
So, aus Leninschem Geist, wächst, von Stalin geschweißt,
Die Partei – die Partei – die Partei.
(Text und Musik: Louis Fürnberg, 1950)

421 Zitiert nach dem wörtlichen Protokoll, in: Internetseite *artikel38.de*

422 »›Rassistisch, elitär und herabwürdigend‹«, in: *sueddeutsche.de* vom 8. Januar 2010

423 Stellvertretend für Dutzende hochrangiger integrer Wissenschaftler sei ein Professor für Internationales Recht an der Universität von Alabama genannt: Daniel H. Joyner: »The Kosovo Intervention: Legal Analysis and a More Persuasive Paradigm.« In: *European Journal of International Law 13*, Nr. 3, 2002, S. 597

424 Vgl. dazu: »Kosovokrieg«, in: Internetlexikon *Wikipedia*

425 Ebd.

426 Günter Tondorf (Hrsg.): *Staatsdienst und Ethik: Korruption in Deutschland*. Nomos, Baden-Baden 1995, S. 55. Rüther beschreibt zwar das Problem eines Kommunalpolitikers; seine These kann aber als allgemeingültig diskutiert werden.

427 Ebd., S. 56

428 Ebd.

429 Ebd.

430 Ebd.

431 Ebd.

432 Ebd.

433 Er besteht aus den Landesjustizministern und sechzehn vom Bundestag gewählten Personen

434 Aktenzeichen: 2 StR 557/05

435 »BGH hebt Urteil im Kölner Müllskandal auf«, in: *wiwo.de* vom 12. Juli 2006

436 Vgl. dazu: »Norbert Rüther«, in: Internetlexikon *Wikipedia*

437 Karl Marx: *Wahlkorruption in England.* Karl Marx/Friedrich Engels – Werke. Band 13. Dietz Verlag, Berlin/DDR 1975. S. 527

438 Wolfgang Ismayr: *Der Deutsche Bundestag.* Leske+Budrich, Opladen 2000, S. 137f.

439 Olaf Schwenke: *Hoffen lernen. Politik als Beruf. Eine Zwischenbilanz.* Radius-Verlag, Stuttgart 1985, S. 35

440 Montesquieu: *Vom Geist der Gesetze.* Reclam, Stuttgart, S, 179

Lobbyismus

441 Thomas Wieczorek: *Die geplünderte Republik.* Knaur, München 2011, S. 202

442 S. Bolzen/Ch. B. Schiltz: »Korruptes Brüssel – Politiker ändern Gesetze für Geld«, in: *Welt Online* vom 21. März 2011

443 Ebd.

444 »euroactiv: EU-Parlament verweigert Korruptionsbekämpfern Zutritt«, in: Internetseite des unabhängigen EU-Abgeordneten Martin Ehrenhauser vom 28. März 2011

445 »Abkühlphase nötig – ALTER-EU protestiert gegen weitere Seitenwechsel von Ex-EU-Kommissaren«, in: *LobbyControl* vom 18. Mai 2010

446 Ebd.

447 »Die Hauptstadtflüsterer«, in: *Spiegel Online* vom 2. September 2010

448 »Die Macht der Lobby – eine interaktive Führung«, Homepage von Lisa Paus vom 15. Mai

449 *Öffentliche Liste über die beim Bundestag registrierten Verbände und deren Vertreter.* Aktualisierte Liste vom 15. Juli 2011

450 Quelle: »Lobbyregister in Deutschland«, in: Internetlexikon *Lobbypedia*

451 Claudia Heine: »Im Nebel des Lobbyismus«, in: *Das Parlament* Nr. 28–30 vom 1. Juli 2011

452 »›Der Interessenkonflikt ist vorprogrammiert‹«, in: *foodwatch* vom 4. Juli 2011

453 »Schwache Lobbyistendebatte im Bundestag«, in: *LobbyControl* vom 18. Mai 2011

454 Ebd.

455 »Bundestag sperrt Lobbyisten aus Reichstag aus«, in: *Welt Online* vom 25. Mai 2011. URL: http://www.welt.de/politik/deutschland/article13401091/Bundestag-sperrt-Lobbyisten-aus-Reichstag-aus.html

456 Peter Thelen: Bahr weist Pharmalobby vor die Tür«, in: *Handelsbatt.com,* vom 14. Juli 2011

457 »Ihr bösen Lobbyisten, Ihr guten Lobbyisten«, in: *LobbyControl* vom 21. Juli 2011

458 »Rogowski legen nach«, in: *Spiegel Online* vom 19. Juli 2006

459 »Röttgen soll Göhner als Beispiel dienen«, in: *Spiegel Online* vom 23. Juli 2006

460 »Reinhard Göhner«, in: Internetlexikon *Wikipedia*

461 »Röttgen soll Göhner …«, a.a.O.

462 »›Eine unmögliche Situation‹«, in: *stern.de* vom 25. Juli 2006

463 »Er stimmte mit Ja und war gar nicht da«, in: *bild.de* vom 25. Mai 2006

464 »Gelder zweckentfremdet?«, in: *Spiegel Online* vom 26. November 2007

465 »Lobbyist Hoff bleibt Abgeordneter«, in: *FR-Online* vom 27. Januar 2011

466 »Mit Hoff gegen die Wand«, in: *FR-Online* vom 30. Januar 2010

467 »Hoff will Mandat nun doch niederlegen«, in: *faz.net* vom 30. Januar 2011

468 »CDU-Politiker wird neuer Cheflobbyist«, in: *manager-magazin.de* vom 26. Januar 2010

469 Internetseite des Bundestages

470 »FDP – Fundraising-Dinner-Partei«, in: *sueddeutsche.de* vom 24. März 2010. Früher verstand man unter *Fundraising* »alle Aktivitäten der Mittelbeschaffung für Non-Profit-Organisationen«, heute bezieht man es auf alle Unternehmen, vor allem auf »die Akquisition staatlicher Zuwendungen« und »Gegenleistungen wie Sponsoring, Merchandising«. Quelle: »Fundraising«, in: Internetlexikon *Wikipedia*

471 Karlhans Liebl: »Das Ausmaß der Korruption in der öffentlichen Verwaltung«, in: Arthur Benz / Wolfgang Benz (Hrsg.): *Zwischen Kooperation und Korruption*. Baden-Baden 1992, S. 283–294

472 Thorsten Denkler: »Der Familienminister auf Reisen«, in: *sueddeutsche.de* vom 11. März 2010

473 »Gut vernetzt ist halb gewonnen«, in: Homepage der *TellSell Consulting GmbH*

474 »Vermögensberater-Tag 2010«, in: *youtube.com*

475 »Außenminister hielt Vortrag bei FDP-Großspender«, *abgeordnetenwatch.de* vom 26. November 2010

476 »Amtsmissbrauch? Guido Westerwelle: Minister unter Freunden«, in: *Hamburger Abendblatt* vom 12. März 2010

477 Die *Welt*-Gruppe umfasst *Welt, Welt am Sonntag, Welt online* und *Welt Kompakt.*

478 »Streithähne und Störenfriede«, in: *journalist* 12 / 2009, S. 25

479 Wolfgang Ismayr, a. a. O., S. 167

480 »Urteil des Zweiten Senats vom 13. Juni 1989 aufgrund der mündlichen Verhandlung vom 21. Februar 1989 – 2 BvE 1 / 88 –«, in: *Entscheidungen des Bundesverfassungsgerichts: Bd 80.* Mohr Siebeck, Tübingen 1990, S. 221

481 Wolfgang Ismayer, a. a. O., S. 173

482 »Reformen werden von den Bürgern nicht akzeptiert – Schuld sind Medien«, in: *Kess-Weblog* vom 26. Oktober 2006

483 Manfred Schäfers: »Rechnungshof warnt vor Lobbyisten«, in: *faz.net* vom 4. April 2008

484 Es sei hier nur kurz daran erinnert, dass unter Kanzler Schröder – also nicht etwa unter Schwarz-Gelb – u. a. die »Heuschrecken«-Invasion erlaubt, der Spitzensteuersatz von 53 auf 43 Prozent gesenkt, die völkerrechtswidrige Jugoslawien-Invasion durchgeführt und die Hartz-Gesetze (»Armut per Gesetz«) eingeführt wurden.

485 Die Bundesregierung: »Seitenwechsel – Schreibtisch tauschen«, in: *e.conomy* Nr. 37 – 08 / 2006. Siehe auch: Sascha Adamek / Kim Otto: *Der gekaufte Staat.* Kiepenheuer & Witsch, Köln 2009, S. 11

486 »Lobbyisten nach Branchen«, in: Homepage von *LobbyControl*

487 »Lobbyistin ebnete Hedgefonds den Weg«, in: *stern.de* vom 4. April 2008; »Bundesverband Investment und Asset Management (BVI)«, in: Internetseite von *LobbyControl*

488 Homepage der Bundesregierung

489 »Beschäftigung von Lobbyisten im Bundesministerium für wirtschaftliche Zusammenarbeit und Entwicklung, in: Deutscher Bundestag, Drucksache 17 / 6216, 17. Wahlperiode, vom 10. Juni 2011

490 Näheres zu dem Fall in: »Günter Guillaume«, Internetlexikon *Wikipedia*

491 John Goetz, Conny Neumann, Oliver Schröm: *Allein gegen Kohl, Kiep und Konsorten.* Ch. Links Verlag, Berlin 2000, S. 120

492 »Experten schließen Mordanschlag auf Staatsanwalt aus«, in: *Welt Online* vom 27. Juni 2001

493 Otto Graf Lambsdorff: »Ein Leben für die Marktwirtschaft«, in: *Spiegel-Online* vom 6. Dezember 2009

494 Otto Langels: »Die ›fünfte Gewalt‹. Eine kurze Geschichte des Lobbyismus in Deutschland«, in: *Deutschlandradio Kultur,* 9. Dezember 2009

495 »Allein im Regen«, in: *Der Spiegel* Nr. 51 vom 14. Dezember 1987, S. 28

496 Vergleiche die gute Zusammenfassung in *Wikipedia,* Stichwort »Ludwig-Holger Pfahls«. Markus Dettmer: »220 Millionen für die Berater«, in: *Der Spiegel* Nr. 46 vom 15. November 1999, S. 44–59

497 *Berliner Zeitung Online* vom 25. April 2011

498 Sebastian Fischer: »Der tödliche Exportschlager«, in: *Spiegel Online* vom 4. Juli 2011

499 Guido Steinberg: »Fragwürdiges Geschäft«, in: *sueddeutsche.de* vom 10. Juli 2011

500 »Panzer-Deal: Grüne erstatten Strafanzeige«, in: *heute.de* vom 7. Juli 2011; »Opposition vermutet Schmiergeldzahlungen«, in: *augsburger-allgemeine.de* vom 7. Juli 2011

Stimmt so – die Wirtschaft lässt sich nicht lumpen

501 »Situation in der Landschaftspflege ist ein Trauerspiel«. Gemeinsame Pressemitteilung von BUND, LNV und NABU vom 28. Juli 2009

502 »Flick-Affäre«, in: Internetlexikon *Wikipedia*

503 »Der Schaden für Deutschland steht noch bevor«, in: *Spiegel Online* vom 14. Januar 2000

504 Deutscher Bundestag, 14. Wahlperiode: *Beschlussempfehlung und Bericht des 1. Untersuchungsausschusses nach Artikel 44 des Grundgesetzes,* in: Drucksache 14/9300 vom 13. Juni 2002, S. 524 f.

505 Ebd. S. 522

506 Hans-Martin Tillack: *Die korrupte Republik.* Hoffmann und Campe, Hamburg 2009, S. 43

507 »Odenwald Korruption: Bußgeld gegen Ruhr«, in: *Odenwald.Wochenschau.TV* vom 7. April 2011

508 »Ratsherren gekauft«, in: *Focus Online* vom 23. Januar 2006

509 »›Verfilzt und zugenäht‹«, in: *NGO-Online* vom 23. Januar 2006

510 »Spitzenpolitiker ließen sich in Luxushotel einladen«, in: *Spiegel Online* vom 2. April 2011

511 »EU-Kommission lehnt Entwurf zum Glücksspielstaatsvertrag ab«, in: *PokerStrategy. com* vom 21. Juni 2011

512 Wegen der Affäre trat Gregor Gysi (PDS) als Berliner Wirtschaftssenator zurück und tauchte der heutige Grünen-Chef Cem Özdemir ins Europa-Parlament ab. Grünen-Fraktionschef und Porschefahrer Rezzo Schlauch (Grüne), der sich auf Steuerzahlers Kosten einen Siebentausend-Euro-Flug nach Thailand (!) genehmigt hatte, dachte nicht an Rücktritt, sondern zahlte die strittige Summe aus irgendwelchen Kassen locker nach und wurde im Oktober Staatssekretär von seinesgleichen, nämlich bei Wirtschaftsminister Wolfgang Clement. Siehe dazu: »Bonusmeilen-Affäre«, in: Internetlexikon *Wikipedia,* und: »Joschka Fischer ist bitter enttäuscht von Rezzo Schlauch«, in: *morgenpost.de* vom 2. Juni 2002

513 »Regierung ließ sich mit 93 Millionen Euro sponsern«, in: *Spiegel Online* vom 7. Juli 2011

514 Bundesministerium des Innern: »Dritter Bericht des BMI über die Sponsoringleistungen an die Bundesverwaltung vom 14. Mai 2009. Berichtszeitraum: 1. Januar 2007 bis 31. Dezember 2008. Az.: BMI O 4 013 103 / 5

515 Michael H. Wiehen: »Die OECD-Konvention zur Bestechung ausländischer Amtsträger und die Bundesrepublik«, in: *Transparency International Deutschland,* Rundbrief 38, 1 / 2008, S. 4

516 »Polit-Sponsoring – Geschwiegen und verschleiert«, in: *Der Spiegel* Nr. 28 vom 11. Juli 2011, S. 42.

517 »Ein ungewöhnliches Vorgehen«, in: *sueddeutsche.de* vom 26. Februar 2010

518 »Geschwiegen und verschleiert«, in: *Der Spiegel* Nr. 28 vom 11. Juli 2011, S. 43

519 Laut der gastgebenden Landesvertretung von Baden-Württemberg »gesellschaftliches Highlight vor der parlamentarischen Sommerpause«; ebd.

520 Ebd.

521 »Die größten Parteispender 2010«, in: *abgeordnetenwatch.de* vom 3. Januar 2011. Auf- bzw. Abrundung der Centbeträge auf ganze Euro von mir.

522 »Gesetz über die politischen Parteien (Parteiengesetz) in der Fassung der Bekanntmachung vom 31. Januar 1994 (Bundesgesetzblatt I, S. 149), zuletzt geändert durch Art. 2 des Gesetzes vom 22. Dezember 2004 (Bundesgesetzblatt I, S. 3673)

523 Ebd., § 18 Absatz 3 Nr. 3

524 … oder für jede für sie in einem Wahl- oder Stimmkreis abgegebene gültige Stimme, wenn in einem Land eine Liste für diese Partei nicht zugelassen war. Ebd., Absatz 3 Nr. 1 und 2.

525 Deutscher Bundestag: »Beschlussempfehlung und Bericht des Innenausschusses (4. Ausschuss) zu dem Gesetzentwurf der Fraktionen CDU / CSU, SPD, FDP und BÜNDNIS 90 / DIE GRÜNEN – Drucksache 17 / 6291«, Drucksache 17 / 6496, vom 6. Juli 2011

526 »Gesetz über die politischen Parteien …«, a. a. O.

527 Klaus Ott / Nicolas Richter / Hans Leyendecker: »Gauselmanns Landschaftspflege«, in: *sueddeutsche.de* vom 18. Februar 2011.

528 »Deutschland verliert im Kampf gegen die Korruption«, in: *Welt Online* vom 26. 10. 2010

529 »Duisburger Spendenaffäre weitet sich aus«, in: *Der Westen* vom 26. Mai 2011; siehe auch: Pascal Beucker: »Innenminister unter Verdacht«, in: *taz.de* vom 16. Mai 2011

530 »Was hatte Innenminister Jaeger mit Spendenanwalt Vauth zu tun?«, in: *Der Westen* vom 24. Mai 2011

531 Siehe als einen von Dutzenden Beweisen die Homepage von Fachanwalt Frank Ruhlmann, der allerdings korrekt das Gericht als Quelle nennt.

532 »Krefelder Kontakte«, in: *sueddeutsche.de* vom 2011

533 »Kann man Freunde kaufen, Herr Maschmeyer?«, in: *bild.de* vom 13. Januar 2011

534 »Maschmeyer bestreitet anonyme Parteispende«, in: *Panorama* vom 28. April 2011

535 Martin Reyner: »Der Fall Maschmeyer oder Die gefährliche Nähe zwischen Lobbyisten und Politikern«, in: *abgeordnetenwatch.de* vom 29. April 2011

536 Matthias Thieme: »›Unwürdig und unanständig‹«, in: *FR-Online* vom 8. April 2011

537 Jürgen Bellers: »Einleitung«, in: Jürgen Bellers (Hrsg.): *Politische Korruption. Vergleichende Untersuchungen*. Münster 1989. S. 3 f.

538 Zu Müllers Biografie siehe »Hildegard Müller«, in: Internetlexikon *Wikipedia*, und »Hildegard Müller, CDU / CSU«, in: *Webarchiv des Bundestages*

539 »Dresdner Bank zahlt Merkel-Vertrauter Gehalt«, in: *Welt Online* vom 6. Januar 2005

540 »Auf zum Flügelkampf«, in: *Focus Magazin* Nr. 32 vom 2. August 2004

541 »Dresdner Bank förderte Aufstieg von Hildegard Müller«, in: *Spiegel Online* vom 11. Januar 2005

542 Ewald B. Schulte: »Bank bezahlte CDU-Personal«, in: *Berliner Zeitung* vom 11. Januar 2005., S. 1

543 »Dresdner Bank förderte …«, a.a.O.

544 Christian Esser, Herbert Klar, Dana Nowak, Ulrich Stoll: »Angereicherte Diäten – Die Nebeneinkünfte der Politiker«, in: *Frontal 21* vom 11. Januar 2005

545 »Bank zahlt Merkel-Vertrauter Gehalt«, in: *Berliner Zeitung Online* vom 5. Januar 2005

546 »Bank zahlt Merkel-Vertrauter Gehalt«, in: *Berliner Zeitung Online* vom 6. Januar 2005

547 »Dresdner Bank zahlt Merkel-Vertrauter Gehalt«, in: *Welt Online* vom 6. Januar 2005

548 »Bank zahlt Merkel-Vertrauter Gehalt«, in: *Berliner Zeitung Online* vom 6. Januar 2005

549 Die Turbulenzen um Thomas Leif und das Netzwerk Recherche können in diesem Buch nicht ausführlich behandelt werden. Siehe dazu: Ralf Wiegand: »Aufklärer in Erklärungsnot«, in: *sueddeutsche.de* vom 3. Juli 2011

550 Thomas Leif: »Rohstoff ›Information‹«, in: *Zeit Online* vom 11. Januar 2005

551 Ebd.

552 »Weitere 130 000 Mark an Laurenz Meyer«, in: *Spiegel Online* vom 18. Dezember 2004

553 »Die Vollversorger«, in: *stern.de* vom 22. Dezember 2004

554 »RWE legt Ergebnisse der internen Untersuchung vor«, Pressemitteilung der RWE, vom 23. Dezember 2004

555 »RWE trennt sich von Laurenz Meyer«, in: *stern.de* vom 11. März 2005

556 Thomas Leif, a.a.O.

557 Ulrich von Alemann: *Dimensionen politischer Korruption: Beiträge zum Stand der internationalen Forschung*. VS Verlag, Wiesbaden 2005

558 »Die Vollversorger«, in: *stern.de* vom 22. Dezember 2004

559 Tobias Romberg: »Ritter der Schwafelrunde«, in *Zeit Online* vom 24. Mai 2011

560 Ebd.

561 »›Das übertrifft meine Phantasie‹«, in: *sueddeutsche.de* vom 23. Mai 2011

562 »Aufsichtsrat und Beirat«, in: Homepage der DVAG

563 Landtag RLP, Drucksache 13 / 5586 vom 28. 3. 2000

564 Thomas Leif, a.a.O.

565 Ebd.

566 »›Verfilzt und zugenäht‹«, a.a.O.

567 Werner Rügemer: »Subvention, Korruption, Marktzerstörung«, in: *NachDenkSeiten* vom 5. Oktober 2010

568 *Rheinischer Merkur* Nr. 14/2002, S. 3

569 Patrik Schwarz: Nach der Macht, in: *Die Zeit* Nr. 47 vom 17. November 2005, S. 69

570 Jürgen Leinemann: »›Sehstörung‹ oder die Droge Politik«, in: *Aus Politik und Zeitgeschichte*, Bd. 1–2/2004

571 Patrik Schwarz, a.a.O.

572 Jürgen Leinemann: *Höhenrausch. Die wirklichkeitsleere Welt der Politiker*. Blessing Verlag, München 2004

573 Bert Große: »Vom Rausch der Macht«, in: *e-politik.de*

574 Jürgen Leinemann: »›Sehstörung‹ …«, a.a.O.

575 Vergleiche dazu Claus Leggewie: »Der Rubikon ist überschritten«, in: *KulturAustausch Online* 1/1999

576 »Kosovokrieg«, in: Internetlexikon *Wikipedia*

577 Downs, S. 34

578 Gossen, S. 3, zit. nach Hofmann 1, S. 123

579 »Gunda Röstel – Expertin für Seitenwechsel«, in: *Financial Times Deutschland, ftd.de* vom 19. April 2011

580 Im Oktober 2000 wurde die frühere Grünen-Sprecherin Managerin für Projektentwicklung und Unternehmensstrategie bei der damaligen E.ON-Tochter Gelsenwasser AG, im April 2011 wurde sie in den EnBW-Aufsichtsrat gewählt.

581 »Althaus ist jetzt ›vorbestraft‹«, in: *merkur-online* vom 4. März 2009

582 »Althaus räumt nur Mitschuld ein«, in: *Focus Online* vom 3. März 2009

583 »›Will neue Wege gehen‹«, in: *faz.net* vom 29. Januar 2010

584 »Opel – Der Affären-Mann der CDU hat einen Auftrag«, in: *sueddeutsche.de* vom 26. Januar 2010. Das Blatt begründet Hoffs Kosenamen so: »Seine einstige Firma war in den Skandal um den verurteilten Media-Chef Ruzicka verstrickt.«

585 »Opel – Der Affären-Mann der CDU hat einen Auftrag«, in: *sueddeutsche.de* vom 26. Januar 2010

586 Klaus-Peter Klingelschmidt: »Koch geht auf den Bau«, in: *taz.de* vom 29. Oktober 2010

587 Skandalaufklärer Hans Leyendecker druckte die Abmachung in einem Buch ab. Titel: *Die Korruptionsfalle – wie unser Land im Filz versinkt*. (Rowohlt, Reinbek 2003, S. 89–93)

588 Aktenzeichen: L 10 KR 52/07

589 »Politik ist nicht mein Leben«, in: *faz.net* vom 25. Mai 2010

590 »Die Autoindustrie hat einen neue Cheflobbyisten«, in: *Welt Online* vom 26. März 2007

591 »Clement übernimmt Aufsichtsratsposten bei RWE«, in: *Welt Online* vom 13. Februar 2006

592 Koch-Weser war zwar ebenso wie Werner Müller formal kein SPD-Mitglied, aber langjährige Mitglieder der Schröder-Regierung lassen sich wohl kaum der CSU oder der Biertrinkerpartei zuordnen, von der zunehmenden Verwechselbarkeit der Parteien einmal ganz abgesehen.

593 »Teuerster Frühstücksdirektor …«, a.a.O.

594 Petra Bornhöft/Frank Dohmen/Konstantin von Hammerstein/Wolfgang Reuter: »In der Grauzone«, in: *Der Spiegel* Nr. 38 vom 13. September 2004, S. 22 f.

595 »Erst Bio, dann Bimbes«, in: *Spiegel Online* 2011

596 »Transparency fordert Karenzzeit für ausscheidende Regierungsmitglieder«, in: *TI-Deutschland* vom 15. Juni 2009

597 Zitiert in: *Fast Progress Channel* vom 27. November 2008

598 »Merkel verteidigt Geburtstagsdinner für Ackermann«, in: *Spiegel Online* vom 26. August 2009

599 »Festessen bei der Kanzlerin«, in: *Spiegel Online* vom 26. August 2009

600 »Ackermann feierte auf Staatskosten«, in: *Spiegel Online* vom 24. August 2009

601 »Wer bei der Feier im Kanzleramt dabei war«, in: *Bild.de* vom 25. August 2009

602 Aus dem ersten Satz des Porträts »Arend Oetker« im Internetlexikon *Wikipedia*

603 »Wer bei der Feier …«, a. a. O.

604 »Merkel muss Gäste bei Ackermann-Dinner nennen«, in: *stern.de* vom 7. April 2011

605 Ebd.

606 Gerhard Wisnewski: *Drahtzieher der Macht.* Knaur, München 2010, S. 181

607 »Bilderberg-Konferenz«, in: Internetlexikon *Wikipedia*

608 Detlef Grumbach: »Re-Feudalisierung und Privatisierung der Macht?«, in: *Deutschlandfunk* vom 2. Juni 2010

609 Ebd.

610 Europäisches Parlament: »Antwort des Herrn Prodi im Namen der Kommission«, in: *Parlamentarische Anfragen* vom 15. Mai 2003

611 Markus Klöckner: *Machteliten und Elitenzirkel.* Vdm Verlag Dr. Müller, Saarbrücken 2007

612 Marcus Klöckner: »Geheimes Treffen der Elite«, in: *FR-Online* vom 7. Juni 2010

613 »Teilnehmer Bilderberger 2010«, in: *flegel-g.de* vom 14. Juni 2010

614 Bilderberg 2011: »Offizielle Teilnehmerliste und Agenda«, in: *The Intelligence* vom 11. Juni 2011

615 Aufgeführt ist das Amt, das sie zur Zeit der Teilnahme hatten.

616 »Die totale Verarschung!!!«, in: *sueddeutsche.de* vom 21. Mai 2009

617 Ralf Neukirch / Christoph Schult: »Der Männerbund«, in: *Der Spiegel* Nr. 27 vom 30. Juni 2003, S. 38

618 Ralf Neukirch: »Aus für den Andenpakt«, in: *Der Spiegel* Nr. 17, Seite 44–46. 23. April 2007

619 »Die Mitglieder des Andenpaktes«, in: *Welt Online* vom 10. August 2011

620 Ralf Neukirch / Christoph Schult: »Der Männerbund«, in: *Der Spiegel* Nr. 27 vom 30. Juni 2003, S. 39

621 Ebd., S. 41

622 www.rushme.de / stoiber-stilblueten / verschiedene-stoiber-zitate.php

623 Martina Fietz: »Starke Sehnsucht nach dem Christlich-Sozialen.« Interview mit Norbert Blüm in: *Cicero – Magazin für politische Kultur,* September 2007

624 www.manager-magazin.de

625 Mühelos nachzulesen im Internet: Einfach bei Google die Stichwörter »Kriminelle Vereinigung« plus Parteiennamen eingeben.

626 Markus Dietz, a. a. O., S. 38

627 Deutscher Bundestag – 17. Wahlperiode: *Stenografischer Bericht der 10. Sitzung (Plenarprotokoll 17 / 10)* vom 4. Dezember 2009, S. 763

628 Siehe dazu: Wolfgang Hetzer: *Finanzmafia.* Westend Verlag, Frankfurt 2011

629 Hetzer nennt das Investmentmodernisierungs- und das Finanzmarktstabilisierungsgesetz sowie das dazugehörige Ergänzungsgesetz.

630 »Im Würgergriff der Mafia aus Finanzwelt und Politik«, in: *Welt Online* vom 2. Mai 2011

Grimms Märchen – die dritte Gewalt

631 Dietmar Hipp: »›Empfehlung‹ vom Minister«, in: *Der Spiegel* Nr. 33 vom 11. August 2003, S. 38

632 In Berlin, Bremen und Hamburg heißt er Justizsenator

633 »Deutscher Richterbund: Weisungsgebundenheit erschüttert Vertrauen der Bevölkerung in Staatsanwälte«, in: *Spreerauschen.net* vom 29. Oktober 2008

634 Ebd.

635 »Externe politische Einflussnahme ausschalten‹«, in: *Hannoversche Allgemeine Zeitung* vom 11. August 2003, S. 2

636 Dietmar Hipp, a.a.O., S. 38 f.

637 Ebd., S. 38.

638 »Der Jurist mit der Bilderbuchkarriere«, in: *stern.de* vom 9. Februar 2004

639 Dietmar Hipp, a.a.O., S. 29

640 »Das Flüstern des Vögleins«, in: *Der Spiegel* Nr. 43 vom 22. Oktober 2001, S. 70

641 Hans Herbert von Arnim: »Strukturprobleme des Parteienstaates«, in: Internet-Angebot der Zeitschrift *Das Parlament* mit der Beilage »Aus Politik und Zeitgeschichte« vom 1. August 2003. Internetadresse: www.das-parlament.de

642 Gerd Langguth: »Sind die Parteien zu mächtig?«, in: *Welt Online* vom 29. Februar 2000

643 Heribert Prantl. »Die Entfesselung der dritten Gewalt«, in: *Süddeutsche Zeitung* vom 6. April 2006, S. 28

644 Quelle: »Richterwahlausschuss«, in: Internetlexikon *Wikipedia*

645 Ausschuss für Recht und Menschenrechte des Europarats: »Behaupteter politisch motivierter Missbrauch des Strafrechtssystems in Mitgliedstaaten des Europarats« *(Dokument 11 993)* vom 7. August 2009

646 Ebd., S. 22, Randnummer 61

647 *Neue Richtervereinigung:* NRV-Info 12/2009, S. 13 f.; zitiert in: Lothar Gutsche: »Abhängigkeiten der deutschen Justiz«, in: *Clean State* vom 15. August 2010

648 »Helmut Kohl kommt mit Geldbuße davon«, in: *Berliner Zeitung Online* vom 3. März 2001

649 »Ackermann tritt bei Verurteilung zurück«, in: *Handelsblatt.com* vom 2. Februar 2006

650 Johannes Röhrig: »Gnade und Recht«, in: *stern.de* vom 25. Januar 2007

651 »Denn er wusste, was er tat«, in: *sueddeutsche.de* vom 26. Januar 2009

652 Berliner Landgericht Berlin: »Freispruch für alle Angeklagten im ›Bankenverfahren‹ gegen Klaus-Rüdiger Landowsky u.a.« Pressemitteilung Nr. 17/2011 vom 14.02.2011

653 »Gericht stellt Strafprozess gegen Ganswindt ein«, in: *faz.net* vom 19. Mai 2011

654 Annette Berger/Kathrin Werner: »Warum Wirtschaftssünder glimpflich davonkommen«, in: *Financial Times Deutschland, ftd.de* vom 20. Mai 2011

655 Ebd.

656 »Auch das Verfahren gegen Neubürger wird eingestellt«, in: *faz.net* vom 12. Juli 2011

657 Ebd.

658 Ansgar Graw: »Der gekaufte Adel des Heinrich von Pierer«, in: *Welt Online* vom 25. August 2008

659 »Marcus Rohwetter: Das Anti-Schmiermittel – Korruption bedroht«, in: *Zeit Online* vom 16. August 2007

660 Ebd.

661 Ebd.

662 Sabine Deckwerth, a.a.O.

663 Vergleiche zum Beispiel: Runderlass des nordrhein-westfälischen Innenministeriums, zugleich im Namen des Ministerpräsidenten und aller Landesministerien, vom 26. April 2005

664 »Schon Kleinigkeiten können Korruption sein«, in: *news.de* vom 20. Juni 2009

665 Im Rahmen des 28. Strafrechtsänderungsgesetzes, siehe Bundesgesetzblatt I 1994 S. 84

666 Der § 108 e StGB im Wortlaut:
(1) Wer es unternimmt, für eine Wahl oder Abstimmung im Europäischen Parlament oder in einer Volksvertretung des Bundes, der Länder, Gemeinden oder Gemeindeverbände eine Stimme zu kaufen oder zu verkaufen, wird mit Freiheitsstrafe bis zu fünf Jahren oder mit Geldstrafe bestraft.
(2) Neben einer Freiheitsstrafe von mindestens sechs Monaten wegen einer Straftat nach Absatz 1 kann das Gericht die Fähigkeit, Rechte aus öffentlichen Wahlen zu erlangen, und das Recht, in öffentlichen Angelegenheiten zu wählen oder zu stimmen, aberkennen.

667 Michaela Becker: *Korruptionsbekämpfung im parlamentarischen Bereich.* Dissertation an der Universität Bonn 1998, S. 53

668 »Immer untendurch«, in: *Der Spiegel* Nr. 14 vom 30. März 2002, S. 44

669 Hans Magnus Enzensberger: »Die vollkommene Leere«, in: *Der Spiegel* Nr. 20 vom 16. Mai 1988, S. 236

670 Britta Bannenberg: *Korruption in Deutschland und ihre strafrechtliche Kontrolle.* Luchterhand, Neuwied 2002, S. 334

671 Ingo Pies, Peter Sass, Henry Meyer zu Schwabedissen: *Prävention von Wirtschaftskriminalität. Zur Theorie und Praxis der Korruptionsbekämpfung.* Wirtschaftsethik-Studie Nr. 2–2005 der Martin-Luther-Universität Halle-Wittenberg, Halle-Wittenberg 2005

672 »Privileg für Parlamentarier«, in: *Frontal 21* vom 13. März 2007

673 »Abgeordnetenbestechung«, in: Internetlexikon *Wikipedia*

674 »Korrupt, bestochen – und unbestraft«, in: *Spiegel Online* vom 30. März 2007

675 »CDU-Politiker kassierte 75 000 Euro Schmiergeld – und bleibt straffrei«, in: *Spiegel Online* vom 30. März 2007

676 »Ratingen: Prozess: Ex-Politiker Droste muss 100 000 Euro zahlen«, in: *RP-Online* vom 19. September 2009

677 Ebd.

678 www.nebeneinkuenfte-bundestag.de / hintergrund /

679 Deutscher Bundestag: »Tätigkeiten und Einkünfte neben dem Mandat«, in: *bundestag.de*

680 Bundesverfassungsgericht: »Klage der Abgeordneten gegen Offenlegung von Einkünften erfolglos«; Pressemitteilung Nr. 73 / 2007 vom 4. Juli 2007

681 »Die genauen Einkünfte erfährt der Wähler nicht«, in: *Welt Online* vom 5. Juli 2007

682 »Für deutsche Manager gehört Korruption dazu«, in: *Welt Online* vom 26. September 2007

Korruption als Super-GAU für die Gesellschaft

683 »Korruption – Schmiermittel für die Wirtschaft?!«, in: *Compliance-Magazin.de* vom 13. Dezember 2007

684 »Wulfs Erklärungen kommen eindeutig zu spät«, in: *Welt Online*, vom 13. Dezember 2011. URL: http://www.welt.de / debatte / kommentare / article13765025 / Wulffs-Erklaerungen-kommen-eindeutig-zu-spaet.html

685 »Warum den Bundespräsidenten niemand mehr kaufen würde«, in: *Tagesspiegel Online*, vom 25. Dezember 2011. URL: http://www.tagesspiegel.de / meinung / anderemeinung / vertrauen-dahin-marke-zerstoert-warum-den-bundespraesidenten-niemand-mehr-kaufen-wuerde / 5994662.html

686 »Der lange Abstieg in den Affärensumpf«, in: *Spiegel Online*, vom 3. Januar 2012. URL: http://www.spiegel.de / politik / deutschland / 0,1518,806837,00.html

687 »›Liegt die Sau am Boden, schießt der Jäger nicht‹«, in: *Welt Online* vom 11. Januar 2012. URL: http://www.welt.de/politik/deutschland/article13809390/Liegt-die-Sau-am-Boden-schiesst-der-Jaeger-nicht.html

688 »Korruption – Schmiermittel für die Wirtschaft?!«, in: *Compliance-Magazin.de* vom 13. Dezember 2007

689 Straftaten in Behörden, a.a.O.

690 Friedrich Nietzsche: *Die fröhliche Wissenschaft*. Reclam, Stuttgart 2000, S. 57

691 »Lehrer soll 15-jährige Schülerin sexuell missbraucht haben«, *stern.de* vom 24. August 2011

692 »Wissenschaftlerin: Deutschland droht in Korruption zu versinken«, *dpa-infocom*, zitiert in: *Rhein-Zeitung online* vom 19. Juli 2005; Carl Christian von Weizsäcker: »Das Janusgesicht der Staatsschulden«, in: *faz.net* vom 5. Juni 2010

693 Carl Christian von Weizsäcker: »Das Janusgesicht der Staatsschulden«, in: *faz.net* vom 5. Juni 2010

694 Vergleiche dazu: Wolfgang J. Schaupensteiner: »Korruption in Deutschland. Das Ende der Tabuisierung«, a.a.O, S. 138 f.

695 Markus Dietz: *Korruption – eine institutionenökonomische Analyse*. Berlin Verlag, Berlin 1998, S. 63

696 »Streit um ZDF-Reportage – Fernsehteam zahlte prügelnden Jugendlichen 200 Euro«, in: *Spiegel Online* vom 6. April 2006

697 »Medienticker«, in: *tageszeitung* vom 8. April 2006, S. 19

698 »Lobbyisten auf Sendung«, in: *taz.de* vom 24. Juli 2009; Martin Opong: »Die Nebentätigkeiten der Maybrit Illner« in: *Carta* vom 22. Juli 2009

699 »Wirtschaftsforscher legen ihre Konten offen«, in: *sueddeutsche.de,* vom 9. Januar 2012. URL: http://www.sueddeutsche.de / wirtschaft / transparenz-gegen-lobbyvorwuerfe-wirtschaftsforscher-legen-ihre-konten-offen-1.1253173

700 Velma Montoya Thompson / Earl A. Thompson: »Achieving optimal fines for political bribery: A suggested political reform«, in: *Public Choice* 77(4). Springer 1993. S. 782 ff.

701 »SPD streitet über Strafen für Verstöße gegen Parteiengesetz«, in: *Welt Online* vom 21. Juli 2001

702 Markus Dietz, a.a.O., S. 79

703 Marc Felix Serrao: »Der Gegner aus Grevenbroich«, in: *Süddeutsche Zeitung* vom 2. März 2010, S. 17

704 Julia Bug: »Korruption: Siemens und die Griechen«, in: *ef-magazin* vom 26. Juni 2009

705 »Bahn-Aufsichtsräte drohen Mehdorn mit Schadensersatzklage«, in: *Spiegel Online* vom 9. Mai 2009

706 »Merkel unterstützt Kauf der Steuersünder-CD«, in: *Spiegel Online* vom 1. Februar 2010

707 »Transparency begrüßt geplantes Informationsfreiheitsgesetz in Baden-Württemberg«. Pressemitteilung von TI Deutschland vom 28. April 2011

708 »Informationsfreiheit«, in: Homepage von TI Deutschland

709 Edda Müller: »Informationsfreiheit: Instrument im Kampf gegen fragwürdige Lobbymethoden«, in: *Scheinwerfer 52* vom Juli 2011

710 »Mit dem Urheberrecht gegen die Informationsfreiheit«, in: *heise online* vom 10. Mai 2006

711 »Für deutsche Manager gehört Korruption dazu«, in: *Welt Online* vom 26. September 2007

712 »Korruptionsgesetz benötigt Nachbesserungen«, in: *Welt Online* vom 26. August 2000

713 Internetlexikon *Wikipedia*, Stichwort »Royal Dutch Shell«.

714 »Schlecker erleidet Umsatzeinbruch«, in: *Spiegel Online* vom 5. Juni 2010

Register